L'Affaire Protheroe

Jeux de glaces

Agatha Christie

L'Affaire Protheroe

Jeux de glaces

FRANCE LOISIRS
123, boulevard de Grenelle, Paris

L'Affaire Protheroe a paru sous le titre original :
The Murder at the Vicarage.
Traduit de l'anglais par Raymonde Coudert.

Jeux de glace a paru sous le titre original :
They do it with Mirrors.
Traduit de l'anglais par Clarine Frémiet.

Une édition du Club France Loisirs, Paris,
réalisée avec l'autorisation de la librairie des Champs-Élysées.

© 1930, by Dood Mead & Company Inc.
© Librairie des Champs-Élysées, 1927.
© Librairie des Champs-Élysées, 1991, pour la nouvelle traduction
de *L'Affaire Protheroe*.
© 1952, by Rosalind Margaret Clarissa Hicks and William Edmund
Cork et Librairie des Champs-Élysées, 1953, pour *Jeux de glace*.
© France Loisirs, 1997, pour la présente édition.

ISBN : 2-7441-1031-0.

L'Affaire Protheroe

1

Il est bien difficile en vérité de savoir quand débuta cette histoire. Pour moi, ce fut au cours d'un déjeuner, un certain mercredi, au presbytère. Ce jour-là, la conversation – par ailleurs sans rapport avec notre sujet – roula sur un ou deux points qui ne sont pas sans importance pour la suite de l'affaire.

Je venais de découper une pièce de bœuf bouilli – des plus coriace, soit dit en passant – quand, tout en me rasseyant, je fis remarquer, dans un esprit convenant bien peu à mon habit, que quiconque tuerait le colonel Protheroe rendrait au monde un fier service.

– Voilà qui sera retenu contre vous, le jour où on le retrouvera baignant dans une mare de sang ! s'écria aussitôt mon jeune neveu, Dennis. Mary pourra en témoigner, n'est-ce pas, Mary ? Elle racontera de quel geste vindicatif vous brandissiez ce couteau à découper.

Mary, qui, faute de mieux, travaillait au presbytère, se borna à annoncer d'une voix forte et toute professionnelle : « Les légumes », et lui fourra sous le nez un plat ébréché.

– Vous a-t-il vraiment contrarié ? me demanda ma femme d'un ton compatissant.

Je ne répondis pas tout de suite car Mary, posant sans douceur les légumes sur la table, me présenta un plat où surnageaient des boulettes spongieuses fort peu ragoûtantes. Comme je refusais de me servir, elle planta le tout devant moi et quitta la pièce.

– Quel dommage que je fasse une si piètre maîtresse de maison, dit ma femme avec, dans la voix, une pointe de regret sincère.

J'étais bien de son avis. Mon épouse porte le doux prénom de Griselda – prénom rêvé pour une femme de pasteur, mais pas du tout pour elle, qui est tout le contraire de la douceur.

J'ai toujours été d'avis qu'un homme d'Église devrait rester célibataire. J'ignore encore pourquoi j'ai imploré Griselda de m'épouser alors que je la connaissais depuis vingt-quatre heures à peine. De même ai-je toujours pensé que le mariage est une chose sérieuse qu'on n'aborde qu'après mûre réflexion, et seulement si l'on partage goûts et inclinations.

Griselda a presque vingt ans de moins que moi. Elle est ravissante et tout à fait incapable de rien prendre au sérieux. Elle ne sait à peu près rien faire, ce qui ne facilite pas l'existence en commun. À l'en croire, ma paroisse n'existe que pour son divertissement. J'ai fait tout ce qui était en mon pouvoir pour lui former l'esprit, sans succès. Et je suis plus que jamais persuadé aujourd'hui que le célibat est l'état qui convient aux membres du clergé. Je me suis d'ailleurs efforcé plus d'une fois d'en convaincre Griselda qui s'est contentée de me rire au nez.

– Si seulement vous y mettiez un peu du vôtre, dis-je.

– Mais c'est ce à quoi je m'astreins parfois, et cela ne fait qu'aggraver la situation, me répondit Griselda. Il est clair que je ne suis pas faite pour être une bonne maîtresse de maison. Je préfère m'en remettre à Mary, quitte à pâtir de ses services et de sa cuisine.

– Mais avez-vous songé à votre mari, ma chérie ? demandai-je d'un ton de reproche. (Et, suivant l'exemple de Satan citant les Écritures pour son propre bénéfice, j'énonçai :) « Elle prenait grand soin des affaires de son ménage... »

– Et vous-même, avez-vous songé que vous auriez pu être jeté en pâture aux lions, ou brûlé vif sur le bûcher ? Après tout, il y a pire martyre qu'une mauvaise cuisine, un peu de poussière et quelques cadavres de guêpes par-ci, par-là. Mais parlez-moi plutôt du colonel Protheroe. En tout cas, les chrétiens des premiers âges n'avaient pas à supporter les chicaneries des marguilliers.

– Quelle effroyable viellie baderne, ce Protheroe, dit Dennis. Pas étonnant que sa première femme l'ait quitté.

– Elle n'a pas eu le choix, fit ma femme.

– Griselda, dis-je d'un ton sec, je ne veux pas vous entendre parler ainsi.

– Chéri, lança-t-elle pour m'amadouer, racontez-moi plutôt ce qui s'est passé. De quoi s'agissait-il ? Des simagrées et des sempiternels signes de croix de Mr Hawes ?

Hawes, le nouveau vicaire, est des nôtres depuis trois semaines environ. C'est un traditionaliste qui observe rigoureusement le jeûne du vendredi. En revanche, le colonel Protheroe exècre tout rituel.

– Pas cette fois-ci, dis-je. Il s'est contenté d'y faire allusion en passant. Non, c'était à propos du malheureux billet d'une livre de Mrs Price Ridley.

Mrs Price Ridley est l'une de mes ferventes paroissiennes. À l'office du matin, que je célébrais pour l'anniversaire de la mort de son fils, elle avait fait don à la quête d'un billet d'une livre. Or, en consultant la liste recensant le détail des offrandes, elle avait constaté avec dépit qu'il n'y avait aucun billet d'un montant supérieur à dix shillings.

Lorsqu'elle vint s'en plaindre à moi, je crus bon de lui faire remarquer qu'elle s'était peut-être tout bonnement trompée.

– Nous nous faisons vieux, dis-je pour couper court. Et il nous faut payer notre tribut au temps qui passe.

Assez curieusement, ces paroles ne firent que l'exaspérer davantage. Elle me déclara que la chose lui paraissait pour le moins suspecte et se montra surprise que je ne fusse pas du même avis. Puis elle me planta là pour aller sans doute s'en ouvrir au colonel Protheroe. Protheroe est homme à aimer faire des histoires à tout propos et en tout lieu. Il fit donc une histoire et, par malheur, cela tombait un mercredi. Or, le mercredi matin, j'enseigne le catéchisme, ce qui me rend nerveux pour tout le reste de la journée.

– Ma foi, il faut bien qu'il se distraie, commenta ma femme, faisant mine de juger les choses en toute impartialité. Personne ne papillonne autour de lui en l'appelant « mon cher pasteur », personne ne lui brode

12

d'affreuses pantoufles ni ne lui offre des chaussettes pour Noël. Sa femme et sa fille en ont par-dessus la tête de lui. Il faut croire qu'il est ravi de se sentir important pour quelqu'un.

– Oui, mais pourquoi en faire une histoire ? m'écriai-je. Il n'a pas dû mesurer les conséquences de ses propos. Il prétend vérifier tous les comptes de l'église pour s'assurer qu'il n'y a pas de détournement de fonds. Il a bien dit détournement ! Me soupçonnerait-il de détourner les fonds de notre église ?

– Nul ne songe à vous soupçonner de quoi que ce soit chéri, dit Griselda. Vous êtes tellement au-dessus de tout soupçon que vous auriez bien tort de ne pas en profiter. Si seulement vous pouviez partir avec la caisse des missions ! J'exècre les missionnaires. Je les ai toujours exécrés.

Je n'aurais pas manqué de réprimander Griselda pour cette déclaration si Mary n'était entrée à cet instant, avec un gâteau de riz à moitié cuit. J'émis une faible protestation mais mon épouse entreprit de m'expliquer que les Japonais mangeaient toujours le riz ainsi, et qu'il fallait y voir la cause de leur intelligence exceptionnelle.

– Je dirais même, ajouta-t-elle, que si vous mangiez du gâteau de riz comme celui-ci tous les jours jusqu'à dimanche, vous feriez le meilleur sermon de votre carrière.

– Dieu m'en garde, hoquetai-je avec un frisson de dégoût. Protheroe vient demain soir pour vérifier les comptes avec moi, et je dois finir aujourd'hui de préparer ma conférence pour le cercle paroissial. Comme je cherchais une référence, je me suis plongé dans

Réalité, le livre du chanoine Shirley, et je n'ai guère avancé. Et vous, Griselda, que faites-vous cet après-midi ?

– Mon devoir, dit-elle. Mon devoir de femme de pasteur. Thé et potins à quatre heures et demie.

– Qui attendez-vous ?

Griselda recensa ses invitées sur ses doigts avec une mine angélique.

– Mrs Price Ridley, miss Wetherby, miss Hartnell et la terrible miss Marple.

– J'aime bien miss Marple, dis-je. Au moins elle a le sens de l'humour.

– C'est la plus mauvaise langue du village... Toujours au courant de tout ce qui se passe, et prompte à en tirer à chaque fois les pires conclusions.

Comme je l'ai dit, Griselda est beaucoup plus jeune que moi. Et à mon âge, on sait que ce sont toujours les pires éventualités qui se réalisent.

– Ne m'attendez pas pour le thé, Griselda, dit Dennis.

– Chameau ! dit Griselda.

– Peut-être, mais je dois aller faire un tennis chez les Protheroe aujourd'hui.

– Chameau ! répéta ma femme.

Prudent, Dennis battit en retraite tandis que Griselda et moi passions dans mon cabinet de travail.

– Je me demande sur le dos de qui nous casserons du sucre cet après-midi, dit Griselda en s'asseyant sans façon sur mon bureau. Sur le Dr Stone et miss Cram, sans doute, à moins que ce ne soit sur Mrs Lestrange. À propos, je suis passée chez elle hier mais elle était sortie. Oui, je crois que Mrs Lestrange fera les frais de ce thé. Tout est si mystérieux, non ?... Son arrivée et son installation ici, sa quasi-réclusion... C'est un vrai roman policier. Vous savez... « Qui était cette femme énigmatique au beau visage pâle ? Quelle était son histoire ? Nul ne la connaissait. Une aura vaguement menaçante planait autour d'elle. » Je crois que le Dr Haydock sait quelque chose à son sujet.

– Vous lisez trop de romans policiers, Griselda, fis-je remarquer avec douceur.

– Et vous donc ? rétorqua-t-elle. J'ai cherché partout *La Tache sur l'escalier* le jour où vous vous étiez enfermé dans votre bureau pour rédiger votre sermon. Et quand, enfin, je suis entrée pour vous demander si vous l'aviez vu, qu'ai-je aperçu... ?

J'eus le bon goût de rougir.

– Je l'avais ramassé sans y songer. Une phrase avait attiré mon attention et...

– Je connais ce genre de phrase, dit Griselda qui cita sur un ton émouvant : « C'est alors que survint un incident surprenant ; Griselda se leva, traversa la pièce et embrassa tendrement son vieux mari. »

Et elle joignit le geste à la parole.

– Est-ce donc si surprenant ? demandai-je.

– Si c'est surprenant ! Vous rendez-vous compte, Len, que j'aurais pu épouser un ministre, un baron un riche promoteur, trois lieutenants, un séduisant vaurien, et qu'au lieu de cela, je vous ai choisi, vous ? Ne trouvez-vous pas cela étonnant ?

– J'avoue que cela m'a étonné sur le coup. Et je me suis demandé plus d'une fois pourquoi vous m'aviez épousé.

Griselda soupira et murmura :

– J'ai éprouvé un tel sentiment de puissance... Tous les autres me jugeaient merveilleuse et désiraient m'avoir pour épouse. Mais vous, vous n'avez pas pu résister à mes charmes, alors que j'incarne tout ce que vous désapprouvez, tout ce que vous abominez ! Je vous ai cédé par vanité ! Il est ô combien plus délicieux d'être le péché mignon d'un homme qu'une plume à son chapeau. Je vous mets à la torture, je vous entraîne toujours sur la mauvaise pente, et pourtant vous m'adorez. Car vous m'adorez, n'est-ce pas ?

– Bien entendu, je vous aime beaucoup, ma chérie.

– Oh ! Len, vous êtes fou de moi. Vous rappelez-vous le jour où j'étais restée en ville et où je vous avais envoyé un télégramme que vous n'avez jamais reçu, parce que la sœur de la postière avait eu des jumeaux, et qu'elle avait oublié de le transmettre ? Vous étiez dans tous vos états... Vous avez appelé Scotland Yard, remué ciel et terre.

Il est des choses qu'on n'aime guère se voir remettre en mémoire. Cette fois-là, je m'étais conduit comme un imbécile.

– Si cela ne vous ennuie pas, ma chérie, je voudrais finir de préparer ma conférence pour le cercle paroissial.

Griselda eut un soupir excédé, m'ébouriffa les cheveux et les raplatit sur mon crâne :

– Vous ne me méritez pas. Voilà la vérité. Je vais avoir une aventure avec l'artiste. Je vous aurai prévenu, et alors quel scandale dans la paroisse !

– Je crois qu'il y en a déjà bien assez comme cela, murmurai-je d'un ton radouci.

Griselda se mit à rire et m'envoya un baiser. Puis elle sortit par la porte-fenêtre.

2

Griselda s'y entend pour vous mettre les nerfs en pelote. En me levant de table, j'étais dans les meilleures dispositions pour préparer à l'intention du cercle paroissial une allocution énergique ; mais à présent j'étais chiffonné et vaguement mal à l'aise.

À l'instant précis où je me mettais au travail, Lettice Protheroe fit une apparition. C'est à dessein que j'utilise le mot apparition ; j'ai lu quantité de romans où la jeunesse déborde d'énergie, de joie de vivre et de vitalité, or si j'en crois mon expérience, tous les jeunes me font l'effet d'aimables apparitions.

Lettice était particulièrement spectrale cet après-midi-là. C'est une grande et jolie fille, blonde et toujours dans la lune. Elle apparut donc à la porte-fenêtre, enleva d'un geste machinal son béret jaune et murmura d'un ton distrait et étonné :

– Tiens ! C'est vous ?

Le sentier de Old Hall coupe à travers bois et débouche juste à la barrière de notre jardin, si bien que la plupart des gens, au lieu d'accéder à la porte d'entrée par la route qui fait un grand tour autour de la maison, préfèrent pousser la grille et se présenter à la porte-fenêtre de mon bureau. Nullement étonné de voir Lettice emprunter ce chemin, je fus néanmoins un peu agacé par ses manières. Si vous vous rendez au presbytère, n'est-il pas normal d'y trouver un pasteur ?

Elle entra donc et se laissa choir dans un de mes grands fauteuils en faisant bouffer ses cheveux, les yeux au plafond.

– Dennis est là ?

– Je ne l'ai pas vu depuis le déjeuner. J'avais cru comprendre qu'il allait jouer au tennis chez vous.

– J'espère qu'il n'en a rien fait. Il n'aura trouvé personne.

– Et pourtant, selon lui, vous l'aviez invité...

– C'est possible, en effet. Mais c'était vendredi. Et aujourd'hui, nous sommes mardi.

– Nous sommes mercredi.

– C'est affreux. C'est donc la troisième fois que j'oublie une invitation à déjeuner (par bonheur, la chose ne semblait guère l'affecter). Griselda est là ?

– Vous devriez la trouver au jardin, dans l'atelier... en train de poser pour Lawrence Redding.

– Mon père a fait toute une histoire au sujet du peintre. Père est terrible.

– Quelle hist... De quoi s'agissait-il ?

– Tout cela parce qu'il fait mon portrait. Père a découvert le pot aux roses. Pourquoi ne pourrais-je pas poser en maillot de bain ? Si je vais à la plage en maillot de bain, pourquoi ne ferait-on pas mon portrait dans cette tenue ? (Après un temps, elle reprit :) C'est vraiment ridicule... Père interdisant sa porte à un jeune homme. Bien sûr, Lawrence et moi n'avons fait qu'en rire. Je

18

pourrais venir ici et nous continuerions dans votre atelier.

– Non, ma chère enfant. Pas si votre père l'a interdit.

– Mon Dieu ! soupira Lettice. Comme les gens sont faligants ! Je n'en peux plus, je suis à bout. Épuisée. Si au moins j'avais de l'argent, je partirais, mais sans argent, c'est impossible. Si au moins père avait la bonne idée de mourir, tout serait réglé.

– Vous ne devez pas parler ainsi, Lettice.

– Eh bien, s'il ne veut pas que je souhaite sa mort, il ferait bien d'être moins odieux pour les questions d'argent. Rien d'étonnant à ce que ma mère l'ait quitté. Figurez-vous que pendant des années je l'ai crue morte ! Savez-vous comment était le jeune homme avec lequel elle est partie ? Était-il sympathique ?

– C'était avant que votre père ne vienne s'installer ici.

– Je me demande ce qu'elle est devenue. Anne ne tardera pas à avoir une aventure. Elle me déteste... Elle reste polie avec moi, mais elle me déteste. Elle vieillit et, cela, elle ne le supporte pas. Elle a atteint l'âge critique.

Je me demandais si Lettice avait l'intention de passer tout l'après-midi dans mon bureau.

– Vous n'auriez pas vu mes disques, par hasard ? me demanda-t-elle encore.

– Non.

– C'est assommant. J'ai pourtant bien dû les laisser quelque part. J'ai aussi perdu le chien. Et ma montre est Dieu sait où. D'ailleurs, tant pis car elle ne marchait plus. Mon Dieu, je tombe de sommeil. Je me demande bien pourquoi, car je suis restée au lit jusqu'à onze heures. Mais la vie est épuisante, vous ne trouvez pas ? Oh ! zut, il faut que je me sauve. Je dois aller voir les fouilles du Pr Stone à 3 heures.

Je jetai un coup d'œil à ma pendulette et lui fis remarquer qu'il était 4 heures moins 25.

– Vraiment ? C'est épouvantable ! Pourvu qu'ils ne m'aient pas attendue. Et s'ils étaient partis sans moi ! Je ferais mieux de me dépêcher. (Elle se leva et disparut en jetant par-dessus son épaule :) N'oubliez pas d'en parler à Dennis, n'est-ce pas ?

J'acquiesçai machinalement pour m'apercevoir trop tard que je n'avais pas la moindre idée de ce que je devais dire à Dennis. Puis, m'avisant que cela ne devait guère avoir d'importance, je me mis à penser au Pr Stone, archéologue très connu, installé depuis peu au *Sanglier Bleu*, pour diriger des fouilles sur la propriété du colonel Protheroe. Plusieurs disputes avaient déjà éclaté entre les deux hommes et je m'étonnais qu'il ait donné rendez-vous à Lettice pour visiter son chantier.

Il me vint à l'esprit que Lettice Pretheroe était une chipie. Comment allait-elle s'entendre avec miss Cram, la secrétaire de l'archéologue ? J'étais curieux de le savoir. Miss Cram est une jeune femme de vingt-cinq ans, exubérante et énergique, au teint fleuri, et dont la dentition m'a toujours paru surabondante.

Le village était divisé en deux camps à son sujet : les uns pensaient qu'elle était ce qu'on supposait qu'elle était, les autres la tenaient pour une jeune fille défendant farouchement sa vertu, avec l'idée bien arrêtée de se faire épouser par son patron. Elle est en tout cas l'exact opposé de Lettice. J'imaginais sans peine que tout ne devait pas être facile à Old Hall. Le colonel Protheroe s'était remarié quelque cinq ans auparavant, et la seconde Mrs Protheroe était une très jolie femme, d'une beauté pour le moins originale. Je m'étais toujours douté que les relations entre sa belle-fille et elle manquaient de cordialité.

Je fus à nouveau interrompu, par mon vicaire, cette fois. Hawes voulait connaître les détails de mon entretien avec Protheroe. Je lui rapportai que le colonel avait déploré ses penchants pour le rituel traditionnel mais j'ajoutai que ce n'était pas là l'essentiel des préoccupations de notre voisin. J'en profitai aussi pour lui dire qu'il devait en toutes choses se conformer à mes ordres. Dans l'ensemble, il accepta de bonne grâce mes remarques.

Après son départ, je m'en voulus presque de ne pas l'apprécier davantage. Ces sympathies et antipathies que nous éprouvons vis-à-vis des autres sont peu conformes aux enseignements des Évangiles, cela ne fait aucun doute.

Constatant avec un soupir que les aiguilles de la pendulette sur mon bureau marquaient cinq heures moins le quart, ce qui voulait dire qu'il n'était que quatre heures et demie, je me rendis au salon. Quatre de mes paroissiennes s'y trouvaient réunies autour d'une tasse de thé. Griselda présidait, s'efforçant de prendre l'air naturel ; elle paraissait plus déplacée encore que de coutume.

Je serrai les mains à la ronde et m'assis entre miss Marple et miss Wetherby.

Miss Marple est une vieille demoiselle aux cheveux blancs et aux manières affables et distinguées, tandis que miss Wetherby est d'un tempérament à la fois aigre et fleur bleue. Miss Marple est de loin la plus dangereuse des deux.

– Nous étions en train de parler du Pr Stone et de miss Cram, dit Griselda d'une voix sucrée.

Un refrain leste concocté par Dennis me traversa l'esprit. *Miss Cram n'en fait pas un drame...* J'eus une brusque envie de le clamer tout haut pour juger de l'effet produit, mais par bonheur, je m'en abstins.

– Aucune jeune fille digne de ce nom ne se le permettrait, déclara miss Wetherby, laconique, en pinçant ses lèvres minces dans une moue désapprobatrice.

– Ne se permettrait quoi ? demandai-je.

– D'être la secrétaire d'un célibataire, déclara miss Wetherby, horrifiée.

– Oh ! ma chère, dit miss Marple, à mon avis, les hommes mariés sont les pires. Rappelez-vous cette pauvre Molly Carter.

– Il faut reconnaître que les hommes mariés vivant séparés de leur femme sont de tristes sires, approuva miss Wetherby.

– Et que dire de certains d'entre eux qui vivent avec leur femme ? murmura miss Marple. Je me rappelle...

– Pourtant, de nos jours les jeunes filles peuvent travailler tout comme les hommes, dis-je pour couper court à ces réminiscences déplacées.

– Pour courir les routes ? Et loger au même hôtel ? demanda Mrs Price Ridley d'une voix sévère.

– Et dans des chambres situées au même étage, confia miss Wetherby à miss Marple, en aparté.

Elles échangèrent un coup d'œil entendu.

Miss Hartnell, une aimable femme au teint hâlé, véritable terreur des pauvres et des nécessiteux de notre paroisse, fit observer d'une voix à la fois forte et émue :

– Le pauvre homme va se laisser piéger avant même d'avoir compris ce qui lui arrivait. Il est aussi innocent que l'enfant à naître, c'est évident.

Nous employons parfois de bien curieuses tournures. Aucune de ces dames ne se serait avisée de risquer la moindre allusion à un nourrisson avant de le voir de ses yeux dans son berceau.

– C'est contre nature, continua miss Hartnell avec son tact habituel. Il a, au bas mot, dans les vingt-cinq ans de plus qu'elle.

Trois voix de femmes s'élevèrent pour l'empêcher de poursuivre ; on entendit parler tout à coup de l'excursion des enfants de chœur, du regrettable incident survenu lors de la dernière réunion de l'association des mères de famille et des courants d'air sévissant dans notre église. Miss Marple jeta à Griselda un regard pétillant.

– Ne croyez-vous pas, demanda ma femme, que miss Cram aime peut-être tout bonnement faire un travail intéressant, et qu'elle considère le Pr Stone comme un simple employeur ?

Un silence tomba. De toute évidence, pas une de ces dames n'était de cet avis. Miss Marple reprit la parole.

– Vous êtes très jeune, ma chère, dit-elle en tapotant le bras de Griselda. Et les jeunes sont bien innocents.

Griselda rejeta cette idée avec indignation.

– Bien sûr, ajouta miss Marple sans tenir compte de cette interruption, vous ne voyez que le bon côté des gens.

– Croyez-vous vraiment qu'elle veuille épouser ce bonhomme triste et chauve ?

– J'ai cru comprendre qu'il avait quelque fortune, observa miss Marple. Mais il est, semble-t-il, d'un tempérament plutôt violent. L'autre jour, il a eu une dispute assez sérieuse avec le colonel Protheroe. (Toutes se penchèrent avec intérêt.) Le colonel Protheroe l'a traité d'âne bâté.

– C'est tout le colonel Protheroe ! Voilà qui est stupide ! s'écria Mrs Price Ridley.

– C'est tout le colonel Protheroe, mais ce n'est pas si stupide, répliqua miss Marple. Vous souvenez-vous de cette femme qui avait fait le tour du village en prétendant représenter le service social ? Elle avait recueilli des cotisations et on n'avait plus jamais entendu parler d'elle ; on a découvert ensuite qu'elle n'avait rien à voir avec le service social. Nous avons trop tendance à faire confiance aux gens et à prendre pour argent comptant tout ce qu'ils nous disent.

Pour ma part, je ne me serais jamais risqué à dépeindre miss Marple comme quelqu'un de confiant et de crédule.

– Il y a eu une scène à propos de ce jeune artiste, Mr Redding, n'est-ce pas ? demanda miss Wetherby.

Miss Marple acquiesça.

– Le colonel Protheroe l'a chassé de chez lui. Il paraît qu'il faisait le portrait de Lettice en costume de bain.

Émoi bien compréhensible chez ces dames !

– Je me suis toujours doutée qu'il y avait quelque chose entre eux, dit Mrs Price Ridley. Ce jeune homme passe sa vie à traîner dans les parages. Quel malheur que cette petite n'ait plus sa mère ! Une belle-mère, ce n'est pas la même chose.

– Je dois reconnaître que Mrs Protheroe fait de son mieux, dit miss Hartnell.

– Les filles sont si cachottières, déplora Mrs Price Ridley.

– Quelle belle histoire d'amour, soupira la sentimentale miss Wetherby. Il est si beau garçon !

– Mais bien peu recommandable, trancha miss Hartnell. Un artiste ! Paris ! Les modèles ! Le nu !

– Faire son portrait en costume de bain, dit Mrs Price Ridley, ce n'est guère convenable...

– Il fait aussi le mien, avoua Griselda.

– Mais pas en costume de bain, ma chère, corrigea miss Marple.

– C'est peut-être pire, déclara Griselda avec sérieux.

– Farceuse, dit miss Hartnell, pour ne pas être en reste.

Les autres me parurent un peu choquées.

– Lettice vous a-t-elle parlé de ce problème ? me demanda miss Marple.

– À moi ?

– Oui, je l'ai vue traverser le jardin en direction de votre bureau.

Miss Marple voit toujours tout. Sous prétexte de jardiner et d'observer les oiseaux à la jumelle, elle surveille son monde.

– Elle y a fait allusion, oui, admis-je du bout des lèvres.

– Mr Hawes avait l'air préoccupé, continua miss Marple. J'espère qu'il n'a pas travaillé trop dur.

– Oh ! s'exclama Mrs Wetherby, j'allais oublier. Je savais bien que j'avais quelque chose à vous dire. J'ai vu le Dr Haydock sortir de chez Mrs Lestrange.

Toutes ces dames s'entre-regardèrent.

– Serait-elle souffrante ? suggéra Mrs Price Ridley.

– Dans ce cas, cela se sera déclaré très brusquement, fit miss Hartnell, car je l'ai vue se promener dans son jardin, à trois heures de l'après-midi, et elle semblait en parfaite santé.

– Le Dr Haydock et elle sont peut-être de vieilles connaissances, dit Mrs Price Ridley. Il est très discret à ce sujet.

– N'est-ce pas curieux qu'il n'en ait jamais parlé ? demanda miss Wetherby.

– À propos..., chuchota Griselda d'un air mystérieux avant de s'interrompre. (Ces dames prêtèrent l'oreille.) Il se trouve que je sais, reprit mon épouse d'une voix vibrante, que son mari était missionnaire. C'est une histoire terrible. Il a été dévoré par les cannibales. Oui, et figurez-vous qu'elle a été contrainte de devenir la femme du chef de la tribu. Le Dr Haydock faisait partie de l'expédition qui l'a secourue.

Il y eut un instant de vive émotion, puis miss Marple dit d'un ton de reproche mais avec un sourire : « Farceuse ! » en gratifiant ma femme d'une tape réprobatrice sur le bras.

– Ce ne sont pas des choses à faire, ma chère ; si vous inventez des histoires pareilles, les gens sont bien capables de les croire. Et cela pourrait entraîner des complications.

Il y eut un froid. Deux des invitées se levèrent pour partir.

– Je me demande s'il y a quelque chose entre le jeune Lawrence Redding et Lettice Protheroe, lança miss Wetherby. On dirait bien que tel est le cas. N'est-ce pas votre avis, miss Marple ?

– Certes non. Il ne s'agit pas de Lettice mais d'une tout autre personne, à mon avis, répondit miss Marple d'un air pensif.

– Mais le colonel Protheroe a dû penser...

– Le colonel Protheroe m'a toujours paru assez stupide, coupa miss Marple. Il est homme à se mettre une fausse idée en tête sans vouloir en démordre. Vous rappelez-vous Joe Bucknell, du *Sanglier bleu* ? Quel scandale n'a-t-il pas fait au sujet de sa fille qui flirtait, prétendait-il, avec le jeune Balley ! Alors qu'en fait, c'était sa friponne de femme qui flirtait avec ce sacripant.

Comme elle fixait Griselda tout en parlant, je sentis soudain une vague de colère m'envahir.

– Ne croyez-vous pas, miss Marple, dis-je, que nous avons tendance à avoir la langue trop bien pendue ? Il n'est guère charitable de voir le mal partout, et les langues de vipère peuvent causer bien du tort.

– Cher pasteur, dit miss Marple, vous vivez si retiré du monde... Mais laissez-moi vous dire qu'à force d'observer la nature humaine, je finis par me demander s'il y a grand-chose à en attendre. Je reconnais que les commérages sont parfois peu charitables et bien cruels, mais hélas ! ils révèlent bien souvent la vérité.

Et sur cette dernière flèche du Parthe, miss Marple prit congé.

3

– Quelle vieille chipie ! s'écria Griselda avant de tirer la langue à la porte qui venait de se refermer sur nos visiteuses. Dites-moi la vérité, Len : me soupçonnez-vous de flirter avec Lawrence Redding ? me demanda-t-elle ensuite en riant.

– Jamais de la vie, ma chérie.

– Mais pourtant vous avez bien cru que miss Marple faisait allusion à quelque chose de ce genre, et vous avez pris ma défense, en grand seigneur, comme... comme un véritable tigre en colère.

J'éprouvai un soudain malaise. Un tigre en colère... Voilà qui était fort déplacé pour un membre du clergé. Quoi qu'il en soit, j'étais convaincu que Griselda en rajoutait.

– Je ne pouvais pas laisser passer cela sans rien dire, Griselda, mais je vous saurais gré de surveiller vos paroles à l'avenir.

– Voulez-vous parler des cannibales ou de mes séances de pose pour Lawrence ? Si ces dames savaient qu'il me peint engoncée dans un manteau avec un grand col en fourrure – une sorte de cuirasse dans laquelle vous pourriez vous présenter devant le pape en personne, et qui ne laisse même pas voir un seul pouce de chair tentatrice ! En fait, tout est très pur entre nous, et Lawrence n'a jamais cherché à me faire la cour ; d'ailleurs je me demande bien pourquoi...

– Il n'ignore pas que vous êtes une femme mariée.

– Ne jouez pas les innocents, Len, et n'oubliez pas que

la jeune et séduisante épouse d'un homme mûr est un don du ciel pour un jeune homme. Non, il doit avoir quelque raison cachée car je ne manque pas de charme, ce n'est pas vous qui direz le contraire !

– Êtes-vous bien sûre que vous n'apprécieriez pas un petit brin de cour ?

– Nnnon, dit Griselda après une brève hésitation que je ne fus pas loin de juger indécente.

– S'il est amoureux de Lettice Protheroe...

– Ce n'est pas là ce que semble penser miss Marple.

– Miss Marple peut se tromper.

– Miss Marple ne se trompe jamais. Les vieilles chipies de son espèce ont toujours raison. (Griselda resta un instant silencieuse et ajouta, en me jetant un regard en coin :) Vous me croyez, Len, quand je vous dis qu'il n'y a rien entre Lawrence et moi ?

Un peu surpris, je le lui confirmai et elle vint m'embrasser.

– J'espère que vous n'êtes pas de ceux qui se laissent facilement abuser, Len. Vous devez me croire, quoi que je dise.

– J'entends bien, ma chérie, mais je vous supplie de surveiller vos propos. N'oubliez pas que ces dames manquent singulièrement d'humour et prennent tout au pied de la lettre.

– Un peu de vice dans leur existence ne leur ferait pas de mal. Ainsi, elles ne passeraient pas leur temps à fourrer leur nez dans les affaires des autres, conclut mon épouse en quittant la pièce.

Un coup d'œil à ma montre m'apprit qu'il était grand

temps pour moi de rendre certaines visites qui attendaient depuis le matin.

On ne se bousculait pas à l'office du mercredi soir. Je
venais de me débarrasser de mon habit dans la sacristie
avant de traverser l'église vide, quand je vis une femme
en arrêt devant les vitraux ; nous en possédons quelques-
uns d'assez anciens et, d'ailleurs, notre église mérite le
détour. La visiteuse se retourna au bruit de mes pas :
c'était Mrs Lestrange.

Nous eûmes l'un et l'autre un instant d'hésitation.

– J'espère que vous aimez notre église, dis-je.

– Le jubé me plaît beaucoup. (Sa voix était agréable,
grave mais néanmoins très distincte.) Je suis navrée
d'avoir manqué votre épouse, hier, ajouta-t-elle.

La conversation roula encore un moment sur notre
église. De toute évidence, j'avais affaire à une personne
cultivée, férue d'architecture religieuse et d'histoire.
Nous sortîmes ensemble de l'église et prîmes l'un des
chemins qui mènent au presbytère en passant devant
chez elle.

– Entrez, me dit-elle aimablement comme nous arri-
vions à sa porte. J'aimerais connaître votre avis sur mes
aménagements.

J'acceptai l'invitation. Little Gates était naguère habité
par un colonel anglo-indien et je fus grandement soulagé
de constater que les plateaux en cuivre et les bouddhas
avaient disparu. La maison était désormais meublée dans
un goût classique et dépouillé, et respirait la sérénité et
l'harmonie.

Néanmoins, j'eusse été curieux de savoir ce qui avait

bien pu amener une femme du monde comme Mrs Lestrange à venir s'enterrer à St. Mary Mead.

Nous nous tenions dans son grand salon bien éclairé, et c'était la première fois que j'avais le loisir de l'examiner de près.

Elle était grande, avec des cheveux blonds tirant sur le roux. J'étais incapable de déterminer si ses cils et ses sourcils étaient noirs naturellement ou maquillés ; si c'était du fard, comme je le croyais, l'effet était des plus réussis. Au repos, ses traits étaient énigmatiques et ses yeux dorés les plus étranges que j'eusse jamais vus.

En dépit de son élégance et de ses manières qui étaient celles d'une femme distinguée, quelque chose en elle détonnait et déconcertait un peu. Comme si elle dissimulait quelque chose. Le mot de Griselda à son sujet me revint en mémoire : *menaçante*. C'était absurde ! Mais après tout, était-ce si absurde ? Une pensée me traversa l'esprit : cette femme ne devait reculer devant rien.

Notre conversation fut des plus banales et roula sur la peinture, la littérature et les vieilles églises, mais je ne pouvais me défaire de l'impression que Mrs Lestrange désirait m'entretenir d'un tout autre sujet.

Une ou deux fois, je surpris son regard posé sur moi, indécis. Je remarquai qu'elle se cantonnait strictement aux sujets qui ne la concernaient pas directement ; c'est ainsi qu'elle n'évoqua ni son mari ni sa famille, et pas davantage ses amis.

« Puis-je vous parler ? » me suppliaient ses yeux. « J'aimerais pouvoir. Pouvez-vous m'aider ? »

Cet appel muet finit par cesser ; peut-être n'avait-il

été qu'un effet de mon imagination. Je crus comprendre qu'il était temps de prendre congé et me levai pour partir. En sortant de la pièce, je jetai un coup d'œil par-dessus mon épaule et vis Mrs Lestrange qui me fixait de ses yeux inquiets.

– S'il y a quoi que ce soit que je puisse faire..., commençai-je en revenant sur mes pas.

– C'est très aimable à vous..., dit-elle d'une voix hésitante. (Nous restâmes un instant silencieux puis elle ajouta :) J'aimerais savoir... C'est très difficile. Non, je ne pense pas que l'on puisse m'aider, mais je vous remercie beaucoup de votre sollicitude.

Elle n'ajouta plus rien et je m'en fus, perplexe. Nous n'avons pas l'habitude de faire des mystères à St. Mary Mead.

La preuve ! Comme je passais la grille, quelqu'un fondit sur moi comme un oiseau de proie.

– Je vous ai vu ! s'écria miss Hartnell sans le moindre tact. Je brûle de savoir, mais vous allez tout me dire, hein ?

– À quel propos ?

– À propos de la mystérieuse Mrs Lestrange ! Est-ce qu'elle est veuve ? A-t-elle un mari quelque part ?

– Je n'en sais rien car elle ne me l'a pas dit.

– Comme c'est bizarre ! J'aurais pensé qu'elle évoquerait sa situation, par hasard ou dans le courant de la conversation. C'est à croire qu'elle a de bonnes raisons de se taire, non ?

– Ce n'est pas mon avis.

– Oh ! mon cher pasteur, miss Marple a raison : vous

êtes si détaché des choses de ce monde ! Dites-moi, connaît-elle le Dr Haydock depuis longtemps ?

– Il n'a pas été question de Haydock, aussi je l'ignore.

– Vraiment ? Mais de quoi avez-vous donc parlé ?

– De peinture, de musique et de littérature, dis-je.

Ce qui était la stricte vérité.

Miss Hartnell, qui n'a pour seul sujet de conversation que la vie privée de ses congénères, arborait une expression entre méfiance et incrédulité. Profitant d'un instant de flottement dans la conversation, je lui souhaitai bonne nuit et m'éloignai en toute hâte. Après une dernière visite qui m'appelait en bas du village, je rentrai au presbytère par le chemin de derrière, non sans avoir longé, comme je le fais souvent, le champ de mines que constitue le jardin de miss Marple. En la circonstance, je ne voyais pas comment il eût été humainement possible que la nouvelle de ma visite à Mrs Lestrange fût déjà parvenue à ses oreilles, aussi me sentais-je à peu près tranquille.

Je refermais la grille derrière moi quand je songeai soudain que je pourrais aller voir comment progressait le portrait de Griselda, dans le hangar au fond du jardin que le jeune Lawrence utilisait en guise d'atelier.

Je dois relater ici un fait important pour la suite de cette affaire, mais je m'en tiendrai aux détails strictement nécessaires.

Je croyais l'atelier vide. Aucun bruit de voix ne m'avait laissé supposer le contraire et sans doute nul n'entendit mes pas dans l'herbe.

J'ouvris la porte et restai pétrifié sur le seuil. Deux personnes enlacées échangeaient un baiser passionné.

Lawrence Redding et Mrs Protheroe.

Je battis en retraite et filai me réfugier dans mon bureau. Là, je m'assis, sortis ma pipe et me mis à réfléchir à la scène.

J'étais d'autant plus frappé par ma découverte que ma conversation de l'après-midi avec Lettice m'avait convaincu qu'il y avait quelque chose entre elle et le jeune homme ; et pour moi, Lettice était à mille lieues de se douter des sentiments du peintre pour sa belle-mère.

Grave erreur ! Je m'inclinai donc bon gré mal gré devant la clairvoyance et la perspicacité de miss Marple, qui n'était pas passée très loin de la vérité. Force m'était de reconnaître que je m'étais totalement mépris sur le sens de son coup d'œil à Griselda.

L'idée qu'il pût s'agir de l'épouse du colonel ne m'avait pas effleuré. Calme et réservée comme elle l'était, incapable de passion, Mrs Protheroe passait pour un modèle de vertu.

J'en étais à ce point de ma réflexion lorsqu'un coup frappé au carreau me fit sursauter. Je me levai pour aller voir et découvris Mrs Protheroe devant ma fenêtre. Elle entra sans attendre d'y être invitée, marcha droit sur le sofa où elle s'effondra.

Je me trouvai devant une inconnue. La femme placide et retenue que je croyais connaître avait cédé la place à une créature désespérée, au souffle court.

Pour la première fois, je m'avisai qu'Anne Protheroe était une belle brune au teint pâle, aux grands yeux d'un

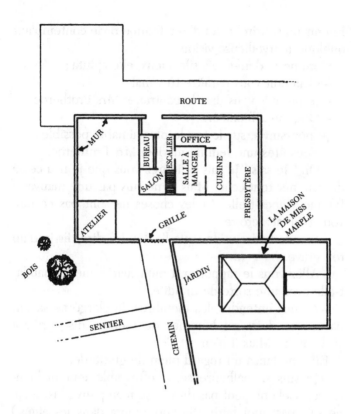

ROUTE

MUR

BUREAU

OFFICE

ESCALIER

SALON

SALLE À MANGER

CUISINE

PRESBYTÈRE

ATELIER

GRILLE

LA MAISON DE MISS MARPLE

BOIS

JARDIN

SENTIER

CHEMIN

gris profond. Les joues en feu, elle haletait. On eût dit une statue qui se fut soudain animée. Je n'en croyais pas mes yeux.

– J'ai jugé préférable de venir vous parler, dit-elle. Vous... vous nous avez vus, n'est-ce pas ? (J'acquiesçai d'un signe de tête.) Nous nous aimons, ajouta-t-elle simplement.

Et malgré son désarroi et son trouble, elle ne put

retenir un sourire, celui d'une femme ravie contemplant quelque merveilleuse vision.

Comme je demeurais silencieux, elle ajouta :

– Cela doit vous paraître très mal...

– Je ne puis vous dire le contraire, Mrs Protheroe.

– Oui, oui... bien sûr.

Je poursuivis, sur le ton le plus aimable possible :

– Vous êtes une femme mariée, Mrs Protheroe.

– Oh ! Je sais ! Je sais ! Figurez-vous que je n'ai cessé de ruminer tout cela ! Mais je ne suis pas une mauvaise femme ! lança-t-elle. Et les choses ne sont pas ce que vous pourriez croire.

– Je suis heureux de vous l'entendre dire, fis-je d'un ton grave.

– Allez-vous le rapporter à mon mari ? me demanda-t-elle avec une sorte de timidité.

– À vous entendre, les membres du clergé ne savent pas se conduire en hommes du monde, dis-je plutôt sèchement. Mais il n'en est rien.

Elle me lança un regard plein de gratitude.

– Je suis si malheureuse, si effroyablement malheureuse ! Cela ne peut pas durer ! Je n'en peux plus. Et je ne sais pas quoi faire. (Sa voix monta dans les aigus.) Vous ne pouvez pas savoir ce qu'est ma vie. J'ai toujours été malheureuse avec Lucius, depuis le début. Il est incapable de faire le bonheur d'une femme. J'aimerais le voir mort. C'est terrible mais c'est ainsi. Je suis désespérée, je vous le jure, je suis désespérée ! (Elle se leva brusquement et regarda par la fenêtre.) Qu'est-ce que c'était ? J'ai cru entendre quelqu'un. Lawrence, peut-être ?

Je sortis par la porte-fenêtre que je n'avais pas refermée comme je l'avais cru, et scrutai en vain le fond du jardin. Il me semblait moi aussi avoir entendu quelqu'un. À moins que ce ne fût une suggestion de ma visiteuse.

Quand je rentrai, je la trouvai effondrée, tête basse, vivante image du désespoir.

– Je ne sais pas quoi faire, répéta-t-elle.

J'allai m'asseoir près d'elle et lui dis ce que je croyais devoir lui dire, avec toute la conviction nécessaire, mais je ne parvenais pas à me débarrasser de l'opinion que j'avais moi-même émise au déjeuner : le monde ne se porterait pas plus mal sans le colonel Protheroe.

Je la suppliai de ne pas agir sous le coup d'une impulsion : quitter son mari et son foyer eût été une folie.

Je doutais de l'avoir convaincue, sachant d'expérience que c'est en pure perte que l'on raisonne les amoureux, mais j'aime à penser que mes paroles lui apportèrent un peu de réconfort.

Lorsqu'elle se leva pour partir, elle me remercia et me promit de réfléchir.

Son départ me laissa néanmoins très inquiet. Je m'étais lourdement trompé sur son compte et la voyais désormais comme une femme désespérée, capable de tout, totalement sous l'emprise de la passion, et éperdument amoureuse de Lawrence Redding, un garçon beaucoup plus jeune qu'elle. Et je n'aimais pas cela du tout.

4

J'avais bel et bien oublié que nous attendions Lawrence Redding à dîner ce soir-là. Aussi, lorsque Griselda fit irruption dans mon bureau pour me réprimander et me donna deux minutes pour passer à table, je restai pantois.

– J'espère que tout ira bien, me lança-t-elle dans l'escalier. J'ai réfléchi à notre petite conversation de midi et j'ai choisi quelque chose de délicieux pour le dîner.

Je dois avouer au passage que notre dîner devait se révéler la confirmation éclatante de l'opinion énoncée un peu plus tôt par ma femme : les choses étaient encore pires lorsqu'elle s'en mêlait. Le menu était d'une conception ambitieuse et Mary semblait avoir pris un malin plaisir à faire alterner les mets trop cuits et à moitié crus. Nous fûmes hélas dans l'impossibilité de goûter les huîtres que Griselda avait commandées, et qui étaient censées échapper à l'incompétence de notre bonne, car nous n'avions aucun instrument dans la maison qui nous permît de les ouvrir, et nous ne nous aperçûmes de cette lacune que lorsque nous eûmes les coquillages dans notre assiette.

À dire vrai, je n'eusse pas été étonné si notre invité avait trouvé une excuse pour ne pas paraître au dîner, mais il arriva à peu près à l'heure et nous passâmes à table.

Il faut reconnaître que Lawrence Redding est fort sympathique. La trentaine, brun aux yeux bleus, il a un regard d'une telle intensité qu'il en est presque effrayant.

C'est le genre d'homme à qui tout réussit. Sportif, habile au tir et excellent acteur amateur, il n'a pas son pareil pour vous raconter une histoire et s'y entend à merveille pour animer une soirée. Je jurerais que du sang irlandais coule dans ses veines. Il est à cent lieues de l'image conventionnelle de l'« artiste », et bien que je n'y connaisse rien, je crois qu'il compte parmi les bons peintres actuels.

J'eusse trouvé naturel qu'il fût quelque peu distrait ce soir-là. Au contraire, il joua son rôle à la perfection et je ne pense pas que Dennis ni ma femme aient pu deviner quoi que ce soit. Je n'aurais moi-même rien remarqué si je n'avais été au courant.

Griselda et Dennis étaient en verve et rivalisaient d'esprit au sujet de miss Cram et du Pr Stone, notre petit scandale local ! Je m'avisai soudain avec une pointe d'angoisse que Dennis était plus proche de mon épouse par son âge que moi-même. Pour lui, je suis « oncle Len » tandis qu'il appelle Griselda par son prénom, ce qui me donne parfois un profond sentiment de solitude.

À croire que la scène avec Mrs Protheroe m'avait troublé car il n'est pas dans mes habitudes de m'abandonner à ce genre de vaines pensées.

Griselda et Dennis poussaient le bouchon un peu loin parfois, mais je n'étais pas d'humeur à les refréner. Je déplore de passer pour un rabat-joie du seul fait d'appartenir au clergé.

Lawrence se mêla gaiement à la conversation mais je notai que son regard revenait immanquablement sur moi, aussi ne fus-je pas autrement étonné quand, à la fin du dîner, il manœuvra pour m'entraîner dans mon bureau.

Dès que nous nous trouvâmes en tête-à-tête, son attitude changea du tout au tout, et son visage devint grave et anxieux.

– Vous avez découvert notre secret, dit-il, presque hagard. Que comptez-vous faire à présent ?

Je n'avais pas besoin d'y mettre les formes avec lui, comme avec Mrs Protheroe, mais il ne m'en tint pas rigueur.

– Bien sûr, dit-il quand j'en eus terminé, c'est votre rôle de pasteur de dire ces choses-là. Ne le prenez pas en mauvaise part. Vous avez raison sur toute la ligne, mais ce qu'il y a entre Anne et moi est au-dessus de tout cela.

Je lui fis remarquer que bien d'autres avant lui avaient prononcé ces mêmes mots depuis la nuit des temps, et un petit sourire bizarre étira ses lèvres.

– Vous voulez dire que chacun se croit unique au monde ? Peut-être, mais vous devez me faire confiance sur un point.

Et il me déclara qu'il ne s'était rien passé entre eux de répréhensible. Anne, me confia-t-il, était la femme la plus honnête et la plus droite qui soit au monde. Il se demandait quel tour allaient prendre les choses.

– Si nous étions dans un roman, fit-il d'un ton funèbre, le vieux mourrait et tout le monde pousserait un ouf ! de soulagement. Je ne dis pas que je vais lui planter un couteau dans le dos, ajouta-t-il comme je désapprouvais sa remarque. Mais je remercierais du fond du cœur quiconque s'en chargerait. Il n'y aurait pas grand monde pour aller lui graver une belle épitaphe. Dieu sait pourquoi Mrs Protheroe, la première, ne l'a pas expédié *ad patres*. Je l'ai rencontrée il y a des années, et elle était de taille à le faire... C'était une de ces femmes impassibles et capables de tout. Quant à ce vieux démon de Protheroe, il passe son temps à fulminer et cherche noise à tout le monde, avec son caractère de cochon ! Vous n'imaginez pas ce qu'il fait endurer à Anne. Je n'ai pas un sou vaillant, sinon je l'enlèverais sans autre forme de procès.

Ce fut à mon tour de lui parler du fond du cœur. Je le suppliai de quitter St. Mary Mead ; s'il restait, il ne ferait que nuire à Mrs Protheroe qui était déjà en fâcheuse posture. Les rumeurs finiraient par parvenir aux oreilles du colonel, et ce serait un drame pour Anne.

– Personne ne sait rien, mon père, sauf vous, protesta Lawrence.

– Jeune homme, vous sous-estimez le goût des habitants d'un petit village comme le nôtre pour l'espionnage. À St. Mary Mead, tout le monde sait tout de votre vie privée. Il n'est pas, en Angleterre, de fin limier capable de rivaliser avec une vieille fille désœuvrée.

Heureusement pour lui, déclara-t-il, on croirait qu'il était amoureux de Lettice.

– Vous êtes-vous avisé que Lettice pourrait être la première à le croire ? lui demandai-je.

Cette idée le surprit car, à son avis, Lettice se souciait de lui comme d'une guigne.

– Je reconnais que c'est une drôle de fille, fit-il. Elle paraît distraite mais, au fond, je la soupçonne d'avoir les pieds bien sur terre. Son air de tomber de la lune est une pose ; en fait, elle sait où elle va et c'est une fichue rancunière. Aussi bizarre que cela paraisse, elle déteste Anne, elle la déteste littéralement alors qu'Anne est un ange avec elle.

Je ne me laissai pas abuser ; je n'ignore pas que tous les amoureux voient leur dulcinée sous les traits d'un ange du paradis. Néanmoins, pour ce que j'en savais, Anne avait toujours traité sa belle-fille avec affection et gentillesse. Un peu plus tôt dans l'après-midi, j'avais moi-même été surpris par le ton amer de Lettice.

Dennis et Griselda firent irruption dans mon bureau, alléguant que je n'avais pas le droit d'accaparer Lawrence comme si nous étions de vieux amis, et notre conversation s'arrêta là.

– Ah ! s'écria Griselda en se jetant dans un fauteuil. Comme j'aimerais qu'il se passe quelque chose d'extraordinaire ! Un meurtre ! Un cambriolage !

– Je crains qu'il n'y ait pas grand-chose à cambrioler, hormis le dentier de miss Hartnell, dit Lawrence pour se mettre au diapason.

– Il claque avec un bruit horrible, dit Griselda. Mais vous avez tort de croire que rien ne vaille la peine d'être volé. Et l'argenterie de Old Hall ? Des salières, une coupe Charles II, et j'en passe. Il y en a pour plusieurs milliers de livres, paraît-il.

– Le vieux n'hésiterait pas à se servir de son revolver d'ordonnance, dit Dennis. Il n'attend que ça.

– Oh ! mais nous prendrions la précaution de le ficeler, dit Griselda. Qui a un revolver ?

– J'ai un Mauser, dit Lawrence.

– Ah oui ? C'est passionnant ! Et pourquoi avez-vous un revolver ?

– Souvenir de guerre, répondit Lawrence, laconique.

– Aujourd'hui, le père Protheroe a montré son argenterie à Stone qui était tout émoustillé, intervint Dennis.

– Je croyais qu'ils s'étaient disputés au sujet des fouilles, fit Griselda.

– Ils se sont réconciliés ! s'exclama mon neveu. De toute façon, je me demande bien pourquoi les gens s'acharnent à farfouiller dans la terre.

– Curieux, ce Pr Stone, non ? dit Lawrence. Et distrait avec ça... ou alors totalement incompétent.

– C'est l'amour, reprit Dennis qui se mit à fredonner : « Oh ! ma belle Gladys Cram, vous n'en faites pas un drame. J'aime votre sourire carnassier, qui vous sied. Envolez-vous avec moi, ma promise en émoi. Et su' le plancher d' la chambre à coucher... »

– Ça suffit, Dennis, coupai-je.

– Bien, fit Lawrence Redding. Je dois vous quitter. Je vous remercie infiment, Mrs Clement, pour ce délicieux dîner.

Griselda et Dennis le raccompagnèrent, mais mon neveu revint seul dans mon bureau. Quelque chose avait dû le contrarier car il se mit à tourner sans but dans la pièce, donnant des coups de pied dans les meubles et fronçant les sourcils.

Notre pauvre mobilier ne risquait plus rien depuis longtemps, mais je me sentis obligé de protester, pour la forme.

– Excusez-moi, dit Dennis. (Puis, après un silence, il explosa :) Il n'y a rien de pire que les commérages !

Je fus quelque peu surpris par ce comportement qui ne ressemblait pas à Dennis, et lui demandai à quoi il faisait allusion.

– Je ne sais pas si je dois le répéter. (Ma surprise allait croissant.) C'est ignoble, répéta-t-il. Colporter ça partout... sans affirmer les choses clairement mais les insinuer. Bon Dieu ! Pardonnez-moi... Je ne peux pas le répéter, c'est trop ignoble.

Je le regardai avec curiosité mais me gardai de le presser de poursuivre : c'était si peu dans son caractère de prendre ainsi les choses à cœur.

Griselda reparut bientôt.

– Miss Wetherby est passée nous faire savoir que Mrs Lestrange était sortie à huit heures et quart et n'était toujours pas rentrée chez elle. Personne ne sait où elle est allée.

– Et pourquoi devrait-on le savoir ?

– Une chose est sûre : elle n'est pas allée chez le Dr Haydock. Miss Wetherby est formelle : elle a pris la peine d'appeler miss Hartnell, qui est la voisine du docteur et qui n'aurait pas manqué de la voir rentrer et sortir.

– Je me demande quand les gens d'ici trouvent le temps de manger, dis-je. À croire qu'ils prennent leurs repas debout derrière les rideaux, pour ne rien perdre de ce qui se passe dans la rue.

– Et ce n'est pas tout, dit Griselda avec délectation. Il y a du nouveau au sujet du *Sanglier bleu* : miss Cram et le Pr Stone logent dans des chambres contiguës mais... (Elle agita un index significatif.)... sans porte de communication !

– J'en connais plus d'une qui a dû être déçue, dis-je.
Griselda éclata de rire.

La journée du jeudi commença mal. Deux de mes
paroissiennes se chamaillèrent au sujet de la décoration
de l'église et je me vis contraint d'arbitrer la querelle
entre ces dames, tremblantes de rage. N'était le caractère navrant du débat, j'aurais pu le considérer comme
un intéressant phénomène biologique.

Ensuite j'adressai un blâme à deux enfants de chœur
qui suçaient des bonbons pendant tous les offices, mais
je sentis bien que je ne m'acquittais pas de ma tâche
avec tout le sérieux requis.

Puis ce fut au tour de notre organiste – homme très
soupe au lait, il est vrai – que je dus réconforter après
je ne sais quelle anicroche.

J'eus enfin à subir les doléances de miss Hartnell qui
avait essuyé une rébellion ouverte de quatre de mes
paroissiens parmi les plus pauvres.

Sur le chemin de la maison, je tombai sur un colonel
Protheroe de la meilleure humeur qui soit car il venait,
en qualité de magistrat, de faire condamner trois
braconniers.

– De la poigne ! criait-il de sa voix de stentor. (Étant
un peu dur d'oreille, il a tendance à hausser le ton.) Voilà
ce qu'il faut, de nos jours. De la poigne ! Il faut faire un
exemple. Il paraît que ce vaurien d'Archer est sorti hier
en proférant des menaces contre moi. Le chenapan !
Mais les menaces n'ont jamais tué personne. Je lui ferai
voir, moi, ce que valent ses menaces, la prochaine fois
que je le pincerai à l'affût de mes faisans ! Ah ! le

laxisme ! Nous sommes trop laxistes, par les temps qui courent ! Pour moi, il faut juger les gens sur leurs actes et non pas s'apitoyer sur le sort de leur famille. Foutaise ! Bagatelles ! Pourquoi un homme serait-il soustrait aux conséquences de ses actes sous prétexte qu'il a femme et enfants ? Le résultat est le même à mes yeux, et peu importe que j'aie affaire à un médecin, à un avocat, à un pasteur, à un braconnier ou à un ivrogne désœuvré ; si vous l'agrafez du mauvais côté de la barrière, la loi vaut pour lui comme pour les autres. N'êtes-vous pas d'accord avec moi ?

– Vous oubliez, dis-je, que les obligations de mon ministère me font un devoir de placer le pardon au-dessus de tout.

– Moi, je suis un homme de justice et personne ne peut dire le contraire. (Comme je ne soufflais mot, il poursuivit d'un ton sec :) Vous ne répondez pas, hein ? Je paierais cher pour savoir ce que vous avez dans le crâne, cher pasteur.

J'hésitai encore, mais finis tout de même par m'expliquer.

– Je songeais que je ne serais pas très fier si pour justifier mes actes, à l'heure du Jugement Dernier, je ne pouvais invoquer que le seul fait d'avoir été juste ; car je n'aurais rien d'autre à espérer pour moi-même que la justice.

– Peuh ! Il suffit de faire preuve d'un peu de charité chrétienne. J'ai toujours fait mon devoir, du moins je le crois. Eh bien, assez parlé ! Je passerai chez vous ce soir, comme convenu. Comptez plutôt sur six heures et quart si cela ne vous dérange pas. Je dois voir quelqu'un au village.

– Cela m'ira très bien.

Il brandit sa canne et s'en fut à grands pas. Tournant les talons, je me heurtai à Hawes dont la mauvaise mine me frappa. J'avais eu l'intention d'évoquer différents sujets de son ressort et qu'il n'avait fait qu'embrouiller, voire négliger purement et simplement, mais son teint cireux me donna à penser qu'il était réellement souffrant.

Il s'en défendit, quoique sans conviction, quand je pris de ses nouvelles, et finit par convenir qu'il ne se sentait pas d'aplomb. Se rangeant à mon avis, il accepta d'aller se mettre au lit.

Je déjeunai sur le pouce et sortis faire mes visites. Griselda avait profité du train du jeudi pour se rendre à Londres.

J'étais de retour au presbytère vers quatre heures moins le quart, avec la ferme intention de travailler à mon sermon du dimanche ; c'est alors que Mary m'annonça que Mr Redding m'attendait dans mon bureau.

Je le trouvai en train de faire les cent pas, le visage pâle et défait ; il se tourna vers moi comme j'entrais.

– Écoutez ! j'ai réfléchi à ce que vous m'avez dit hier soir. Je n'en ai pas dormi de la nuit. Vous avez raison : je dois la quitter, et je dois quitter St. Mary Mead.

– Vous êtes un brave garçon, dis-je.

– Vous voyez juste au sujet d'Anne. Ce serait lui nuire que de rester ici. Elle est... elle est trop bonne pour mériter ça. Je dois partir. Je lui ai déjà rendu les choses bien assez difficiles... Dieu me pardonne.

– C'est la seule solution, dis-je. Je sais que ce n'est pas la plus facile mais, croyez-moi, c'est la meilleure, et vous en conviendrez bientôt.

C'était facile à dire, pour un homme comme moi, et il n'en était pas dupe.

– Vous veillerez sur Anne ? Elle a besoin d'un ami.

– Soyez sûr que je ferai tout ce qui est en mon pouvoir.

– Merci, Mr Clement, dit-il en me broyant les doigts. Je sais que je peux compter sur vous. Je dois lui dire au revoir ce soir et je ferai mes bagages pour partir demain matin. Rien ne sert de prolonger l'agonie. Merci pour l'atelier. Je suis désolé de laisser le portrait de Mrs Clement inachevé.

– Ne vous inquiétez pas pour cela, mon garçon. Au revoir, et que Dieu vous bénisse.

Une fois seul, j'essayai de m'atteler à mon sermon, sans résultat. La pensée de Lawrence Redding et d'Anne Protheroe me tourmentait.

J'avalai une tasse de thé exécrable, froid et trop fort, et à cinq heures et demie le téléphone sonna. On m'informait que Mr Abbott de Lower Farm était mourant et on me demandait de venir toute affaire cessante.

J'appelai aussitôt Old Hall car Lower Farm était à trois kilomètres de là, et je ne serais jamais de retour à six heures et quart. J'avoue humblement n'avoir jamais pu apprendre à monter à bicyclette.

Le colonel Protheroe venait de partir en voiture, me dit-on, aussi me mis-je en route, non sans avoir prévenu Mary que je ferais mon possible pour être au presbytère à six heures et demie.

5

Il n'était pas loin de sept heures lorsque je fus en vue de la grille du presbytère. C'est alors qu'elle s'ouvrit à la volée tandis que Lawrence Redding sortait en trombe. Il s'arrêta net à ma vue et je fus immédiatement frappé par son apparence ; il était comme hébété, les yeux fous, blanc comme un linge, tremblant de tous ses membres et agité de tics.

La pensée qu'il avait bu m'effleura mais je la chassai bien vite.

– Bonsoir, dis-je. Vous vouliez me parler ? Je suis désolé de vous avoir fait faux bond, j'arrive à l'instant et il faut encore que je voie le colonel Protheroe pour les comptes de l'église, mais je ne devrais pas en avoir pour très longtemps.

– Protheroe ! rétorqua-t-il dans un éclat de rire. Protheroe ? Vous devez voir Protheroe ? Oh ! pour le voir, vous le verrez. Ah ! ça, oui...

J'étais ébahi. D'instinct, je lui tendis la main mais il s'écarta d'un bond.

– Non ! cria-t-il presque. Je dois vous quitter... j'ai besoin de réfléchir !... de réfléchir, vous entendez ?

Il s'élança et disparut au bas de la rue, en direction du village ; je restai planté là, et l'idée qu'il pût être ivre revint s'imposer à mon esprit. Puis, perplexe, je m'acheminai vers le presbytère. La porte d'entrée est toujours ouverte, je sonnai néanmoins, et Mary apparut, s'essuyant les mains sur son tablier.

– Vous voilà enfin ! fit-elle.

– Le colonel Protheroe est là ? demandai-je.

– Il poireaute depuis six heures et quart dans votre bureau.

– Mr Redding est venu ?

– Il a demandé après vous, il y a un instant. Je lui ai dit que vous ne tarderiez plus et que le colonel Protheroe vous attendait déjà ; il a dit qu'il attendrait lui aussi et l'a rejoint dans votre bureau.

– Il est reparti. Je viens de le croiser dans la rue.

– Ah ! bon. Je ne l'ai pas entendu. C'était une visite éclair... Madame n'est pas encore revenue de Londres.

J'acquiesçai machinalement et Mary retourna à la cuisine. Je pris le couloir et poussai la porte de mon bureau.

Après la pénombre du corridor, le soleil de cette fin de journée qui inondait la pièce me fit cligner des yeux. J'avançai d'un pas et stoppai net.

Pendant un bref instant, je ne pus en croire mes yeux.

Le colonel Protheroe était couché en travers de mon bureau, dans une horrible posture qui n'avait rien de naturel, et sa tête baignait dans une mare de sang noir qui dégouttait lentement sur le sol avec un affreux « Ploc ! Ploc ! Ploc ! ».

Je me ressaisis et m'approchai de lui. Il était froid, sa main, que je soulevai, retomba inerte. Il était mort... d'un coup de pistolet tiré en pleine tête.

J'allai à la porte, appelai Mary et lui ordonnai de se précipiter chercher le Dr Haydock, qui habite au coin de la rue. Je me bornai à lui dire qu'il y avait eu un accident.

Puis je refermai la porte de mon bureau et attendis le médecin.

Par bonheur, Mary trouva Haydock chez lui. Notre médecin est un solide gaillard, avec une bonne bouille aux traits rudes.

Il haussa un sourcil bourru quand je lui montrai sans un mot le cadavre du doigt, mais, en véritable homme de l'art, il ne manifesta aucune émotion. Il se pencha sur le corps pour un examen rapide et se redressa, fixant les yeux sur moi.

– Eh bien ? demandai-je.

– Il est bel et bien mort... depuis une demi-heure, à mon avis.

– Il s'est suicidé ?

– C'est impossible, mon vieux ! Regardez où est la plaie... Et puis, s'il s'était tué, où serait passée l'arme ?

Rien en effet ne permettait de déduire qu'il se fût suicidé.

– Il vaut mieux tout laisser en l'état, dit Haydock. J'appelle la police.

Il décrocha le téléphone, exposa les faits en termes laconiques et raccrocha avant de revenir vers moi.

– C'est embêtant, cette affaire ! Comment lui êtes-vous tombé dessus ?

Je le lui racontai.

– C'est embêtant, cette affaire ! répéta-t-il.

– Est-ce... un meurtre ? demandai-je d'une voix éteinte.

– C'est ce qu'on dirait. Qu'est-ce que ça pourrait être d'autre, à votre avis ? C'est incroyable ! Je me demande qui pouvait bien en vouloir à ce pauvre Protheroe. Je sais bien qu'il était plutôt impopulaire, mais ce n'est pas

51

une raison pour se faire assassiner... Il n'a pas eu de chance !

– Il y a un détail bizarre, dis-je. On m'a appelé au chevet d'un mourant cet après-midi, mais quand je suis arrivé, tout le monde a semblé très surpris de me voir. Le malade s'était remis depuis quelques jours, et sa femme a juré ses grands dieux qu'elle ne m'avait pas téléphoné.

Haydock fronça les sourcils :

– C'est bizarre, en effet... très bizarre, même. On a voulu vous éloigner d'ici. Où est votre femme ?

– Elle est allée passer la journée à Londres.

– Et la bonne ?

– Mary est à la cuisine... à l'autre bout de la maison.

– Elle n'aura rien entendu. C'est embêtant, cette affaire ! Qui savait que Protheroe avait rendez-vous avec vous ce soir ?

– Il l'a fixé lui-même ce matin, en pleine rue, et en beuglant, comme à son habitude.

– Tout le village était donc au courant ! Ce qui aurait été le cas de toute façon. Vous voyez qui pouvait avoir une dent contre lui ?

Le souvenir du visage livide et des yeux fous de Redding me revint en mémoire, mais un bruit de pas dans le couloir m'épargna la peine de répondre.

– Voilà la police, dit Haydock en se levant.

L'agent Hurst, représentant local des forces de police, entra, l'air important et préoccupé.

– Bonsoir, messieurs, nous dit-il. L'inspecteur sera là d'une minute à l'autre et, en l'attendant, permettez-moi de suivre ses instructions. Si je comprends bien, le colo-

nel Protheroe a été découvert assassiné au presbytère...
(Il s'interrompit et me jeta un coup d'œil soupçonneux
et glacial tandis que je m'efforçais de soutenir son regard
de l'air le plus innocent.) Interdiction de toucher à quoi
que ce soit avant l'arrivée de l'inspecteur, ajouta-t-il en
s'approchant du bureau.

J'ai cru bon, pour la gouverne de mes lecteurs, de
tracer un plan de la pièce :

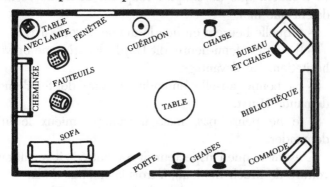

Ensuite l'agent Hurst sortit un calepin, mouilla sa
mine de plomb et nous jeta un regard interrogatif.

Il consigna mon récit de la découverte du corps, ce
qui prit un certain temps, puis se tourna vers le
Dr Haydock :

– Je vous écoute, docteur. Avez-vous déterminé la
cause du décès ?

– Un coup de revolver en pleine tête, à bout portant.

– Avec quelle arme ?

– Je ne pourrai pas me prononcer avant d'avoir extrait
la balle, mais il semblerait que ce soit un petit calibre...
Peut-être un Mauser 25.

Je sursautai au souvenir de notre conversation de la veille avec Redding, qui avait admis posséder une arme semblable. L'agent Hurst reporta sur moi son regard glacial.

– Vous disiez ?

– Rien, rien, fis-je.

Quels que soient les soupçons que je pouvais nourrir, ce n'étaient que de simples soupçons et ils ne regardaient que moi.

– À quelle heure a eu lieu le drame, à votre avis ?

– Il y a une demi-heure, dit Haydock après une brève hésitation. Pas davantage.

– La bonne a-t-elle entendu le coup de feu ? me demanda Hurst.

– Je ne pense pas, mais il vaudrait mieux le lui demander.

C'est alors que l'inspecteur fit son entrée ; il venait en voiture de Much Benham, à trois kilomètres de là.

Tout ce que je puis dire de l'inspecteur Flem, c'est que jamais homme porta aussi mal son nom. C'était un brun efficace dont les yeux noirs vous vrillaient jusqu'au tréfonds ; ses manières étaient rudes, voire grossières, et il ne tenait pas en place.

Il répondit à notre bonsoir par un bref hochement de tête, s'empara du calepin de son subordonné et le lut avec attention ; puis il échangea quelques mots à voix basse avec Hurst et se dirigea vers le corps.

– J'imagine que tout a été déplacé, dérangé...

– Je n'ai touché à rien, déclara Haydock.

– Moi non plus, fis-je en écho.

L'inspecteur examina longuement les objets qui encombraient le bureau et la mare de sang.

– Ah ! s'écria-t-il, triomphant. J'ai trouvé ! Il a renversé la pendulette en tombant, ainsi nous avons l'heure du crime : 18 h 22. À quelle heure faites-vous remonter le décès, docteur ? – Il a dû se produire il y a une demi-heure, mais...

L'inspecteur consulta sa montre :

– 19 h 5. J'ai été prévenu voilà dix minutes, à sept heures moins cinq. Le corps a été découvert aux alentours de sept heures moins le quart. J'ai cru comprendre que vous aviez été appelé aussitôt. Disons que votre examen a eu lieu à moins dix... Nous avons l'heure du crime à la seconde près !

– Il m'est impossible de garantir l'heure à la seconde près, intervint Haydock. Je ne puis donner qu'une heure approximative.

– Ça ira, docteur. Ça ira très bien.

– Au sujet de cette pendulette..., glissai-je.

– Si vous voulez bien m'excuser, je vous interrogerai quand je le jugerai bon. Le temps presse et j'exige que l'on se taise.

– Oui, mais je voudrais juste vous dire...

– Que l'on se taise ! répéta l'inspecteur en me jetant un coup d'œil féroce.

J'obéis tandis qu'il continuait à scruter le bureau.

– Pourquoi s'était-il assis là ? grogna-t-il. Pensait-il écrire un mot ? Ah, ah ! Qu'est-ce donc ?

Il brandit avec jubilation une feuille de papier ; sa satisfaction était si grande qu'il nous laissa approcher pour lire avec lui.

C'était une page du carnet à en-tête du presbytère qui portait au recto l'heure du message, 18 h 20, et disant : *Cher Clement ; Je suis navré de ne pouvoir attendre davantage mais je dois...*

Le dernier mot s'achevait par un gribouillage illisible.

– C'est clair comme de l'eau de roche, claironna l'inspecteur Flem, rayonnant. Il s'est assis à la table pour rédiger son message ; un ennemi est entré sans bruit par la porte-fenêtre et l'a tué pendant qu'il écrivait. Que voulez-vous de plus ?

– Je dois préciser que..., commençai-je.

– Laissez-moi passer, s'il vous plaît. Je veux vérifier s'il y a des empreintes de pas.

Il marcha à quatre pattes jusqu'à la porte-fenêtre grande ouverte.

– Je pense qu'il faut que vous sachiez..., m'obstinai-je.

L'inspecteur se releva et déclara sans colère, quoique d'un ton ferme :

– Nous verrons cela après. Je vous serais reconnaissant de sortir de cette pièce. Sortez, s'il vous plaît.

Nous nous laissâmes mettre à la porte comme des gamins.

Une éternité semblait s'être écoulée mais il n'était pourtant que sept heures et quart.

– Si c'est comme ça, fit Haydock, quand cet imbécile arrogant aura besoin de moi, vous lui direz de passer à mon cabinet. Bonsoir.

– Madame est rentrée, m'annonça Mary sortie un instant de sa cuisine. (Les yeux écarquillés, elle paraissait bouleversée.) Elle est arrivée il y a cinq minutes.

J'allai au salon rejoindre une Griselda mi-effrayée, miexcitée, et lui racontai toute l'affaire. Elle m'écouta avec attention.

– Le message porte 18 h 20, dis-je pour conclure. Et la pendulette est arrêtée sur 18 h 22.

– Vous ne lui avez donc pas dit que votre pendulette avançait d'un quart d'heure ?

– Non, je ne le lui ai pas dit. D'ailleurs, il ne m'en a pas laissé le loisir. J'ai fait tout ce que je pouvais, mais...

Quelque chose chiffonnait Griselda.

– Mais, Len, ce détail rend toute l'affaire invraisemblable ! Car lorsque la pendulette marquait 18 h 20, il n'était en réalité que 18 h 5, et, à 18 h 5, le colonel Protheroe n'était pas encore arrivé au presbytère !

6

Nous nous perdîmes en conjectures sur le casse-tête de la pendulette, sans résultat. Griselda était d'avis que je renouvelle mes efforts pour en parler à l'inspecteur Flem, mais je m'y refusai absolument.

L'inspecteur s'était inexplicablement comporté avec moi comme le pire des mufles. J'espérais bien avoir l'occasion, dans un avenir proche, de faire valoir mon opinion et de lui mettre le nez dans son erreur. Je ne me ferais pas faute alors de lui reprocher gentiment de ne m'avoir point écouté.

Je m'attendais à le revoir avant qu'il ne quitte le presbytère mais, à notre vive surprise, il était parti, comme nous l'apprîmes par Mary, non sans avoir fermé mon bureau à clef et ordonné que nul n'y pénètre.

Griselda se proposa d'aller à Old Hall.

– Anne Protheroe doit être aux cent coups... avec la police et tout. Peut-être pourrais-je faire quelque chose pour elle.

J'approuvai son projet généreux et elle partit, après que je lui eus dûment recommandé de me téléphoner si elle pensait que je pusse être de quelque utilité pour réconforter Mrs et miss Protheroe.

Étant donné les circonstances, je jugeai préférable de prévenir les professeurs de catéchisme, qui devaient venir à huit heures moins le quart pour la préparation de la leçon hebdomadaire, que la réunion était remise.

Après quoi mon neveu revint d'une partie de tennis et se déclara ravi que le meurtre ait eu lieu au presbytère.

– Qui aurait cru qu'on se trouverait sous les feux de la rampe dans une affaire de meurtre ! J'ai toujours rêvé d'être le héros d'une histoire de ce genre. Pourquoi la police a-t-elle fermé la porte de votre bureau ? N'auriez-vous pas une autre clef ?

Je refusai tout net de me prêter à ce petit jeu et Dennis renonça à contrecœur à son projet. Après m'avoir soutiré tous les détails possibles, il sortit dans le jardin en quête d'empreintes de pas.

– Encore heureux que la victime ait été ce vieux Protheroe que personne ne pouvait sentir, fit-il remarquer.

Son cynisme enjoué me heurta mais je songeai que mon jugement sur lui était peut-être un peu sévère, car après tout, une histoire de meurtre est un don du ciel à son âge. En effet, quoi de plus excitant qu'une affaire criminelle avec un vrai cadavre, servi sur un plateau ? Il y a là de quoi combler un jeune homme jouissant d'une bonne santé mentale. Que signifie la mort pour un garçon de seize ans ?

Griselda rentra au presbytère au bout d'une heure. Elle était arrivée à Old Hall sur les talons de l'inspecteur venu annoncer le décès du colonel à Anne Protheroe.

Lorsqu'il apprit que Mrs Protheroe avait vu son mari pour la dernière fois au village à six heures moins le quart et qu'elle ne pouvait apporter aucune lumière sur l'affaire, l'inspecteur avait pris congé en annonçant qu'il reviendrait le lendemain pour un entretien approfondi.

– Il s'est montré très correct, dit Griselda à contrecœur.

– Comment Mrs Protheroe a-t-elle pris les choses ? demandai-je.

– Bien, je crois. Elle a gardé son calme... Mais il faut dire qu'il ne lui arrive pas souvent de le perdre.

– C'est vrai. Je ne vois pas Anne Protheroe piquer une crise de nerfs.

– Vous pensez bien qu'elle était sous le choc ! Elle s'est montrée très reconnaissante de ma visite et m'a vivement remerciée, quoique je n'aie rien pu faire pour elle.

– Et Lettice ?

– Elle jouait au tennis chez des amis et n'était pas encore rentrée. (Après un silence, Griselda ajouta :) J'ai trouvé Anne Protheroe bizarre, Len, très bizarre.

– Peut-être était-ce le choc ?

– Je n'en doute pas, mais... (Griselda fronça des sour-cils perplexes :) Mais ce n'était pas cela. Disons qu'elle m'a paru moins bouleversée qu'effrayée.

– Effrayée ?

– Oui. Sans vouloir le montrer, bien sûr, ou plutôt sans s'apercevoir que cela se voyait. C'est son regard étrange et inquiet qui la trahissait ; j'ai fini par me demander si elle n'avait pas une idée de l'identité du criminel. Elle m'a demandé je ne sais combien de fois s'il y avait un suspect.

– Vraiment ? fis-je, pensif.

– Elle ne s'est jamais départie de son calme, mais je voyais bien qu'elle était bouleversée. Plus que je ne l'aurais cru car, après tout, ce n'est pas comme si elle avait été très attachée au colonel ; je crois même qu'elle le détestait.

– Il se peut que nos sentiments soient altérés par la mort, dis-je.

– Peut-être avez-vous raison, Len.

Dennis rentra du jardin surexcité car il avait découvert une empreinte de pas dans une plate-bande ; d'après lui, la police ne l'avait même pas remarquée alors qu'il s'agissait d'un élément capital.

Je dormis très mal. Au matin, Dennis était sur le pont bien avant l'heure du petit déjeuner pour « étudier les derniers développements de l'affaire », comme il disait.

Néanmoins, ce ne fut pas lui mais Mary qui nous assena la nouvelle la plus sensationnelle.

À peine étions-nous assis autour du petit déjeuner qu'elle se rua dans la pièce, le visage en feu.

– On a peine à le croire, mais le boulanger vient de

me le dire : ils ont arrêté le jeune Mr Redding, fit-elle sans cérémonie, comme à son habitude.

– Arrêté Lawrence ! s'écria Griselda qui n'en croyait pas ses oreilles. C'est impossible ! Il doit s'agir d'une erreur.

– Y a pas d'erreur, madame, reprit Mary sur un ton d'exultation sauvage. Mr Redding s'est rendu de son plein gré ; c'est le tout dernier événement de la soirée. Il est allé les trouver, il a jeté son pistolet sur la table et il a dit comme ça : « C'est moi qui l'ai tué. »

Elle nous regarda tour à tour, hocha vigoureusement la tête et se retira, pas mécontente de l'effet produit.

Griselda et moi nous entre-regardâmes.

– C'est impossible ! s'exclama mon épouse. Il n'aurait jamais fait ça. (Devant mon silence, elle insista :) Len, vous ne pensez pas qu'il a pu faire une chose pareille, n'est-ce pas ?

Je ne pus me résoudre à lui répondre et restai sans rien dire, l'esprit en effervescence.

– Il faut qu'il soit devenu fou, reprit-elle. Complètement fou. Ou alors... peut-être étaient-ils en train de regarder le revolver, et le coup est parti ?

– Il ne semble pas que les choses se soient passées ainsi.

– Mais il doit s'agir d'un accident ! Il n'y a pas l'ombre d'un mobile. Pouvez-vous me dire quelle raison aurait eue Lawrence de tuer le colonel Protheroe ?

J'avais les moyens de répondre à cette question sans détour, mais je tenais à protéger Anne Protheroe. Il y avait peut-être une chance infime de ne pas mêler son nom à cette affaire.

– Avez-vous oublié qu'ils s'étaient disputés ?

– Pour l'affaire du maillot de bain ? Oui, mais c'était idiot. Et même si Lettice et Lawrence s'étaient fiancés en secret, était-ce une raison pour assassiner le père Protheroe ?

– Nous ne connaissons pas tous les détails de l'affaire, Griselda.

– Vous le croyez donc coupable, Len ! comment pouvez-vous ? Faites-moi confiance, je suis sûre que Lawrence n'aurait jamais porté la main sur Protheroe.

– Je vous ai dit que je l'avais rencontré non loin du presbytère. Il était comme fou.

– Oui, mais... Oh ! c'est impossible...

– Et il y a la pendulette, continuai-je. Lawrence a pu l'arrêter sur 18 h 22 pour se forger un alibi. D'ailleurs l'inspecteur Flem est tombé en plein dans le piège.

– Ça ne tient pas, Len. Lawrence savait que notre pendulette avançait. Il disait toujours : « Voilà pourquoi le pasteur est à l'heure. » Il n'aurait pas commis l'erreur de l'arrêter à 18 h 22. Il aurait choisi une heure vraisemblable... sept heures moins le quart, par exemple.

– Il ne pouvait pas savoir à quelle heure le colonel Protheroe devait arriver au presbytère, et il avait peut-être oublié que notre pendulette avançait.

Griselda n'était pas d'accord.

– Ce sont des détails qui comptent si vous tuez quelqu'un.

– Comment le savez-vous, ma chérie ? Cela ne vous est jamais arrivé.

Avant qu'elle n'ait eu le temps de répondre, une

ombre s'étira sur la table du petit déjeuner et la voix aimable de notre voisine, miss Marple, se fit entendre :

– Pardonnez mon indiscrétion, mais en ces tristes circonstances...

Nous protestâmes poliment et l'invitâmes à entrer par la porte-fenêtre tandis que je lui avançais une chaise. Son teint était animé et elle semblait passablement agitée.

– Quel malheur ! Pauvre colonel Protheroe ! Certes, il n'était guère sympathique et pas très populaire, mais c'est tout de même bien triste. Et l'on m'a dit qu'il avait été tué dans votre bureau ? (J'acquiesçai et elle se tourna vers ma femme :) Mais notre cher pasteur était absent à ce moment-là ?

J'expliquai ce qui m'était arrivé.

– Mr Dennis n'est pas avec vous, ce matin ? demanda encore miss Marple en regardant autour d'elle.

– Il joue les détectives amateurs, répondit Griselda. Il a découvert une empreinte de pas dans une plate-bande du jardin, et a dû courir l'annoncer à la police.

– Oh ! ma chère, quelle affaire ! Ainsi Mr Dennis a son idée de l'identité du meurtrier ? Il est vrai que nous avons tous notre petite idée.

– Pensez-vous que ce soit si évident ? demanda Griselda.

– Que non, ma chère. Pas du tout. Chacun a sa petite idée, c'est tout ce que je veux dire. Mais ce qui compte, ce sont les preuves. Ainsi, j'ai moi-même mon idée sur l'identité du criminel, mais je dois avouer que je n'ai pas l'ombre d'une preuve. Et il faut faire très attention à ce que l'on dit en pareille situation, sous peine de se voir accusé de diffamation ; n'est-ce pas là le terme qu'on utilise ? Pour ma part, je me montrerai très prudente avec l'inspecteur Flem. Il voulait me voir ce matin, il vient de se décommander par téléphone ; ce ne serait plus nécessaire, selon lui.

– Depuis l'arrestation, probablement, dis-je.

– L'arrestation ? (Miss Marple se pencha vers nous, rose de curiosité.) J'ignorais qu'il y avait eu une arrestation.

Il est si rare que miss Marple soit la dernière informée que j'aurais parié qu'elle connaissait déjà la nouvelle.

– Nous nous étions mal compris, dis-je. Eh bien, Lawrence Redding a été arrêté.

– Lawrence Redding ? (Miss Marple était stupéfaite.) Je n'aurais jamais cru...

Mon épouse l'interrompit avec véhémence :

– Moi non plus ! Et je n'y crois pas. Même depuis qu'il a avoué.

– Avoué ? répéta miss Marple. Vous dites qu'il a avoué ? Oh ! mon Dieu ! Je me suis bien trompée... Ah ! ça, oui.

– À mon avis, il s'agit d'un accident, poursuivit Griselda. N'est-ce pas, Len ? Le fait qu'il se soit rendu est là pour le confirmer.

– Il s'est *rendu,* dites-vous ? fit miss Marple dans un sursaut.

– Oui.

– Ah ! soupira la vieille demoiselle, soulagée. Je préfère cela, vraiment.

Je la regardai, interloqué.

– Je pense qu'il a agi sous l'emprise du remords, dis-je.

– Du remords ? demanda miss Marple, étonnée à son tour. Mais, cher pasteur, vous ne croyez tout de même pas qu'il est coupable !

J'étais de plus en plus ébahi :

– Mais puisqu'il a avoué...

– C'est bien la preuve qu'il n'a rien à voir à l'affaire.

– Eh bien, j'ai peut-être l'esprit obtus mais je ne suis pas de votre avis. Si vous n'avez tué personne, je ne vois pas pourquoi vous iriez vous mettre un crime sur le dos.

– Il avait ses raisons d'agir ainsi. On a toujours une raison, n'est-ce pas ? Les jeunes gens d'aujourd'hui ont la tête si près du bonnet ! Et ils sont toujours enclins à envisager le pire... N'est-ce pas, ma chère ? ajouta-t-elle en se tournant vers ma femme.

– Je ... je ne sais pas, dit Griselda. Je ne sais plus que penser. Je ne vois pas ce qui a pu pousser Lawrence à ce geste insensé.

– Vous auriez dû voir son visage, hier soir... commençai-je.

Et, cédant aux instances de miss Marple, je décrivis mon retour à la maison, tandis qu'elle m'écoutait avec attention.

– Il m'arrive d'être parfaitement idiote, dit-elle quand j'eus achevé mon récit, et je ne vois pas toujours les choses comme elles sont en réalité, mais je ne saisis pas votre point de vue. Il me semble à moi qu'un jeune homme qui tue l'un de ses semblables de sang-froid peut difficilement s'en trouver bouleversé après coup. Le meurtrier qui a prémédité son coup peut commettre de petites erreurs et paraître un peu troublé, mais je doute qu'il soit en proie à l'agitation que vous décrivez. Il est certes difficile de se mettre à sa place mais je ne crois pas, quant à moi, que je me mettrais dans pareil état.

– Que savons-nous des circonstances exactes ? objectai-je. Peut-être se sont-ils disputés, et le coup est parti malencontreusement. Ensuite Lawrence aura pris peur. Je pencherais plutôt pour cette version des faits.

– Cher Mr Clement, quelle que soit la version que l'on préfère, les faits sont là, n'est-ce pas ? Et à mon avis les choses ne se sont pas passées comme vous le pensez. Votre bonne affirme que Mr Redding n'est pas resté plus de deux minutes au presbytère, pas assez, donc, pour qu'éclate une dispute comme celle que vous évoquez. Et si j'en crois ma propre bonne, le colonel Protheroe a été tué d'une balle dans la tête, tirée dans son dos, alors qu'il écrivait une lettre...

– C'est vrai, dit Griselda. Il écrivait un mot pour dire qu'il ne pouvait attendre plus longtemps. Son message était daté de 18 h 20 et la pendulette arrêtée sur 18 h 22. Ce détail nous chiffonne, Len et moi.

Puis mon épouse fit état de notre habitude consistant à avancer la pendulette d'un quart d'heure.

– Comme c'est curieux, dit miss Marple. Mais le message me paraît plus curieux encore. Je veux dire que...

Elle s'interrompit et leva les yeux sur Lettice Protheroe, plantée dans l'embrasure de la porte-fenêtre. La jeune fille entra et fit un signe de tête dans notre direction en murmurant un « B'jour ».

Elle se laissa tomber sur une chaise et dit d'un ton plus animé que de coutume :

– J'ai entendu dire qu'on avait arrêté Lawrence.

– Oui, dit Griselda. Ç'a été un véritable choc pour nous.

– Je n'avais jamais pensé que mon père pourrait être assassiné un jour. (Il était évident qu'elle mettait un point d'honneur à ne pas paraître affectée.) Pareille idée a dû traverser la tête à plus d'un, j'en suis sûre. Il m'est même arrivé à moi d'en avoir envie.

– Voulez-vous prendre quelque chose ? demanda Griselda.

– Non, merci. Je venais juste voir si vous n'aviez pas trouvé mon béret dans le coin... Un drôle de petit béret jaune. Il me semble l'avoir oublié dans le bureau du pasteur, l'autre jour.

– Si c'est le cas, il y est toujours, dit Griselda. Ce n'est pas Mary qui l'aurait rangé.

– Je vais aller voir, dit Lettice en se levant. Désolée de vous déranger, non seulement j'ai perdu mon béret mais ma tête avec.

– C'est dommage, mais vous ne pouvez aller le chercher tout de suite, dis-je. L'inspecteur a fermé mon bureau à clef.

– Quelle barbe ! Peut-être pourrais-je passer par la fenêtre ?

– Il n'en est pas question ! D'ailleurs, elle est fermée de l'intérieur. Et puis, que feriez-vous d'un béret jaune en la circonstance, Lettice ?

– Vous pensez au deuil et tout ça ? Je me fiche bien du deuil. C'est une tradition dépassée. Mais pour Lawrence, quelle barbe, là aussi ! (Elle resta plantée là, pensive, et vaguement ennuyée.) C'est de ma faute...

C'est cette histoire de maillot de bain... Comme c'est stupide !

Griselda ouvrit la bouche mais, curieusement, ne souffla mot.

Un curieux petit sourire étira les lèvres de Lettice.

– Eh bien, je vais rentrer pour annoncer à Anne que Lawrence a été arrêté, dit-elle doucement.

Et elle ressortit comme elle était venue.

– Pourquoi m'avez-vous fait du pied sous la table ? demanda aussitôt Griselda à miss Marple.

Le vieille demoiselle sourit.

– Vous brûliez de parler, ma chère, mais bien souvent mieux vaut laisser les choses suivre leur cours naturel. À mon sens, cette jeune fille n'est pas aussi distraite qu'elle veut bien le faire croire. Elle a une idée en tête, et elle s'y tient.

Après un coup frappé à la porte, Mary fit irruption dans la pièce.

– Qu'est-ce que c'est ? demanda Griselda. Mary, tâchez de vous souvenir que vous n'avez pas à frapper avant d'entrer. Je vous l'ai déjà dit.

– Je croyais que vous étiez occupés, dit Mary. Le colonel Melchett est là. Il veut voir le pasteur. (Le colonel Melchett est le chef de police de notre district, aussi me levai-je sur-le-champ.) J'ai pensé que vous n'aimeriez pas que je le fasse poireauter dans le couloir, alors je l'ai mis au salon. Faut-il que je débarrasse ?

– Cela peut attendre, dit Griselda. Je sonnerai.

Je la vis se tourner vers miss Marple comme je quittais la pièce.

68

7

Le colonel Melchett, chef de la police du comté, est un sémillant petit homme aux cheveux roux, aux yeux bleus et au regard pénétrant, connu en outre pour ses reniflements intempestifs.

– Bonjour, pasteur, dit-il. Sale affaire, hein ? Pauvre Protheroe. Je n'irais pas jusqu'à dire qu'il m'était très sympathique... Je ne l'aimais guère et je crois que je n'étais pas le seul dans ce cas... Sale affaire pour vous aussi. J'espère que votre dame n'a pas été trop tourne-boulée. (Je le rassurai sur ce point et il poursuivit :) Tant mieux ! Tant mieux ! Mais on n'aime pas beaucoup voir survenir ce genre de drame sous son propre toit. Je dois vous avouer que je suis stupéfait ! Qui aurait pu le croire ? Ce jeune Redding... Accomplir son forfait sans se soucier le moins du monde de l'embarras dans lequel il allait mettre les gens !

Je me retins de rire car je voyais bien que le colonel Melchett ne trouvait rien de cocasse dans l'idée qu'un criminel pût avoir ce genre de scrupules.

– Je ne vous cacherai pas que je suis resté comme deux ronds de flan quand j'ai appris que notre jeune artiste était allé se livrer, fit-il en se laissant tomber sur une chaise.

– Comment cela s'est-il passé, exactement ? m'enquis-je.

– Hier soir, sur le coup de 10 heures, il s'est amené, il a jeté son revolver sur le bureau et a fait : « C'est moi ! C'est moi qui l'ai tué. » Comme je vous le dis !

– A-t-il donné quelque raison à son geste ?

– Il n'a pas dit grand-chose. Bien sûr il a été sommé de faire une déclaration mais il nous a ri au nez, et s'est borné à raconter qu'il était allé au presbytère pour vous voir et qu'il y avait trouvé Protheroe. Ils auraient eu des mots et il aurait tiré sur le colonel. Quant à la raison de leur dispute, motus et bouche cousue. Entre nous, Clement, vous n'auriez pas une petite idée ? Les langues vont bon train... Protheroe lui avait interdit sa porte, paraît-il. C'est ça ? Il en avait après la jeune fille, hein ? Nous ne voulons pas la mêler à cette histoire plus qu'il ne sera nécessaire, par égard pour tout le monde, mais qu'est-ce qu'il y a eu, au juste ?

– Tout ce que je puis vous affirmer, c'est que cela n'a rien à voir avec Lettice ; mais je ne peux pas en dire plus, pour le moment.

– Je préfère savoir ça, fit-il en se levant. Ah ! les cancans... Il y a trop de femmes, dans ce coin. Eh bien, il faut que j'y aille. Je dois voir Haydock. Il faisait sa tournée mais il a dû rentrer à présent. Je vous dirai franchement que je suis peiné pour Redding. Il m'a toujours fait l'effet d'être un bon petit gars. Pour sa défense, on pourra toujours évoquer le contrecoup de la guerre, un traumatisme ou je ne sais quoi, surtout s'il n'a pas de mobile sérieux. J'y vais. Vous m'accompagnez un bout de chemin ?

– Avec plaisir, dis-je en me levant pour sortir avec lui.

Le Dr Haydock habite la maison voisine. Sa bonne nous informa qu'il venait de rentrer et nous fit passer au salon, où le médecin était attablé devant des œufs au bacon fumants.

– Pardonnez-moi, dit-il après nous avoir salués amicalement. J'ai été appelé pour un accouchement. J'ai passé la soirée sur votre affaire ; voilà la balle, ajouta-t-il en montrant une petite boîte sur la table.

– Calibre vingt-cinq ? fit Melchett en l'examinant.

Haydock acquiesça :

– C'est aux enquêteurs que je dois fournir tous les détails techniques mais je peux vous assurer que la mort a été presque immédiate. Faut-il être fou ! Pourquoi ce geste fatal ? Ce qui est incroyable, c'est que personne n'ait entendu le coup de feu.

– Je suis bien de votre avis, renchérit Melchett.

– La fenêtre de la cuisine donne de l'autre côté de la maison, dis-je. Si les portes du bureau, de l'office et de la cuisine sont fermées, je doute que quiconque puisse entendre le moindre bruit. Et n'oubliez pas que Mary était seule à cette heure-là.

– Hum ! grommela Melchett. C'est quand même bizarre. Je me demande si cette vieille demoiselle... Comment l'appelez-vous, déjà ? Miss Marple... ne l'aurait pas entendu, elle. La porte-fenêtre de votre bureau était ouverte.

– Vous avez raison ! s'exclama Haydock.

– Je ne crois pas, dis-je à mon tour. Elle était au presbytère il y a un instant, et elle n'aurait pas manqué de nous le dire, croyez-moi.

– Peut-être n'y a-t-elle pas fait attention... elle aura cru à un bruit de pot d'échappement. (Je fus frappé par la bonne humeur presque indécente du Dr Haydock ; il me sembla même qu'il s'évertuait à cacher sa mine réjouie.)

Le revolver était peut-être muni d'un silencieux ; ce qui expliquerait que personne n'ait rien entendu.

– Ce n'est pas l'opinion de Flem, intervint Melchett. Il a interrogé Redding à ce sujet. Le jeune homme a commencé par ne rien comprendre à la question, puis il a nié formellement. Pourquoi ne le croirait-on pas ?

– En effet ! Le pauvre diable !

– Un fichu crétin, oui ! s'exclama le colonel Melchett. Excusez-moi, Clement, mais que dire d'autre ? Qui pourrait croire qu'il a assassiné quelqu'un ?

– A-t-il un mobile ? demanda Haydock en avalant une dernière gorgée de café avant de repousser sa chaise.

– Il prétend qu'une dispute a éclaté entre eux, qu'il s'est énervé et qu'il a tiré sur le colonel.

– Vous préféreriez un homicide involontaire, hein ? fit le Dr Haydock, perplexe. Mais cela ne tient pas debout. Il est arrivé par-derrière et lui a logé une balle dans la tête pendant que l'autre était assis en train d'écrire. Que devient votre dispute dans ces conditions !

– En tout cas, ils n'ont pas eu le temps de se disputer, dis-je en me souvenant des paroles de miss Marple. Se rendre à mon bureau, tuer le colonel, mettre les aiguilles de la pendulette sur 18 h 22 et repartir par le même chemin lui aurait pris tout le temps qu'il est resté au presbytère. Je n'oublierai jamais son visage lorsque je l'ai vu dans le chemin, ni la manière dont il m'a dit « Vous voulez voir Protheroe... Oh ! pour ça, oui, vous le verrez ! » Cela aurait dû me mettre la puce à l'oreille, j'aurais dû soupçonner ce qui venait de se passer...

– Qu'entendez-vous par « ce qui venait de se pas-

ser » ? Quand Redding a-t-il tué Protheroe, à votre avis ?
me demanda Haydock en me regardant fixement.

– Quelques minutes avant que je n'arrive au presbytère.

– Impossible ! Tout à fait impossible, s'écria le médecin avec conviction. Il était mort depuis plus longtemps !

– Écoutez, mon vieux, vous avez dit vous-même que
vous estimiez que la mort remontait approximativement
à une demi-heure ! s'écria le colonel Melchett.

– Une demi-heure, trente-cinq minutes ou vingt-cinq
minutes, vingt minutes, peut-être, mais pas moins, ça
non ! Sinon le corps aurait été encore chaud quand je
l'ai examiné.

Nous nous regardâmes. Haydock était devenu livide
et avait vieilli d'un seul coup. Je me demandais ce qui
lui arrivait.

– Mais dites-moi, Dr Haydock, fit le colonel qui avait
retrouvé sa langue, si Redding admet avoir tué Protheroe
à sept heures moins le quart...

Haydock se leva d'un bond.

– Je vous dis que c'est impossible, rugit-il. Si Redding
prétend qu'il a tué Protheroe à sept heures moins le
quart, il ment ! Enfin, quoi ! Je suis médecin, non ? Je
sais ce que je dis. Le sang avait commencé à figer.

– Si Redding ment..., commença Melchett pour s'interrompre aussitôt. Nous ferions mieux de filer au poste
pour le voir, conclut-il.

8

C'est en silence que nous nous rendîmes au poste de police, mais, troublé, Haydock traîna derrière pour me chuchoter à l'oreille :

– Je préfère vous dire que je n'aime pas cela du tout. Il y a quelque chose qui ne va pas dans cette histoire.

Le moins que l'on puisse dire est qu'il était très contrarié.

L'inspecteur Flem nous reçut au poste et nous ne tardâmes pas à voir Lawrence Redding.

En dépit de sa pâleur et de ses traits tirés, il était calme, très calme même, compte tenu des circonstances.

Melchett renifla.

– Écoutez, Redding, grommela-t-il, nerveux. J'ai cru comprendre que vous aviez déclaré à l'inspecteur Flem vous être rendu au presbytère vers sept heures moins le quart ; là, vous avez trouvé Protheroe, vous vous êtes disputé avec lui, vous lui avez tiré dessus et vous êtes reparti. Je n'ai pas lu votre déclaration mais c'est en substance sa teneur.

– En effet.

– J'ai quelques questions à vous poser. On vous a déjà dit que vous pouviez choisir de vous taire. Votre avocat...

– Je n'ai rien à cacher, l'interrompit Lawrence. J'ai tué Protheroe.

– Si vous le dites ! renifla Melchett. Pouvez-vous m'expliquer par quel hasard vous aviez un revolver sur vous ?

– Je l'avais dans ma poche, fit Lawrence après une brève hésitation.

– Vous vous étiez muni d'un revolver pour vous rendre au presbytère ?

– Oui.

– Peut-on savoir pourquoi ?

– J'avais l'habitude de le porter sur moi.

J'avais encore perçu une hésitation dans sa voix : il mentait, bien évidemment.

– Pourquoi avoir retardé la pendulette ? poursuivit Melchett.

– La pendulette ? répéta Lawrence, perplexe.

– Oui. Les aiguilles marquaient 18 h 22.

Son visage refléta une terreur subite.

– Ah ! oui. Je les ai touchées, en effet.

– Où avez-vous tiré sur le colonel Protheroe ? intervint Haydock.

– Dans le cabinet de travail du pasteur.

– Je veux savoir dans quelle partie du corps ?

– Oh ! je... Dans la tête, je crois. Oui. C'est cela : dans la tête.

– Vous n'en êtes pas sûr ?

– Si vous le savez, à quoi bon me le demander ?

C'était une bien piètre fanfaronnade. Il y eut du bruit au-dehors et un agent de police se présenta nu-tête une lettre à la main :

– C'est pour le pasteur. Urgent ! fit-il.

Je déchirai l'enveloppe et lus :

S'il vous plaît... Venez ! Je vous en supplie ! Je ne sais que faire. Ce qui se passe est terrible. J'ai à vous parler.

Pouvez-vous venir tout de suite ? Avec qui vous voulez.
Anne Protheroe.

J'adressai un coup d'œil à Melchett qui saisit l'allusion et nous sortîmes en même temps que les deux policiers. J'eus tout juste le temps d'entrevoir le visage de Lawrence Redding ; ses yeux étaient fixés sur la lettre que je tenais à la main, et jamais homme n'avait eu un regard empreint d'une si grande angoisse et d'un désespoir plus profond.

L'image d'Anne Protheroe s'effondrant sur mon sofa et s'exclamant : « Je suis désespérée » me revint en mémoire, et je me sentis moi-même envahi d'une peine immense. Je commençais à comprendre pourquoi Lawrence Redding s'était accusé du crime. Était-ce possible ? Melchett et Flem étaient en conférence.

– Avez-vous des détails sur les allées et venues de Redding au cours de l'après-midi ? Il y a tout lieu de penser qu'il a tué Protheroe plus tôt qu'il ne le prétend. Renseignez-vous sur ce point.

Le colonel se tourna vers moi et je lui tendis sans un mot la lettre d'Anne Protheroe. Il la lut et fit une moue étonnée, puis il me jeta un regard perçant avant de me demander :

– C'est à cela que vous pensiez ce matin, hein ?

– Oui, mais ce matin, je ne me sentais pas le droit de parler. À présent, je crois que c'est mon devoir.

Et je lui racontai ce qui s'était passé dans mon bureau, ce fameux soir.

Le colonel Melchett et l'inspecteur Flem échangèrent quelques mots, puis nous nous mîmes en route pour Old Hall avec le Dr Haydock.

Un maître d'hôtel vint nous ouvrir avec, dans son attitude, une pointe d'ennui très étudiée.

– Bonjour, dit le colonel Melchett. Voulez-vous faire dire à Mrs Protheroe que nous sommes ici et que nous voudrions la voir ? Nous aurons également quelques questions à vous poser.

Le maître d'hôtel fit diligence et revint bientôt nous informer qu'il avait délivré notre message. Melchett l'interrogea sur la journée précédente et lui demanda si le colonel avait déjeuné chez lui.

– Oui, monsieur.

– Était-il comme à l'ordinaire ?

– Autant que je m'en souvienne, oui, monsieur.

– Que s'est-il passé après le déjeuner ?

– Mrs Protheroe est allée s'allonger et le colonel s'est enfermé dans son bureau. Mrs Lettice a pris son cabriolet pour se rendre à une partie de tennis. J'ai servi le thé pour le colonel et Madame à quatre heures et demie, au salon. La voiture était commandée pour cinq heures et demie. M. le pasteur a téléphoné aussitôt après leur départ. (Il s'inclina vers moi.) Et je lui ai dit qu'ils étaient en route pour le village.

– Hum ! fit le colonel Melchett. Quand Mr Redding est-il paru ici pour la dernière fois ?

– Mardi après-midi, monsieur.

– J'ai cru comprendre qu'il avait eu des mots avec le colonel...

– En effet, monsieur. Le colonel m'a ordonné d'éconduire Mr Redding à l'avenir.

– Auriez-vous entendu leur dispute ? demanda le colonel Melchett d'un ton brusque.

— Le colonel Protheroe avait une bonne voix, monsieur, surtout lorsqu'il était en colère. Je n'ai pu m'empêcher de saisir quelques bribes.

— Assez pour comprendre de quoi il retournait ?

— Il s'agissait du portrait que Mr Redding faisait de miss Lettice, monsieur.

— Avez-vous vu le jeune homme lorsqu'il a quitté la maison ? grogna Melchett.

— Oui, monsieur. C'est moi qui l'ai reconduit.

— Était-il en colère ?

— Non, monsieur. Si je puis me permettre, il m'a même semblé trouver la chose plaisante.

— Ah ! Et il ne s'est pas présenté à la porte, hier ?

— Non, monsieur.

— Quelqu'un d'autre est-il venu ?

— Personne n'est venu hier, monsieur.

— Et avant-hier ?

— Mr Dennis Clement nous a fait une visite l'après-midi, ainsi que le Pr Stone. Et il y a eu une dame, le soir, monsieur.

— Une dame ? fit Melchett en sursautant. Qui était-ce ?

Le maître d'hôtel chercha en vain le nom de la dame. Il ne l'avait jamais vue auparavant. Oui, elle avait donné son nom, et lorsqu'il lui avait annoncé que tout le monde était à table, elle avait répondu qu'elle attendrait. Il l'avait donc fait passer dans le petit salon.

Elle avait demandé à voir le colonel Protheroe et non pas Madame. Le maître d'hôtel avait prévenu le colonel et celui-ci s'était rendu dans le petit salon aussitôt après le déjeuner.

Combien de temps était-elle restée ? Environ une demi-heure, pensait-il. C'était le colonel qui l'avait reconduite. Ah ! Voilà, le nom lui était revenu, il s'agissait de Mrs Lestrange.

Nous fûmes tous trois fort surpris.

– Voilà qui est très curieux, dit Melchett.

Mais nous ne pûmes nous étendre davantage car, à cet instant, un message nous parvint : Mrs Protheroe était disposée à nous recevoir.

Elle était couchée, pâle et le regard fiévreux. Elle arborait une expression de sombre détermination qui m'inquiéta.

– Merci d'être venu si vite, dit-elle en me regardant. Je vois que vous avez saisi mon message et que vous êtes venu accompagné. (Après une courte pause, elle reprit :) Mieux vaut en finir, n'est-ce pas ? (Elle eut un pauvre sourire pathétique.) Je pense que c'est à vous que je devrais parler, colonel Melchett. Voilà, c'est moi qui ai tué mon mari.

– Chère Mrs Protheroe..., dit courtoisement Melchett.

– Vous devez me croire ! Sans doute vous l'ai-je avoué un peu crûment, mais je ne suis pas de celles qui font des scènes. Je le haïssais depuis longtemps et, hier, je l'ai tué. (Elle s'abandonna contre ses oreillers et ferma les yeux.) C'est tout. Il ne vous reste qu'à m'arrêter et à m'emmener. Je vais me préparer aussitôt que je le pourrai. Pour le moment, je ne me sens pas très bien.

– Savez-vous, Mrs Protheroe, que Mr Lawrence Redding s'est déjà accusé de ce crime ? demanda Melchett.

Anne rouvrit les yeux et acquiesça d'un mouvement nerveux de la tête :

– Je le sais. Quel idiot ! C'est parce qu'il est amoureux de moi. C'est un beau geste de sa part... mais c'est pure folie.

– Savait-il que c'était vous...

– Oui.

– Comment le savait-il ?

Elle hésita.

– Le lui avez-vous avoué vous-même ?

Elle hésita encore et se décida enfin :

– Oui... C'est moi qui le lui ai dit. (Elle tressaillit et eut un haussement d'épaules irrité.) Voulez-vous me laisser, maintenant ? Je vous ai tout dit. Je n'ai rien à ajouter.

– Comment vous êtes-vous procuré le revolver, Mrs Protheroe ?

– Le revolver ? Oh ! c'était celui de mon mari. Je l'ai pris dans un tiroir de sa table de toilette.

– Je vois. Et vous l'avez emporté au presbytère ?

– Oui. Je savais que Lawrence devait voir le pasteur...

– Quelle heure était-il ?

– Il devait être six heures passées... six heures et quart... 6 h 20... quelque chose comme ça.

– Avez-vous pris le revolver dans le dessein de tuer votre mari ?

– Non... Je... Je l'avais pris pour moi.

– Je vois. Mais vous êtes bien allée au presbytère ?

– Oui. Je suis allée jusqu'à la porte-fenêtre. Il n'y avait aucun bruit de voix ; j'ai regardé à l'intérieur et j'ai vu mon mari. Il s'est passé quelque chose en moi et j'ai tiré.

– Et ensuite ?

– Ensuite ? Je me suis éloignée...

– Et vous êtes allée dire à Mr Redding ce que vous aviez fait ?

De nouveau, je notai une hésitation dans sa voix quand elle dit « oui ».

– Vous a-t-on vue entrer au presbytère ou en sortir ?

– Non. Enfin, si. La vieille demoiselle dans son jardin, miss Marple. Je lui ai parlé un instant. (Elle se retourna nerveusement sur ses oreillers.) N'est-ce pas assez ? Je vous ai tout dit. Pourquoi continuer à me tourmenter ?

Le Dr Haydock lui tâta le pouls.

– Je vais rester auprès d'elle pendant que vous prenez vos dispositions, murmura-t-il en faisant un signe à Melchett. Mieux vaut ne pas la laisser seule, elle pourrait commettre un geste irréparable.

Melchett acquiesça et nous quittâmes la chambre. Comme nous descendions l'escalier, un homme maigre au visage sinistre sortit de la pièce voisine ; suivant mon impulsion, je remontai les marches.

– Étiez-vous au service du colonel Protheroe ?

– Oui, monsieur, répondit l'homme, surpris.

– Savez-vous si le colonel gardait un revolver quelque part ?

– Pas que je sache, monsieur.

– N'en avait-il pas un dans le tiroir de sa table de toilette ? Réfléchissez, mon ami.

– Non, monsieur, fit-il, péremptoire. Sinon je l'aurais vu, ça, c'est sûr.

Je me hâtai de descendre rejoindre Melchett.

Anne Protheroe nous avait menti. Le colonel n'avait pas de revolver.

Pourquoi ce mensonge ?

9

Son rapport remis au poste de police, le colonel Melchett nous annonça qu'il comptait rendre visite à miss Marple.

– Vous feriez mieux de m'accompagner, cher ami, me dit-il. Je ne tiens pas à déclencher une crise de nerfs chez une de vos paroissiennes. Accordez-moi la grâce de votre présence apaisante.

Je souris. Sous son apparence fragile, miss Marple est capable de damer le pion à tous les fins limiers de la terre.

– Qu'en pensez-vous, vous qui la connaissez ? me demanda le colonel comme nous sonnions à sa porte. Peut-on lui faire confiance ?

– Je le crois, dis-je sans m'avancer. Du moins tant qu'il s'agit de ce qu'elle a vu de ses yeux, car pour ce qui est de ses hypothèses et de ses conclusions, c'est tout à fait différent. Elle ne manque pas d'imagination et a un peu tendance à voir le mal partout.

– La vieille fille dans toute sa splendeur, en somme, ricana Melchett. Je connais ce genre d'oiseau. Sapristi ! Ne me parlez pas de l'heure du thé à St. Mary Mead...

Une bonne haute comme trois pommes nous introduisit dans un salon minuscule.

– Plutôt encombré, fit Melchett en regardant autour de lui. Mais il y a de belles choses. Un intérieur typiquement féminin, pas vrai, Clement ?

J'acquiesçais quand la porte s'ouvrit devant miss Marple.

– Je suis désolé de vous déranger, miss Marple, dit le colonel après que je l'eus présenté. (Et, avec la faconde toute militaire propre, selon lui, à séduire les dames d'âge mûr, il ajouta :) C'est que j'accomplis mon devoir !

– C'est bien naturel, dit miss Marple. Voulez-vous vous asseoir ? Peut-être accepterez-vous un petit verre de cherry brandy de ma fabrication ? C'est une recette de ma grand-mère.

– Mille mercis, miss Marple, c'est très aimable à vous, mais je ne prends jamais rien avant le déjeuner, c'est ma devise. Maintenant, j'aimerais qu'on parle de cette lamentable affaire, qui, à coup sûr, nous a tous bouleversés. Compte tenu de la situation de votre maison et de votre jardin, vous avez peut-être quelque chose à nous dire au sujet des événements d'hier soir.

– J'étais en effet dans mon jardin hier, dès cinq heures, et de là... Eh bien, on ne peut pas s'empêcher de voir ce qui se passe à côté.

– Vous auriez donc vu passer Mrs Protheroe.

– Oui. Nous avons même échangé quelques mots et elle a admiré mes roses.

– Puis-je vous demander l'heure qu'il était ?

– Il devait être six heures et quart passées d'une ou deux minutes. Le quart venait juste de sonner à l'église.

– Et ensuite ?

– Mrs Protheroe devait rejoindre son mari au presbytère pour rentrer avec lui à Old Hall. Elle a continué son chemin et est entrée par la grille du jardin.

– Elle venait par le chemin.

– Oui, je vais vous montrer.

Elle sortit avec empressement et nous indiqua le chemin qui longeait le fond de son jardin.

– Le sentier que vous voyez en face, avec la barrière, mène à Old Hall, nous expliqua-t-elle. C'est par là qu'ils devaient passer. Mrs Protheroe venait du village.

– Je vois, dit le colonel Melchett. Et vous disiez qu'elle avait pénétré dans le jardin du presbytère...

– Je l'ai vue qui tournait le coin de la maison, mais il faut croire que le colonel n'y était pas, car elle a réapparu presque aussitôt et est allée tout droit à l'atelier, au bout de la pelouse, cette cabane là-bas, que le pasteur avait laissée à Mr Redding pour y peindre.

– Et... vous n'auriez pas entendu un coup de feu, miss Marple ?

– Ce n'est pas à ce moment-là que j'ai entendu une détonation.

– Vous avez donc entendu quelque chose ?

– Oui, il me semble avoir entendu un coup de feu dans les bois, environ cinq ou dix minutes après que j'ai vu Mrs Protheroe... et, j'insiste, cela venait des bois. Du moins, c'est ce que je crois. Ce ne pouvait être... non, ce n'était pas...

Elle s'interrompit, pâle d'émotion.

– Bien, nous verrons cela après, dit le colonel

Melchett. Racontez-nous la suite. Mrs Protheroe est allée droit à l'atelier...

– Elle y est entrée et a attendu. Mr Redding est bientôt apparu sur le chemin venant du village. Il s'est approché de la barrière du presbytère, a jeté un coup d'œil à la ronde...

– Et il vous a vue, miss Marple.

– À vrai dire, il ne m'a pas vue, dit la vieille demoiselle en rougissant. Car, voyez-vous, à cet instant j'étais accroupie, m'évertuant à arracher ces maudits pissenlits. C'est si difficile ! Ensuite, il est entré dans le jardin et est allé vers l'atelier.

– Il n'est pas allé du côté de la maison ?

– Pas du tout, il a marché tout droit vers l'atelier. Mrs Protheroe lui a ouvert et ils ont disparu à l'intérieur.

Un silence éloquent suivit.

– Peut-être posait-elle pour lui, suggérai-je.

– Peut-être, fit miss Marple.

– Quand sont-ils ressortis ? demanda Melchett.

– Ils n'y sont pas restés plus de dix minutes.

– C'est-à-dire ?

– La demie avait sonné au clocher de l'église. Ils n'avaient fait que quelques pas dans le chemin quand le Pr Stone a débouché du sentier qui mène à Old Hall. Il a enjambé la barrière et les a rejoints, puis ils ont continué tous les trois en direction du village. Je ne l'affirmerais pas mais il me semble que miss Cram s'est jointe au petit groupe, au bout du chemin. J'ai cru reconnaître miss Cram car elle avait une jupe très courte.

– Vous avez de bons yeux, miss Marple, pour remarquer ces détails de si loin.

– J'observais un oiseau, sans doute un roitelet huppé. Un bien gentil petit oiseau. J'avais mes lunettes, c'est pourquoi j'ai reconnu miss Cram, car c'était bien elle.

– Admettons, dit le colonel Melchett. Maintenant, puisque vous êtes si bonne observatrice, miss Marple, dites-nous quel était le comportement de Mrs Protheroe et de Mr Redding, sur le chemin ?

– Ils souriaient et bavardaient. Ils avaient l'air très heureux d'être ensemble, si vous voyez ce que je veux dire.

– Ils ne vous ont paru ni troublés ni inquiets ?

– Bien au contraire !

– C'est fichtrement bizarre, dit le colonel. On peut dire qu'il y a quelque chose de bizarre dans cette affaire.

Nous fûmes stupéfaits d'entendre miss Marple nous demander d'une voix calme si Mrs Protheroe avait déclaré avoir commis un crime.

– Crénom de nom ! s'écria le colonel, comment l'avez-vous deviné ?

– Disons que j'avais envisagé cette hypothèse. Comme cette chère Lettice d'ailleurs. En voilà une qui n'a guère de scrupules, mais elle est très dégourdie. Ainsi donc, Anne Protheroe s'est accusée du meurtre de son mari... Quant à moi, je n'y crois pas. Non, je n'y crois pas. Pas d'une femme comme elle. Bien qu'il soit difficile de rien affirmer, n'est-ce pas ? Mais je vous donne mon avis. À quelle heure l'aurait-elle tué ?

– À 18 h 20, juste après vous avoir parlé.

Miss Marple secoua lentement la tête avec un air de compassion, compassion destinée, je pense, aux deux

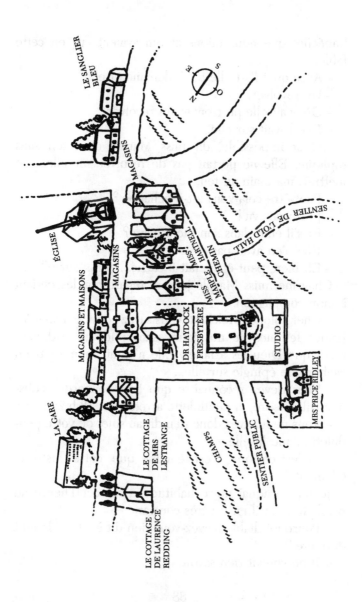

imbéciles que nous étions et qui avaient cru en cette fable.

— Avec quoi l'a-t-elle tué ? demanda-t-elle.

— Un revolver.

— Où avait-elle pu trouver un revolver ?

— Elle l'avait sur elle.

— C'est impossible, dit miss Marple d'un ton sans réplique. Elle ne portait pas de revolver sur elle, j'en mettrais ma main au feu.

— Peut-être cela vous a-t-il échappé ?

— Je l'aurais vu !

— Et s'il était dans son sac à main ?

— Elle n'en avait pas.

— Eh bien, peut-être était-il caché... euh... sur elle...

Chagrine, miss Marple jeta un regard condescendant à mon compagnon.

— Cher colonel Melchett, vous savez comment sont les jeunes femmes de nos jours, sans pudeur, s'exhibant telles que Dieu les a faites. Elle n'aurait même pas pu cacher une épingle sur elle...

— Vous devez reconnaître que tout concorde, s'obstina-t-il, l'heure, la pendulette arrêtée sur 18 h 22...

— Vous ne lui avez donc rien dit au sujet de votre pendulette ? me fit-elle.

— Qu'est-ce que c'est encore que cette histoire, Clement ?

Je lui expliquai notre habitude d'avancer l'heure au presbytère, et il en fut très contrarié.

— Pourquoi diable n'avez-vous rien dit à Flem, la nuit dernière ?

— Il ne voulait rien savoir.

– C'est idiot, vous auriez dû insister.

– Je veux bien croire que l'inspecteur Flem ne se comporte pas avec vous comme avec moi. Il n'a rien voulu entendre.

– Cette affaire est de plus en plus extravagante, dit Melchett. Si un troisième larron s'amène pour revendiquer le meurtre, je suis bon pour l'asile de fous.

– Si je puis me permettre..., murmura miss Marple.

– Oui ?

– Si vous alliez dire à Mr Redding que Mrs Protheroe s'accuse du meurtre mais que vous ne la croyez pas coupable, et si ensuite vous alliez dire à Mrs Protheroe que Mr Redding est lavé de tout soupçon... Eh bien, peut-être tous deux vous diraient-ils la vérité. Le vérité est bien utile, quoique je doute qu'ils sachent grand-chose, ces malheureux.

– En attendant, ils sont les seuls à avoir un mobile.

– Oh ! ce n'est guère mon avis, colonel Melchett, répliqua miss Marple.

– Soupçonneriez-vous quelqu'un d'autre ?

– Voyons... Un, deux, trois, quatre, cinq, six..., fit-elle en comptant sur ses doigts. Six et peut-être sept. Je ne vois pas moins de sept personnes qui eussent été soulagées de la disparition du colonel Protheroe.

– Sept personnes ? À St. Mary Mead ? s'exclama Melchett, l'œil rond.

Miss Marple triomphait.

– Attention ! Je n'ai pas donné de noms, dit-elle, ce ne serait pas correct. Laissez-moi vous dire, colonel Melchett, qu'il y a bien de la méchanceté de par le monde. Mais sans doute cela n'atteint-il pas un brave soldat comme vous.

Il me sembla que notre colonel était au bord de l'apoplexie.

10

Comme nous quittions la maison de miss Marple, le colonel Melchett s'autorisa sur son compte quelques remarques peu flatteuses.

– Quand je pense que cette vieille pie-grièche qui croit tout savoir sur tout n'est jamais sortie de son trou ! C'est incroyable ! Qu'est-ce qu'elle peut bien connaître de la vie ?

Je crus bon de faire remarquer à mon compagnon que miss Marple ne connaissait sans doute rien de la Vie avec un grand V, mais qu'en revanche elle n'ignorait rien de ce qui se passait à St. Mary Mead.

Melchett fut bien forcé de l'admettre. Le témoignage de miss Marple était capital, surtout pour Mrs Protheroe.

– Et, bien sûr, on peut se fier à elle ?

– Si miss Marple affirme que Mrs Protheroe n'avait pas de revolver sur elle, vous pouvez la croire sur parole, dis-je. S'il y avait eu la plus petite chance que Mrs Protheroe fût armée, la vieille demoiselle ne nous eût fait grâce d'aucun détail.

– C'est bon. Allons faire un tour à l'atelier.

L'atelier, comme nous l'appelions, n'était qu'une cabane de bois brut éclairée par une lucarne, qui n'avait d'autre issue que par la porte. Sa curiosité satisfaite, Melchett m'annonça qu'il reviendrait plus tard, en compagnie de l'inspecteur.

– Je vais de ce pas au poste de police, me dit-il.

De mon côté, je retournai au presbytère où un bruit de voix m'attira au salon.

Jambes croisées gainées d'une paire de bas rose bon-bon, Gladys Cram se vautrait sur le divan près de Griselda. Elles étaient en grande conversation.

– Ah ! Vous voici, Len ! me lança mon épouse.

– Bonjour, Mr Clement, fit miss Cram. C'est horrible, non ? Ce qu'on raconte sur ce pauvre colonel Protheroe...

– Miss Cram est très gentiment venue nous proposer ses services pour les scouts. Vous vous souvenez que nous avions lancé un appel aux volontaires, dimanche dernier...

Je ne l'avais pas oublié et j'aurais parié, comme ma femme du reste, à en juger par le ton de sa voix, que l'idée de s'enrôler dans les scouts ne serait jamais venue à l'esprit de miss Cram si le presbytère n'avait été tout récemment le théâtre d'un drame.

– J'étais justement en train de dire à Mrs Clement que les bras m'en étaient tombés, poursuivit la jeune fille. Un meurtre ? Un meurtre dans ce trou perdu où il n'y a même pas un cinéma ? Voilà ce que je me suis dit... car il ne se passe pas grand-chose ici, il faut bien le reconnaître ! Et quand j'ai su que c'était le colonel

Protheroe... je n'en croyais pas mes oreilles ! Il n'était pas du genre à se faire assassiner.

J'ignore quelles étaient les compétences requises selon miss Cram pour être victime d'un meurtre, et il ne m'avait jamais paru que les personnes assassinées appartinssent à une catégorie particulière, mais il ne faisait pas de doute que sous sa coupe à la garçonne, la tête blonde de miss Cram recelait sur ce point des idées bien arrêtées.

– Voilà pourquoi miss Cram est venue aux nouvelles, fit Griselda.

Je craignis un instant que notre visiteuse ne s'offusquât de cette remarque sans détour, mais elle se mit au contraire à rire à gorge déployée.

– Vous, alors, vous ne prenez pas de gants, Mrs Clement ! Et ce que vous pensez, vous ne l'envoyez pas dire ! Mais après tout, c'est bien naturel de vouloir tout savoir d'une histoire pareille, non ? Et je vous jure que je suis prête à vous aider pour vos scouts ; je trouve ça passionnant, et ces temps-ci, ma vie manque singulièrement de piquant, je vous assure. Ce n'est pas que mon travail soit sans intérêt, pas du tout, au contraire, je suis bien payée et le Pr Stone est un homme tout à fait comme il faut. Mais une fille comme moi a besoin d'avoir sa vie à elle après le travail ; je ne vois que Mrs Clement à qui parler ici, en dehors de cette bande de vieilles chipies.

– Et Lettice Protheroe ? dis-je.

– Elle se croit trop bien pour moi ! s'exclama Gladys Cram. C'est qu'elle ne se prend pas pour rien, celle-là ! Elle n'irait pas s'abaisser à fréquenter une fille obligée de travailler pour gagner sa vie. Même si je l'ai entendue de mes oreilles dire qu'elle pourrait bien se mettre à la recherche d'un boulot ; mais qui irait l'embaucher, je vous le demande ? Elle serait fichue dehors en moins d'une semaine. Peut-être pourrait-elle devenir mannequin, à se déhancher dans de belles toilettes. Bon, disons mannequin...

– Elle serait très bien, en effet, car elle ne manque pas d'allure, dit Griselda qui n'avait rien d'une vieille chipie. Quand a-t-elle parlé de gagner sa vie ?

Un instant décontenancée, miss Cram retrouva bien vite son ton espiègle.

– Vous aimeriez bien le savoir, hein ? Elle l'a dit, un point c'est tout. La vie n'est pas rose chez elle, à ce que je sais ; moi non plus, je n'aimerais pas vivre sous le même toit que ma belle-mère ; je n'y resterais même pas une seconde.

– C'est que vous êtes pleine de vie et très indépendante ! dit Griselda sans sourire, tandis que je lui jetais un coup d'œil soupçonneux.

Miss Cram était aux anges :

– Vous avez deviné. C'est tout moi. Pas question de me faire marcher à la baguette ; d'ailleurs, c'est ce que m'a révélé une diseuse de bonne aventure, il n'y a pas si longtemps. Je ne suis pas de celles qui se laissent marcher sur les pieds. Et les choses ont toujours été claires avec le Pr Stone : j'ai besoin de mon temps libre. Ces vieux professeurs s'imaginent qu'on est des robots... Ils ne vous voient même pas.

– Aimez-vous votre travail avec le Pr Stone ? Ce doit être intéressant, si vous êtes versée dans l'archéologie.

– Je n'y connais pas grand-chose, avoua la jeune fille. Pour moi, fouiller la terre pour retrouver des gens morts depuis des siècles a quelque chose d'un peu... indiscret, disons. Mais le Pr Stone est tellement absorbé par son travail qu'il en oublierait le boire et le manger si je n'étais pas là.

– Est-il sur le chantier, aujourd'hui ? demanda Griselda.

– Non, fit miss Cram. Il ne se sentait pas très bien, ce matin, expliqua-t-elle. Ça me fait des vacances.

– Voilà qui est fâcheux, dis-je.

– Oh ! ce n'est rien de grave, nous n'aurons pas un deuxième cadavre sur les bras, rassurez-vous ! Mais j'ai entendu dire que vous aviez passé la matinée avec la police, Mr Clement. Qu'est-ce qu'ils pensent de tout ça ?

– Eh bien, rien n'est encore très sûr..., dis-je, prudent.

– Ah ! s'écria miss Cram, ils n'en ont donc plus après Lawrence Redding ! Il est beau garçon, hein ? On dirait un acteur de cinéma. Et son sourire, quand il vous dit bonjour ? Je suis restée comme deux ronds de flan quand j'ai appris son arrestation. On n'a pas tort de dire que les flics n'ont pas inventé la poudre, dans ces campagnes.

– Vous auriez tort de les incriminer, en l'occurrence, dis-je. C'est Mr Redding lui-même qui s'est constitué prisonnier.

– Quoi ? (La jeune fille était stupéfaite.) Le pauvre garçon ! Si j'avais commis un crime, ce n'est pas moi qui irais me rendre. J'aurais cru qu'il avait quelque chose dans la cervelle. Se rendre, comme ça ! Est-ce qu'il a dit pourquoi il avait tué Protheroe ? Était-ce à cause d'une simple dispute ?

– Il n'est pas sûr que ce soit lui.

– Mais s'il dit que c'est lui, il doit bien avoir une raison, Mr Clement ?

– Certes, mais la police a besoin de preuves.

– Mais enfin ! Pourquoi irait-il dire qu'il l'a tué s'il ne l'a pas tué ?

Il n'était pas dans mes intentions d'éclairer miss Cram sur ce point, aussi restai-je évasif :

– À mon avis, dans toute affaire importante, la police reçoit quantité de lettres de gens qui s'accusent du crime.

– Ils sont complètement toqués ! s'écria miss Cram avec une certaine arrogance. Ce n'est pas moi qui irais faire un truc pareil.

– Je le crois sans peine, dis-je.

– Il faut que je vous quitte, soupira-t-elle en se levant. Le Pr Stone sera ravi d'apprendre la nouvelle.

– Cette affaire l'intéresserait donc ? demanda Griselda.

– Bof ! il est bizarre, fit miss Cram en fronçant des sourcils indécis. On ne sait jamais, avec lui. Parfois, il n'y a que le passé qui l'intéresse et il préfère cent fois un vieux tranchoir de bronze exhumé d'un tombeau que le couteau de Jack l'Éventreur. Parfois...

– Et je le comprends, dis-je, non sans déceler dans le regard de miss Cram un éclat d'incompréhension mêlé de mépris.

Sur ce, elle nous redit au revoir et s'en fut.

– Elle n'a pas beaucoup de malice, dit Griselda dès que la porte se fut refermée sur elle. Très commune, certes, mais c'est une de ces bonnes filles toujours de bonne humeur et qui forcent la sympathie. Je serais curieuse de savoir ce qui l'a amenée ici.

– La curiosité.

– C'est bien mon avis, mais je vous en prie, Len, je brûle d'envie de savoir...

Je m'installai et lui fis le récit fidèle de tous les événements de cette matinée. Elle m'écouta avec intérêt, ponctuant mes propos de ses exclamations.

– C'était donc après Anne que Lawrence soupirait ? Et non pas Lettice... Et nous ne nous étions aperçus de rien ! Voilà à quoi miss Marple faisait allusion, hier, n'est-ce pas ?

J'acquiesçai en détournant les yeux quand Mary entra.

– Deux hommes demandent après vous... deux journalistes, à ce qu'ils disent. Vous voulez les voir ?

– Non, répliquai-je. Il n'en est pas question. Adressez-les à l'inspecteur Flem, au poste de police. (Mary tourna les talons mais je la rappelai :) Revenez nous voir lorsque vous les aurez renvoyés ; je veux vous poser quelques questions.

Plusieurs minutes s'écoulèrent avant qu'elle ne réapparaisse.

– C'était pas une mince affaire que de les fiche dehors, dit-elle. De vrais crampons ! On n'a jamais vu ça. Ils ne comprenaient pas que quand je dis non, c'est non...

– Je crains que nous n'en ayons pas encore fini, avec eux. Maintenant, Mary, je voudrais savoir si vous êtes bien sûre de ne pas avoir entendu un coup de feu, hier soir.

– Celui qui a tué le colonel ? Non, je ne l'ai pas entendu. Sinon, je serais allée voir ce qui se passait.

– Oui, mais... (Je me souvenais du coup de feu dans les bois entendu par miss Marple, aussi modifiai-je ma question.) Auriez-vous entendu une détonation venant des bois, par exemple ?

– Ah ! ça ! (Elle s'interrompit un instant avant de reprendre :) Oui, maintenant que vous le dites, je crois que j'ai entendu une détonation dans les bois. Une seule. Un drôle de bruit, d'ailleurs.

– À quelle heure ? demandai-je.

– À quelle heure ?

– Oui, je voudrais savoir à quelle heure.

– Je ne saurais dire, mais c'était après le thé. Ça, c'est sûr.

– Vous ne pouvez rien dire de plus précis ?

– Non. J'ai mon travail, hein ? Je ne suis pas toujours en train de regarder l'heure. Et puis, à quoi ça me servirait, vu que le réveil prend trois bons quarts d'heure par jour ? Et avec votre manie d'avancer les pendules, on ne peut jamais savoir où on en est !

Voilà peut-être pourquoi nos heures de repas étaient si fantaisistes ; nous nous mettions toujours à table soit trop tôt, soit trop tard.

– Était-ce longtemps avant la venue de Mr Redding ?

– Non, dix minutes, un quart d'heure avant, pas plus.

J'acquiesçai, satisfait.

– C'est tout ? demanda Mary. Parce que j'ai mon rôti au four, et le pudding va être trop cuit.

– Vous pouvez y aller.

Elle quitta la pièce et je me tournai vers Griselda :

– Doit-on considérer qu'il est hors de question d'exiger qu'elle dise « monsieur » ou « madame » ?

– Je le lui ai déjà demandé, mais elle n'arrive pas à se le mettre en tête. Elle est plutôt nature, vous savez.

– Je sais, mais ne pourrait-on cultiver un peu cette nature ? Et passer du cru au cuit...

– Ce serait très mauvais, dit Griselda. Vous n'ignorez pas qu'il est impossible de la payer plus généreusement. Si elle était plus stylée, elle nous laisserait tomber aussitôt pour toucher de meilleurs gages, mais tant qu'elle ne saura pas cuisiner et agira au mépris des bonnes manières, eh bien, nous pouvons être tranquilles, personne n'en voudra.

Je m'aperçus que les méthodes de ma femme dans l'art de tenir une maison étaient loin d'être aussi hasardeuses que je l'avais cru jusqu'ici, et l'on pouvait même y déceler une certaine logique, encore que je jugeais discutable la thèse selon laquelle il valait mieux, dans notre situation, nous contenter d'une bonne mal payée, incapable de faire la cuisine et qui vous jetait les plats à la tête avec le même aplomb que les remarques désobligeantes.

– Et de toute façon, poursuivit Griselda, le moment est mal choisi pour lui reprocher ses mauvaises manières ; vous ne voudriez tout de même pas qu'elle s'apitoie sur la mort du colonel Protheroe qui a fait emprisonner son fiancé ?

– Le colonel Protheroe a fait emprisonner son fiancé ?

– Oui, pour braconnage. Vous savez, Archer ? Mary le fréquentait depuis deux ans.

– Je n'en avais jamais entendu parler.

– Oh ! Len chéri, vous n'entendez jamais parler de rien !

– Ce qui est curieux, c'est que tout le monde évoque un coup de feu venant des bois.

– En quoi cela est-il curieux ? Il n'est pas rare d'entendre des coups de feu tirés dans les bois, aussi lorsqu'on entend une détonation, on a tendance à penser qu'elle vient des bois. Peut-être celle-ci était-elle plus forte que d'habitude. Bien sûr, si un coup de feu avait été tiré dans la pièce à côté, vous n'auriez pu vous méprendre sur sa provenance, mais de la cuisine, avec la fenêtre donnant de l'autre côté, la confusion n'était pas impossible.

Mary apparut de nouveau à la porte.

– Le colonel Melchett est là, avec l'inspecteur, et ils aimeraient bien vous voir. Ils sont déjà dans votre bureau.

11

Je discernai au premier coup d'œil que le colonel Melchett et l'inspecteur Flem étaient en désaccord sur notre affaire. Contrarié, Melchett était tout congestionné tandis que l'inspecteur boudait.

– Je le déplore, dit Melchett, mais l'inspecteur ne croit pas à l'innocence du jeune Redding.

– S'il n'est pas le meurtrier, pourquoi serait-il venu claironner le contraire au poste de police ? demanda Flem, sceptique.

– N'oubliez pas que Mrs Protheroe en a fait autant, Flem.

– Cela n'a rien à voir. C'est une femme et, comme toutes les femmes, elle fait n'importe quoi. Je n'y ai pas cru un seul instant. Elle aura entendu dire que Redding était dans de sales draps et aura monté cette histoire de toutes pièces. Je connais la chanson. Si vous saviez de quelles idioties les femmes sont capables ! Mais pas Redding. Lui, il a la tête sur les épaules, et s'il admet avoir tué, eh bien, je le crois. C'est son revolver... vous êtes bien obligé d'en convenir. Et Mrs Protheroe nous a donné la clé du mobile. Jusqu'ici, il nous faisait défaut mais à présent, nous le tenons... Ça ne fait pas un pli.

– Il aurait donc tué le colonel Protheroe plus tôt ? Disons à six heures et demie ?

– C'est impossible.

– Vous connaissez son emploi du temps ?

– Oui. Il était au village, devant le *Sanglier bleu,* à 18 h 10. De là, il a pris le petit chemin de derrière, où la vieille demoiselle l'a vu ; vous l'avez dit vous-même... entre nous, elle n'en manque pas une, celle-là... puis il a rejoint Mrs Protheroe dans l'atelier au fond du jardin. Ils en sont repartis ensemble, juste après six heures et demie, et ont pris la direction du village ; c'est là que le Pr Stone les a rejoints. Je l'ai vu et il m'en a donné la confirmation. Ils ont bavardé un moment près de la poste, puis Mrs Protheroe a fait une petite visite chez miss Hartnell qui devait lui prêter une revue de jardinage. J'en ai également la confirmation. Mrs Protheroe est restée à faire la causette avec miss Hartnell jusqu'à sept heures puis, surprise de voir qu'il était si tard, elle a déclaré qu'elle devait rentrer.

– Dans quel état d'esprit était-elle ?

– Très à l'aise et plutôt de bonne humeur, d'après miss Hartnell. Elle n'a montré ni chagrin ni inquiétude, en tout cas.

– Ensuite ?

– Redding, de son côté, est entré avec le Pr Stone au *Sanglier bleu* où ils ont pris un verre. Il en est ressorti à sept heures moins vingt, a remonté en hâte la rue du village et a pris le chemin du presbytère. Plusieurs personnes l'ont vu.

– Il a fait le grand tour, cette fois ? demanda le colonel.

– Oui... il s'est présenté à la porte de devant et a réclamé le pasteur. Apprenant que le colonel Protheroe était là, il est entré et l'a tué, comme il l'a raconté par la suite ! Voilà la vérité toute nue, et il n'y a pas à chercher plus loin.

– Et le témoignage du médecin ? bougonna Melchett. Vous ne pouvez pas tout bonnement l'éliminer. Protheroe a été tué avant six heures et demie.

– Oh ! les médecins, moi, vous savez..., fit l'inspecteur Flem d'un ton chargé de mépris. Si vous commencez à croire ce qu'ils racontent ! Ils vous arrachent toutes les dents – c'est tout ce qu'ils savent faire, de nos jours – et ils finissent par conclure, désolés, qu'en réalité vous souffrez de l'appendicite. Ah ! parlons-en, des médecins...

– Il ne s'agit pas là d'un diagnostic. Le Dr Haydock est formel sur ce point. Vous ne pouvez passer par-dessus une preuve de cet ordre, Flem.

– Je peux, pour ma part, vous fournir une preuve qui vaut ce qu'elle vaut, dis-je en me souvenant soudain d'un détail. J'ai touché le corps et il était froid. Je peux vous l'affirmer.

– Vous voyez ! s'exclama Melchett.

L'inspecteur fut forcé de s'incliner.

– Bon ! d'accord, dans ces conditions... Mais vous ne pouvez pas dire le contraire... C'était un superbe cas d'école. Mr Redding brûlait d'être pendu, si j'ose dire !

– C'est bien ce qui me paraissait suspect ! fit remarquer le colonel Melchett.

– Chacun ses goûts, ça ne se discute pas, dit l'inspecteur. Il ne serait pas le seul à être toqué des suites de la guerre. Et maintenant, nous devons repartir de zéro. (Il se tourna vers moi :) Pourquoi m'avez-vous laissé me fourvoyer au sujet de votre pendulette, Mr Clement ? Obstruction à l'enquête, voilà comment s'appelle le délit que vous avez commis.

– Par trois fois, j'ai essayé de vous en parler, fis-je, piqué au vif. Et chaque fois, vous avez refusé de m'écouter.

– C'est vous qui le dites. Vous auriez parfaitement pu me parler si telle avait été votre intention. La pendulette arrêtée et l'heure du message concordaient ! Tout était parfait, et maintenant vous venez me dire que l'heure était fausse. A-t-on jamais vu ça ? Quel sens cela a-t-il d'avoir sur son bureau une pendule qui avance d'un quart d'heure ?

– C'est une méthode personnelle pour être ponctuel..., risquai-je.

L'inspecteur renifla.

– Il n'y a pas lieu d'insister, inspecteur, intervint le colonel Melchett avec tact. Il nous faut à présent tâcher de connaître la vérité par la bouche de Mrs Protheroe et de Mr Redding. J'ai appelé le Dr Haydock pour lui demander de nous amener Mrs Protheroe ; ils seront ici dans un quart d'heure. À mon avis, nous ferions aussi bien d'entendre Redding le premier.

– J'appelle le poste de police, dit l'inspecteur Flem en saisissant le récepteur. (Il parlementa un moment, raccrocha et me jeta un regard entendu :) Et maintenant, au travail.

– Dois-je comprendre que ma présence est indésirable ? demandai-je.

Il m'ouvrit aussitôt la porte, mais le colonel Melchett me rappela :

– Revenez lorsque le jeune Redding sera là, s'il vous plaît, cher pasteur. Vous êtes son ami et vous saurez l'influencer pour le convaincre de nous dire la vérité.

Je trouvai ma femme en grande conversation avec miss Marple.

– Nous avons passé en revue toutes les possibilités, disait Griselda. J'aimerais tant que vous trouviez le mot de l'énigme, miss Marple, comme lors de la disparition du bocal de crevettes décortiquées chez miss Wetherby ; c'est le sac de charbon, qui n'avait rien à voir à l'affaire, qui vous avait mise sur la voie.

– Ne vous moquez pas, fit miss Marple. Après tout, c'est un moyen comme un autre de parvenir à la vérité... L'intuition ! Cette fameuse intuition dont on nous rebat les oreilles ! C'est comme de lire un mot sans avoir besoin de l'épeler : un enfant n'a pas assez d'expérience pour le déchiffrer mais un adulte le reconnaît aussitôt pour l'avoir vu souvent dans le passé. Vous saisissez, cher pasteur ?

– Je crois, dis-je prudemment. Si une chose vous en évoque une autre... eh bien, c'est qu'il y a de bonnes raisons à cela.

– Tout à fait !

– Et peut-on savoir ce qu'évoque pour vous la mort du colonel Protheroe ?

Miss Marple soupira :

– C'est bien là le drame. Elle m'évoque tant de choses ! Le major Hargraves, par exemple, un marguillier lui aussi, et de très bonne réputation. Eh bien, il menait une double vie avec une bonne qu'il avait eue chez lui. Voyez-vous cela ! Avec cinq enfants par-dessus le marché ! Cinq ! Ce fut un choc terrible pour son épouse et sa fille.

Je m'évertuai sans succès à me représenter le colonel Protheroe dans le rôle du pécheur vautré dans une duplicité perverse.

– Ou encore cette affaire chez la teinturière, poursuivit notre voisine. Miss Hartnell avait imprudemment oublié de dégrafer sa broche en opale sur un corsage à jabot donné au nettoyage. La personne qui trouva le bijou n'en voulait pas et n'était pas le moins du monde une voleuse. Néanmoins, elle le cacha chez une connaissance qu'elle accusa du vol. Et cela par pure méchanceté. Voilà bien un motif stupéfiant – la méchanceté... Il y avait un homme là-dessous, comme c'est presque toujours le cas.

Cette fois je fus incapable de tracer le moindre parallèle, même au second degré.

– Il y a eu aussi la fille de ce pauvre Elwell..., continua miss Marple d'un ton rêveur. Gracieuse, angélique... N'a-t-elle pas tenté d'étouffer son petit frère ? Et l'argent récolté pour l'excursion des enfants de chœur – rassurez-vous, cher pasteur, c'était avant que vous ne soyez affecté à notre paroisse – qui fut dérobé par l'organiste ? Son épouse était criblée de dettes. Oui, ce meurtre évoque bien des choses... trop de choses, même, et il n'est pas facile de cerner la vérité.

– Je serais curieux de connaître les sept suspects, dis-je.

– Les sept suspects ?

– N'avez-vous pas déclaré que vous soupçonniez sept personnes d'avoir pu... disons... enfin... d'être soulagées par la mort du colonel Protheroe ?

– Vous croyez ? Ah ! oui, je me souviens, en effet.

– Est-ce vrai ?

– Si c'est vrai ! Mais je ne peux révéler aucun nom. Du reste, il vous sera très facile de reconstituer la liste.

– J'en serais bien incapable ! À part Lettice Protheroe qui va hériter de son père, je ne vois personne. Et d'ailleurs, soupçonner Lettice, c'est stupide !

– Et vous, ma chère ? fit-elle en regardant Griselda.

À ma vive surprise, ma femme rougit, ses yeux s'emplirent de larmes et elle tordit ses petites mains d'un geste nerveux en s'exclamant, indignée :

– Oh ! Les gens sont ignobles... ignobles ! Et ils ne disent que des choses ignobles !

Je l'observai, curieux de savoir où elle voulait en venir.

Il n'est guère dans les habitudes de Griselda d'être aussi troublée. Voyant que je la regardais, elle m'adressa un pauvre sourire.

– Ne me lorgnez pas comme si j'étais un spécimen de quelque espèce inconnue de vous, Len. Gardons notre sang-froid et ne nous laissons pas égarer. Je suis sûre que ce n'est ni Anne ni Lawrence, et Lettice pas davantage. Mais il y a sûrement quelque part un détail qui nous mettra sur la voie.

– Et d'abord, le message, dit miss Marple. Comme je vous l'ai dit ce matin, ce message me chiffonne.

– En tout cas, il fixe l'heure de la mort avec une remarquable précision, dis-je. Mais est-ce vraisemblable ? Mrs Protheroe aurait à peine eu le temps de quitter le bureau et de se rendre à l'atelier. La seule solution que je vois est celle-ci : le colonel a dû consulter sa propre montre, et elle retardait.

– À moins que la pendulette n'ait été retardée avant..., dit Griselda. Non, c'est idiot, le résultat serait le même.

– On n'y avait pas touché lorsque je suis sorti, dis-je. Je me rappelle avoir comparé l'heure de la pendulette à celle de ma montre. Mais, comme vous dites, cela ne change rien à l'affaire.

– Qu'en pensez-vous, miss Marple ? demanda Griselda.

– Ma chère amie, j'avoue que je n'abordais pas les choses sous cet angle. Ce qui me frappe, et qui m'a frappée dès le début, c'est le contenu du message.

– Je ne vois pas, dis-je. Le colonel Protheroe a simplement écrit qu'il n'avait pas le temps d'attendre...

– À 18 h 20 ? fit miss Marple. Votre petite Mary ne

106

lui avait-elle pas dit que vous ne seriez pas de retour avant six heures et demie au plus tôt ? On peut penser qu'il avait accepté d'attendre au moins jusqu'à cette heure-là et, pourtant, à 18 h 20, il s'assied à votre bureau et vous écrit qu'il ne peut attendre plus longtemps.

Je saluai la sagacité de la vieille demoiselle qui avait décelé ce que nous avions tous échoué à constater. Voilà qui était étrange... très étrange, en vérité.

– Si seulement l'heure ne figurait pas sur le message..., dis-je.

– Vous avez raison ! fit-elle. Si seulement l'heure n'y figurait pas...

Je m'efforçai de me représenter le feuillet griffonné portant en haut, d'une écriture nette : « 6 h 20 », et je sursautai. Une chose était sûre : ces chiffres n'étaient pas de la même main que le message qui suivait.

– Supposons, dis-je, que l'heure n'ait pas figuré sur le message. Supposons que le colonel Protheroe ait commencé à s'impatienter vers six heures et demie et se soit assis à mon bureau pour écrire qu'il ne pouvait pas attendre davantage. Et que, tandis qu'il écrivait, quelqu'un soit entré par la porte-fenêtre et...

– Ou par la porte, intervint Griselda.

– Le bruit aurait attiré son attention.

– N'oubliez pas qu'il était dur d'oreille, dit miss Marple.

– Vous avez raison. Peut-être n'a-t-il rien entendu. En tout cas, quel que soit le chemin emprunté par le meurtrier, celui-ci est resté caché à la vue du colonel et l'a abattu par-derrière. Ensuite il a vu le message et la pendulette, et l'idée lui est venue d'écrire 18 h 20 en haut de la feuille et de placer les aiguilles de la pendulette sur 18 h 22. C'était astucieux ; il se constituait ainsi un parfait alibi – ou du moins le croyait-il.

– Il nous reste donc à découvrir quelqu'un qui ait un solide alibi pour 18 h 20, dit Griselda, mais pas d'alibi pour... C'est qu'il n'est pas facile de fixer une heure...

– Néanmoins la fourchette est étroite, glissai-je. Pour le Dr Haydock le meurtre n'a pu être commis après six heures et demie, disons... 6 h 35 pour la vraisemblance ; en effet, Protheroe n'avait de raison de s'impatienter qu'à partir de 6 heures et demie. De cela du moins, nous sommes sûrs.

– Et la détonation que j'ai entendue ? demanda miss Marple. Peut-être... Mais cela ne m'est pas venu à l'esprit ! Pas un instant... C'est humiliant, à la fin. Quand j'y songe, il me semble que cette détonation avait quelque chose d'inhabituel, de singulier.

– Plus forte ? suggérai-je.

Non. Miss Marple n'était pas d'accord. En fait, elle était bien en peine de dire en quoi ce coup de feu était singulier, mais une chose était sûre : il était singulier.

Je la soupçonnais d'essayer de s'en convaincre plutôt que de s'en souvenir, mais elle avait apporté une contribution si précieuse à notre affaire que mon respect pour elle demeurait intact.

Elle se leva en murmurant qu'il était l'heure de rentrer... L'envie de venir bavarder un moment avec cette chère Griselda avait été la plus forte, mais elle devait nous quitter. Je la raccompagnai jusqu'à la grille du jardin et revins auprès de Griselda que je trouvai perdue dans ses pensées.

– Encore ce message ? lui demandai-je.

– Non. (Elle frissonna et haussa une épaule impatiente.) Len, j'ai peur que quelqu'un ne voue à Mrs Protheroe une haine féroce.

– Une haine féroce ? Comme vous y allez !

– Mais êtes-vous donc aveugle ? Il n'y a aucune preuve concrète contre Lawrence Redding... toutes les preuves contre lui sont, pour ainsi dire, fortuites. Il se trouve qu'il s'est mis dans la tête de venir au presbytère à cette heure-là. Sans cela... eh bien, personne n'aurait jamais pensé qu'il avait un quelconque rapport avec le meurtre. Mais ce n'est pas du tout la même chose pour Anne. Admettons que quelqu'un ait su qu'elle était ici à 18 h 20 précises – soit l'heure indiquée par la pendulette et le message : l'heure du crime... Dans ce cas, tout la désigne. Je ne crois pas à cette histoire d'alibi forgé de toutes pièces grâce à la pendulette. Pour moi, elle a été arrêtée sur cette heure-là pour faire soupçonner Anne du meurtre de son mari.

» S'il n'y avait pas eu miss Marple pour dire qu'elle n'avait pas de revolver sur elle et qu'elle était allée presque aussitôt à l'atelier... oui, s'il n'y avait pas eu miss Marple... (Elle frissonna de nouveau.) Len, quelqu'un déteste Anne Protheroe et je... je n'aime pas ça.

12

Je fus convoqué dans mon propre bureau lorsque Lawrence arriva, l'air hagard et méfiant.

— Nous voulons vous poser quelques questions... là, sur les lieux, lui déclara Melchett d'un ton plutôt cordial.

— Je vois ! fit Lawrence avec un ricanement de mépris. La reconstitution... à la française.

— Ne le prenez pas sur ce ton avec nous, jeune homme, enchaîna Melchett. Savez-vous qu'une autre personne a avoué le crime que vous affirmez avoir commis ?

L'effet de cette révélation sur Lawrence fut foudroyant et fit peine à voir.

— Quel... quel... quelqu'un d'autre ? bafouilla-t-il. Mais qui... Qui ?

— Mrs Protheroe, annonça Melchett sans le quitter des yeux.

— C'est idiot. Elle ne l'a pas tué. Elle ne peut pas l'avoir tué. Non !

— Nous ne croyons pas à son histoire... des plus bizarres, je vous l'accorde, pas plus que nous croyons à la vôtre, poursuivit le colonel. Le Dr Haydock soutient qu'il est impossible que le meurtre ait été commis à l'heure que vous prétendez. Ce qui vous innocente, que vous le vouliez ou non. Et maintenant, vous êtes prié de nous aider en nous racontant ce qui s'est passé, sans rien omettre.

Lawrence eut encore une brève hésitation :

— Vous ne cherchez pas à me tromper au sujet de...

de Mrs Protheroe ? Est-il bien vrai qu'aucun soupçon ne pèse sur elle ?

– Vous avez ma parole, fit Melchett.

– J'ai été fou, avoua-t-il après un profond soupir. Complètement fou. Comment ai-je pu croire un seul instant qu'elle avait pu...

– Et si vous commenciez par le commencement ? suggéra le chef de police.

– Ce sera vite fait. Je... j'ai vu Mrs Protheroe cet après-midi-là...

– Nous sommes au courant, convint Melchett comme Lawrence s'était interrompu. Les sentiments que vous partagiez avec Mrs Protheroe étaient un secret de Polichinelle et tout le village en faisait des gorges chaudes. De toute façon, l'heure est venue de tout dire.

– Bien, bien. Vous devez avoir raison. J'avais donc fait au pasteur, ici présent... (il me jeta un coup d'œil) le serment de... de quitter le village. J'ai retrouvé Mrs Protheroe ce soir-là, à l'atelier, à six heures et quart, pour lui annoncer ma décision. Elle est convenue que c'était la seule chose à faire et nous... nous nous sommes dit adieu. Nous n'avions pas sitôt quitté l'atelier que le Pr Stone nous rejoignait. Anne s'efforçait de paraître naturelle, mais j'étais incapable d'en faire autant. J'ai pris congé d'elle et j'ai accompagné le Pr Stone au *Sanglier bleu* pour boire un verre ; après quoi je comptais rentrer chez moi mais, au coin de la rue, j'ai brusquement décidé de retourner au presbytère. J'avais besoin de parler à quelqu'un.

» J'ai appris par Mary que Mr Clement ne tarderait plus à rentrer et que le colonel Protheroe était déjà là, à l'attendre. Je ne voulais pas m'esquiver comme si je craignais de le rencontrer, aussi j'ai décidé d'aller le retrouver dans le cabinet de travail du pasteur.

– Oui ? l'encouragea le colonel Melchett.

– Protheroe était assis au bureau, comme vous l'y avez trouvé. Je suis allé à lui et j'ai constaté qu'il était mort. Puis j'ai regardé machinalement sous ses pieds ; le revolver avait glissé sur le parquet ; je l'ai ramassé : c'était le mien.

» Je n'en revenais pas. C'était mon revolver ! De là à conclure qu'Anne avait dû me le chiper, il n'y avait qu'un pas... peut-être pour s'en servir contre elle-même quand elle ne pourrait plus supporter la vie qu'elle menait. Elle avait dû le prendre avec elle ce jour-là et, après que nous nous étions séparés au village, elle était revenue au presbytère et... et... Oh ! quelle folie d'avoir pensé cela ! Mais c'est pourtant bien ce que j'ai pensé. Ensuite, j'ai glissé le revolver dans ma poche et pris mes jambes à mon cou. J'ai croisé Mr Clement un peu plus bas, et il a tout naturellement fait allusion à Protheroe. C'est alors que le fou rire m'a pris. Le pasteur était là, égal à lui-même, et moi je ne m'appartenais plus. Je me souviens de lui avoir crié un truc idiot et d'avoir vu son visage changer. J'étais comme fou. J'ai marché, marché... À la fin, je n'en pouvais plus... Si Anne avait vraiment commis ce geste atroce, j'en portais la responsabilité. C'est pourquoi je suis allé me rendre à la police.

Le silence persista après qu'il eut achevé son récit. Puis Melchett reprit la parole, d'une voix toute professionnelle :

– J'ai quelques questions à vous poser. D'abord, avez-vous déplacé, ou tout simplement touché le corps ?

– Non. Il suffisait d'un coup d'œil pour s'apercevoir que Protheroe était mort.

– Avez-vous remarqué un message sur le buvard du sous-main, que son corps aurait caché à moitié ?

– Non.

– Avez-vous touché à la pendulette ?

– Non. Je crois me souvenir qu'elle était renversée sur le bureau, mais je n'y ai pas touché.

– Et enfin, quand avez-vous vu votre revolver pour la dernière fois ?

– C'est difficile à dire, fit Lawrence Redding après mûre réflexion.

– Où le gardiez-vous ?

– Avec des bricoles, au salon, chez moi, sur une étagère de la bibliothèque.

– Vous le laissiez comme cela, au vu et au su de tout le monde ?

– Oui. Je n'y faisais pas attention. Il était là, c'est tout.

– Et n'importe qui, entrant chez vous, pouvait le voir.

– En effet.

– Et vous ne vous souvenez pas de la dernière fois que vous l'avez vu ?

Lawrence fronça les sourcils dans un visible effort pour rassembler ses souvenirs.

– Je suis presque sûr qu'il était là avant-hier. J'ai dû le déplacer pour prendre ma vieille pipe. C'était avant-hier... ou peut-être le jour avant.

– Qui est allé chez vous récemment ?

– Beaucoup de monde. Les allées et venues sont

113

incessantes, chez moi. Nous avons pris le thé avant-hier, Lettice Protheroe, Dennis et toute la bande. Et puis il y a ces dames qui passent... tantôt l'une, tantôt l'autre.

– Fermez-vous votre porte à clé lorsque vous sortez ?

– Non ! Pour quoi faire ? Il n'y a rien à voler ; d'ailleurs, personne ne ferme à clef, au village.

– Qui tient votre maison ?

– La vieille mère Archer vient tous les matins faire le ménage.

– Pensez-vous qu'elle se souviendrait de la dernière fois qu'elle a vu le revolver ?

– Comment savoir ? C'est possible mais on ne peut pas dire qu'elle soit une fanatique de l'époussetage.

– Somme toute, votre revolver a pu tomber entre n'importe quelles mains ?

– J'en ai bien peur...

La porte s'ouvrit soudain et le Dr Haydock apparut en compagnie de Mrs Protheroe.

Elle tressaillit à la vue de Lawrence qui fit un pas dans sa direction.

– Pardonnez-moi, Anne, dit-il. Je suis un monstre d'avoir pensé ce que j'ai pensé.

– Je... (Elle se troubla et adressa un regard suppliant au chef de la police :) Puis-je croire le Dr Haydock ?

– Au sujet de l'innocence de Mr Redding ? Oui. Et maintenant, nous vous écoutons Mrs Protheroe. Allez-y.

– Vous devez me juger bien mal, commença-t-elle avec un pauvre sourire. C'était de ma part une idée monstrueuse...

– Disons plutôt... un peu stupide. Ce que je veux savoir, Mrs Protheroe, c'est la vérité... rien que la vérité.

– Je vais vous la dire. Dois-je comprendre que vous savez... en ce qui concerne...

– Oui.

– J'avais donc rendez-vous avec Lawrence – Mr Redding – ce soir-là, à l'atelier, à six heures et quart. Mon mari et moi étions venus en voiture au village où j'avais des courses à faire. Comme nous partions chacun de notre côté, il mentionna incidemment qu'il devait passer au presbytère. Il m'était impossible de prévenir Lawrence et je ne savais que faire. Je... enfin, il était gênant de le rencontrer à l'atelier pendant que mon mari serait dans le bureau du pasteur. (Son visage était en feu tandis qu'elle parlait. Elle passait un mauvais quart d'heure.) Puis j'ai songé que mon mari ne resterait peut-être pas très longtemps au presbytère. J'ai pris le petit chemin de derrière et je suis passée par le jardin pour voir s'il était encore là. J'espérais que personne ne m'apercevrait mais, bien sûr, miss Marple était dehors ! J'ai dû m'arrêter un instant et faire un brin de causette ; je me suis sentie obligée de dire quelque chose et j'ai prétendu que j'allais chercher mon mari. Peut-être m'a-t-elle crue, peut-être pas, en tout cas elle m'a paru bizarre.

» En la quittant, je me suis dirigée droit vers le presbytère et j'ai contourné la maison pour m'approcher de la porte-fenêtre du bureau sur la pointe des pieds. On n'entendait aucun bruit de voix et, à ma surprise, il n'y avait personne. J'ai jeté un coup d'œil dans la pièce vide et me suis précipitée vers l'atelier au bout de la pelouse, où Lawrence m'a presque aussitôt rejointe.

– Vous dites que le bureau était vide, Mrs Protheroe ?

115

– Mon mari n'y était pas.

– C'est incroyable !

– Dois-je comprendre que vous ne l'avez pas vu, madame ? insista l'inspecteur.

– En effet. Je ne l'ai pas vu dans le bureau.

L'inspecteur Flem chuchota un instant à l'oreille du chef de la police qui acquiesça d'un signe de tête et reprit l'interrogatoire :

– Voulez-vous avoir l'amabilité de refaire devant nous ce que vous avez fait ce jour-là ?

Anne Protheroe se leva de bonne grâce ; l'inspecteur Flem lui ouvrit la porte-fenêtre et elle sortit sur la terrasse pour tourner à gauche.

L'inspecteur Flem m'ordonna d'un signe d'aller m'asseoir à mon bureau, ce que je n'appréciai guère, mais j'obtempérai néanmoins.

Un bruit de pas me parvint du dehors ; il s'interrompit, reprit et s'évanouit. L'inspecteur Flem me fit signe que je pouvais me lever. Mrs Protheroe fit son entrée par la porte-fenêtre.

– Cela s'est passé exactement de cette façon ? demanda le colonel Melchett.

– Je crois, oui.

– Pouvez-vous nous dire où était Mr Clement lorsque vous avez regardé dans la pièce ? demanda l'inspecteur Flem.

– Mr Clement ? Je... C'est-à-dire que... je ne l'ai pas vu.

– Voilà qui explique que vous n'ayez pas vu non plus votre mari, conclut Flem. Il était assis au bureau, là, dans le coin.

– Oh ! (Elle s'interrompit et ses yeux s'agrandirent d'horreur.) C'est là que... que...

– Oui, Mrs Protheroe. Cela s'est produit pendant qu'il était assis au bureau.

– Oh, non ! fit-elle encore en frissonnant.

– Connaissiez-vous l'existence du revolver de Mr Redding, Mrs Protheroe ? poursuivit l'inspecteur.

– Il m'en avait parlé.

– Y avez-vous jamais touché ?

Elle fit non de la tête.

– Savez-vous où il était rangé ?

– Je n'en suis pas sûre mais je crois... oui, c'est cela, je l'ai vu sur une étagère, chez lui. Est-ce que je me trompe, Lawrence ?

– Quand vous êtes-vous rendue chez Mr Redding pour la dernière fois, Mrs Protheroe ?

– Il y a trois semaines environ. Nous y étions allés pour prendre le thé, mon mari et moi.

– Et vous n'y êtes pas retournée ensuite ?

– Non. Je n'allais jamais chez Mr Redding. Voyez-vous, cela n'aurait pas manqué de susciter des commentaires à St. Mary Mead.

– Sans aucun doute, intervint le colonel Melchett d'un ton sec. Où aviez-vous l'habitude de rencontrer Mr Redding, si je puis me permettre ?

– Il venait à Old Hall pour faire le portrait de Lettice, dit-elle en rougissant. Nous... Nous nous donnions rendez-vous dans les bois ensuite. (Le chef de la police prit l'air entendu.) Dois-je continuer ? demanda-t-elle d'une voix blanche. C'est si terrible d'avoir à vous dire tout cela. Et... et nous ne faisions rien de mal. Rien. Je vous

en fais le serment. Nous étions amis, c'est tout. Nous...
nous ne pouvions aller contre nos sentiments.

Elle adressa au Dr Haydock un regard suppliant qui
toucha cet homme de cœur.

– Je crois que cela suffit, colonel Melchett, fit-il.
Mrs Protheroe a subi un rude choc.

Le chef de la police acquiesça.

– J'en ai fini avec mes questions, Mrs Protheroe,
conclut-il. Merci d'y avoir répondu avec tant de
franchise.

– Puis-je... Puis-je disposer ?

Il fit un signe d'assentiment mais j'interceptai entre
les deux policiers un bref coup d'œil. Anne Protheroe
n'était pas encore hors de cause. Le message constituait
une preuve qu'il n'était pas facile de démolir.

– Mrs Clement est-elle là ? me demanda Haydock. Je
pense que Mrs Protheroe la verrait avec plaisir.

– Bien sûr, dis-je. Griselda doit être au salon.

Le médecin entraîna Anne hors du bureau et Redding
leur emboîta le pas.

Le colonel Melchett faisait la grimace en jouant
machinalement avec un coupe-papier. Flem examinait le
message. Je jugeai le moment opportun pour exposer la
théorie de miss Marple.

Flem n'en perdit pas une miette.

– Sapristi ! fit-il. On dirait bien que cette dame a raison. Regardez ça ! Vous voyez ? L'encre n'est pas de la
même couleur. Je veux bien être pendu si la date n'a
pas été tracée avec un stylo.

Nous nous empressâmes, curieux.

– Vous avez dû faire relever les empreintes ? fit le chef de la police.

– Qu'est-ce que vous croyez, Melchett ? Il n'y en a pas trace sur le message. Celles relevées sur le revolver appartiennent à Mr Redding. Peut-être y en avait-il d'autres avant qu'il ne l'emporte dans sa poche sur une impulsion stupide, mais elles auront été effacées.

– Tout d'abord, les choses paraissaient mal engagées pour Mrs Protheroe, dit le colonel, pensif. Beaucoup plus mal engagées que pour le jeune Redding. À présent, il y a le témoignage apporté par Mrs Marple selon lequel Anne Protheroe n'était pas munie d'un revolver, mais on ne sait jamais avec ces vieilles dames, elles peuvent se tromper.

Je ne soufflais mot mais j'étais loin de partager l'avis de Melchett. Si miss Marple l'affirmait, Anne Protheroe n'avait jamais porté de revolver sur elle, c'était certain. Miss Marple n'est pas de celles qui commettent des erreurs – elle possède au contraire le redoutable don d'avoir toujours raison.

– Ce qui m'étonne le plus, c'est que personne n'ait entendu la détonation à ce moment-là. S'il y a eu un coup de feu, il faut bien que quelqu'un l'ait entendu, d'où qu'il ait été tiré. Flem, il vaudrait mieux appeler Mary.

Flem se rua sur la porte.

– Si j'étais vous, j'éviterais de lui demander si elle a entendu un coup de feu dans le presbytère, dis-je, car elle n'en conviendra pas. Essayez de savoir si le coup de feu ne venait pas des bois. C'est la seule chose qu'elle admettra avoir entendu.

– Je sais y faire avec ces gens-là, répondit l'inspecteur Flem avant de s'éclipser.

– Miss Marple soutient qu'elle a entendu une détonation après, dit le colonel Melchett, toujours pensif. Nous devons lui faire préciser l'heure. Bien sûr, il s'agit peut-être d'un coup de feu isolé qui n'a rien à voir avec notre affaire.

J'en convins et le colonel se mit à faire les cent pas.

– Écoutez, Clement, dit-il soudain. J'ai comme l'impression que la situation est en train de se compliquer de belle manière. Bon sang de bonsoir ! cracha-t-il, cela cache quelque chose. Quelque chose qui nous échappe. Et ce n'est que le début, Clement, retenez bien ce que je vous dis : étant donné les faits, la pendulette, le message, le revolver... tout cela ne tient pas debout.

Là encore, j'étais bien obligé d'en convenir.

– Mais je découvrirai la clé de l'énigme, et sans avoir recours à Scotland Yard. Flem est un type très calé, une vraie fouine. Il a du flair et finira par trouver la bonne piste. Il a déjà plusieurs affaires criminelles à son actif, mais celle-ci sera le couronnement. J'en connais qui appelleraient Scotland Yard, mais pas moi ! Nous réglerons cette affaire, ici, dans notre comté des Downs.

– C'est tout ce que je soufaite, dis-je. Vous avez raison.

Je m'efforçai de prendre un ton enthousiaste mais mon antipathie envers l'inspecteur Flem m'empêchait de me réjouir à l'avance de son succès futur. Un Flem vainqueur serait à mes yeux encore plus odieux qu'un Flem vaincu.

– À qui appartient la maison d'à côté ? me demanda le colonel Melchett à brûle-pourpoint.

– Vous voulez parler de celle qui est au bout de la rue ? C'est celle de Mrs Price Ridley.

– Nous irons lui faire une petite visite après l'interrogatoire de votre bonne. Peut-être aura-t-elle entendu quelque chose si elle n'est pas dure d'oreille.

– Je dirais au contraire qu'elle jouit d'une audition parfaite à en juger par le nombre de scandales qu'elle a dévoilés à partir d'un simple mot entendu par hasard.

– Alors, elle est notre homme ! Ah ! voilà Flem.

L'inspecteur était en nage et paraissait tout juste descendre du ring.

– Pfuitt ! siffla-t-il. Sacré morceau que vous avez là, cher Mr Clement.

– Mary est une femme de tête, en effet, répliquai-je.

– Elle n'aime pas notre corporation, on dirait. Je l'ai mise en garde, j'ai cherché à lui inspirer la peur de la loi, mais rien à faire. Elle n'a pas plié.

– Elle ne manque pas de verve, dis-je, pris d'une soudaine sympathie pour Mary.

– Mais j'ai fini par l'avoir. Elle a entendu un seul coup de feu, assez longtemps après l'arrivée de Protheroe. Impossible de lui arracher l'heure exacte, mais j'ai pu l'établir à cause du poisson. Le livreur était en retard et elle lui a passé un savon quand il s'est amené ; il s'est défendu en disant qu'il était à peine six heures et demie, et c'est juste après qu'elle a entendu la détonation. C'est vague mais cela nous donne au moins une idée. (Melchett grogna.) En fin de compte, on dirait bien que Mrs Protheroe n'y est pour rien, ajouta Flem avec une nuance de regret. Elle n'aurait pas eu le temps, et puis il faut avouer que les femmes n'aiment pas tripoter les armes à feu ; l'arsenic est davantage dans leurs cordes. Non, je ne crois pas qu'elle soit dans le coup. Dommage ! soupira-t-il.

Melchett lui fit part de son intention d'aller rendre visite à Mrs Price Ridley, et Flem approuva.

– Puis-je vous accompagner ? demandai-je. Cela commence à m'intéresser.

Sur leur accord, nous nous mîmes en route. Nous nous entendîmes héler au portail du presbytère, et mon neveu, Dennis, qui revenait du village, courut à notre rencontre.

– Alors ? demanda-t-il à l'inspecteur. Quoi de neuf au sujet de l'empreinte dans les plates-bandes ?

– Ce sont celles du jardinier, fit l'inspecteur, laconique.

– Et si quelqu'un d'autre avait chaussé les godasses du jardinier ?

– Impossible, rétorqua l'inspecteur sur un ton propre à le décourager.

Mais il en fallait bien davantage pour rebuter mon neveu qui exhiba deux allumettes carbonisées.

– J'ai trouvé ça à la grille.

– Merci, fit Flem en les empochant.

C'était l'impasse.

– Allez-vous arrêter oncle Len ? demanda encore Dennis sur un ton facétieux.

– Pourquoi le devrais-je ? s'enquit Flem.

– Il y a plusieurs preuves contre lui, déclara Dennis. Vous n'avez qu'à demander à Mary. La veille du meurtre, il a dit qu'il souhaitait la mort du colonel Protheroe. N'est-ce pas, oncle Len ?

– Euh..., commençai-je.

L'inspecteur Flem m'enveloppa d'un long regard soupçonneux et je me mis à transpirer. Dennis est insupportable. Il aurait pu se douter que les policiers sont rarement accessibles à l'humour.

– Arrête ce jeu stupide, Dennis, dis-je, irrité.

L'innocent jeune homme écarquilla les yeux :

– C'était pour rire ! Oncle Len a juste dit que celui qui nous débarrasserait du colonel Protheroe rendrait au monde un fier service.

– Ah ! fit l'inspecteur. Voilà donc ce que voulait dire votre charmante bonniche...

Encore une catégorie qui n'a guère le sens de l'humour. Je maudis Dennis en mon for intérieur pour avoir remis cette boutade sur le tapis. Ajouté au malheureux quart d'heure de ma pendulette, voilà qui ne risquait pas de me délivrer de la suspicion de l'inspecteur.

– Allons-y, Clement, me dit Melchett.

– Où ça ? demanda Dennis. Je peux venir, moi aussi ?

– Non ! Il n'en est pas question, jetai-je d'un ton cassant.

Il resta planté là, l'air chagrin, et nous nous acheminâmes vers le cottage propret de Mrs Price Ridley.

L'inspecteur frappa et sonna en professionnel.

Une petite bonne vint nous ouvrir.

– Mrs Price Ridley est là ? demanda Melchett.

– Non, monsieur. Elle vient de partir pour le poste de police.

C'était là un nouveau développement pour le moins inattendu. Comme nous revenions sur nos pas, Melchett me saisit par le bras.

– Si jamais elle est allée s'accuser du crime, elle aussi, c'est ma cervelle qui va exploser, me glissa-t-il à l'oreille.

13

Je n'imaginais pas un seul instant que Mrs Price Ridley eût pu nourrir semblable dessein mais me demandais néanmoins ce qui avait pu la pousser à se rendre au poste de police. Avait-elle des preuves de première importance, ou du moins se figurait-elle en avoir ? C'est ce que nous n'allions pas tarder à savoir.

Nous trouvâmes Mrs Price Ridley s'efforçant de convaincre un agent de police pour le moins abasourdi. Le tremblement qui secouait le nœud ornant son chapeau témoignait de son indignation. Mrs Price Ridley porte un de ces chapeaux de dames patronnesses dont la petite ville voisine de Much Benham a fait sa spécialité. Ils sont juchés sur une pyramide de cheveux et équilibrés par d'énormes nœuds de rubans. Griselda ne cesse de me menacer de s'affubler d'un de ces couvre-chefs.

À notre entrée, Mrs Price Ridley interrompit son déluge de mots.

– Mrs Price Ridley ? demanda Melchett en se découvrant.

– Voici le colonel Melchett, Mrs Price Ridley, dis-je. Le chef de police de St. Mary Mead.

Mrs Price Ridley me jeta un regard glacial et adressa au colonel un semblant de sourire qui se voulait aimable.

– Nous sommes passés chez vous Mrs Price Ridley, expliqua-t-il, et avons appris que vous étiez ici.

Mrs Price Ridley redémarra aussitôt :

– Ah ! Je suis bien contente de voir que l'on s'intéresse à mon affaire. C'est une honte ! Une honte, vous m'entendez ?

Que le meurtre soit en effet honteux ne fait pas de doute, mais ce n'est pas, quant à moi, le terme que j'eusse utilisé pour le définir. Je pus constater qu'il surprenait également mon compagnon.

– Auriez-vous quelques indices sur cette malheureuse affaire ? demanda-t-il.

– N'est-ce pas là votre travail ? Le travail de la police ? À quoi servent nos impôts ? On se le demande !

Il faut dire que l'on a, chaque année, plus d'une occasion de se poser la question.

– Nous faisons tout ce que nous pouvons, Mrs Price Ridley, dit le chef de la police.

– Ce n'est pas le cas de cet homme qui ignorait tout de cette affaire avant que je lui en parle moi-même ! s'écria la dame.

Nous nous tournâmes vers l'agent.

– Si j'ai bien compris, cette dame est en colère parce qu'on lui a tenu des propos malséants au téléphone, expliqua-t-il.

– Ah ! Je vois, fit le colonel dont les traits se détendirent. Il y avait un malentendu. Vous voulez porter plainte, c'est cela ?

En homme avisé, Melchett n'ignore pas qu'il n'y a d'autre attitude à adopter face à une vieille dame furibonde que celle de l'écouter. Une fois qu'elle vous a exprimé le fond de sa pensée, vous avez une petite chance d'être écouté à votre tour.

Mrs Price Ridley se lança donc dans un discours :

– Il n'est pas permis que des incidents aussi scandaleux se produisent. Cela devrait être interdit. Que l'on vous téléphone ainsi, chez vous... oui, et que l'on vous insulte ! Je n'en ai pas l'habitude, même si depuis la guerre, le monde n'a plus de morale, et si l'on dit n'importe quoi, et si l'on s'habille n'importe comment !

– En effet, dit le colonel d'un ton sec. Mais que s'est-il passé au juste ?

Mrs Price Ridley reprit son souffle et embraya.

– J'ai reçu un coup de téléphone...

– Quand ?

– Hier... hier, en fin d'après-midi, vers six heures et demie. J'ai décroché sans rien soupçonner, et j'ai été aussitôt insultée, menacée même.

– Répétez-nous ce que l'on vous a dit, mot pour mot.

– Je me refuse à le répéter, fit Mrs Price Ridley en rougissant.

– Des grossièretés, souffla l'agent de police de sa voix de basse, l'air entendu.

– Vous a-t-on dit des grossièretés ? insista Melchett.

– Tout dépend de ce que vous entendez par là.

– Avez-vous compris de quoi il s'agissait ? demandai-je à mon tour.

– Bien sûr que j'ai compris.

– Dans ce cas, ce n'étaient pas des grossièretés. (Mrs Price Ridley me jeta un coup d'œil soupçonneux.) Une femme de goût n'est pas censée comprendre un tel langage, expliquai-je.

– C'est vous qui n'y comprenez rien, s'insurgea Mrs Price Ridley. Au début, je ne me suis pas méfiée, croyant à un véritable appel téléphonique. C'est alors... euh... que les propos sont devenus injurieux.

– Injurieux ?

– Très injurieux, et j'ai pris peur.

– Vous voulez dire que l'on vous a menacée ?

– Oui. Je n'ai pas l'habitude de recevoir des menaces.

– De quoi vous a-t-on menacée ? De vous faire du mal ?

– Pas exactement...

– Je suis obligé de vous demander d'être plus explicite, Mrs Price Ridley. Quelles étaient ces menaces ?

Mrs Price Ridley répugnait visiblement à donner plus de précisions.

– J'ai oublié... J'étais toute retournée. Mais à la fin... je me sentais vraiment très mal à l'aise, et ce... cette fripouille s'est mise à rire.

– Était-ce un homme ou une femme ?

– C'était une voix contrefaite, déclara Mrs Price Ridley avec dignité. Une voix perverse, tantôt basse, tantôt aiguë. Une voix très particulière.

– Sans doute une mauvaise plaisanterie, dit le colonel apaisant.

– Ce ne sont pas des choses à faire ! Et si j'avais eu une crise cardiaque ?

– Nous allons voir cela tout de suite, n'est-ce pas, inspecteur ? Vous ferez vérifier l'appel, s'il vous plaît. Maintenant pouvez-vous me dire, chère madame, les mots exacts que l'on a employés ?

Un combat s'engagea sous l'ample corsage noir de

Mrs Price Ridley. Se taire ou se venger ? La vengeance l'emporta :

– Bien entendu, cela restera entre nous...

– Soyez-en assurée, Mrs Price Ridley...

– Cette créature a commencé par dire... je puis vous assurer que je dois me faire violence pour le répéter...

– Allons, allons, l'encouragea Melchett.

– *Vous êtes une méchante vieille bonne femme médisante !...* Moi, colonel Melchett... Une vieille bonne femme médisante. *Mais cette fois, vous avez passé les bornes. Scotland Yard est sur vos traces. Vous serez pincée pour diffamation.*

– Et c'est ce qui vous a fait peur, fit Melchett en mordillant les poils de sa moustache pour masquer son sourire.

– *Si désormais vous ne tenez pas votre langue, il vous arrivera malheur... vous n'y couperez pas.* Je suis incapable d'imiter le ton menaçant de ces propos. Je n'ai pu que demander faiblement : *Qui êtes-vous ?* Et la voix a ricané : *Je suis le vengeur.* J'en tremblais. C'était si effrayant, et... ce misérable a éclaté de rire. Oui, je l'ai entendu rire. C'est tout. Ensuite on a raccroché. J'ai aussitôt appelé le central pour savoir qui m'avait téléphoné mais ils n'ont pas pu me le dire. Vous savez comment sont les employés de l'administration... grossiers et peu aimables.

– C'est bien vrai, acquiesçai-je.

– J'étais très mal, continua Mrs Price Ridley. Si mal et si nerveuse que cette détonation dans les bois m'a fait sursauter. C'est pour vous dire !

– Une détonation dans les bois, fit Flem, soudain intéressé.

– J'ai presque cru à un coup de canon, tant j'étais énervée. J'ai poussé un cri et me suis littéralement effondrée sur mon sofa. Clara m'a forcée à boire un verre d'eau-de-vie de prune.

– Quelle honte ! fit Melchett. C'est honteux, en effet. Et combien éprouvant ? Et cette détonation... Était-elle très forte ? Très proche ?

– C'était à cause de mes nerfs.

– Bien sûr, bien sûr. Avez-vous une idée de l'heure qu'il était ? Pour nous aider à vérifier l'origine de ce coup de téléphone, comprenez-vous ?

– Il était aux alentours de six heures et demie.

– Vous ne pouvez pas être plus précise ?

– Eh bien, figurez-vous que la pendulette, sur le manteau de la cheminée, venait à peine de sonner la demie et je me suis dit : « Elle doit avancer. » C'est son défaut, à cette pendulette. J'ai regardé ma montre qui disait 6 h 10 ; je l'ai portée à mon oreille, et j'ai compris qu'elle était arrêtée. Puis j'ai pensé : « Je verrai bien si cette pendulette avance quand j'entendrai la demie, au clocher. » C'est alors que le téléphone a sonné et j'en ai oublié l'heure.

Elle s'interrompit, hors d'haleine.

– Je crois que ce sera suffisant, Mrs Price Ridley, fit le colonel Melchett. Nous allons régler cela.

– On aura voulu vous jouer un mauvais tour, croyez-moi. Ne vous faites pas de souci, ajoutai-je.

Elle me jeta un regard glacial. J'aurais parié que l'incident du billet d'une livre lui était resté sur le cœur.

– Il se passe de drôles de choses à St. Mary Mead, ces jours-ci, ajouta-t-elle pour le colonel Melchett. De bien drôles de choses. Le colonel Protheroe était sur le point de les élucider et que lui est-il arrivé, à ce pauvre homme ? Peut-être suis-je la prochaine ?

Sur ce, elle se retira en branlant mélancoliquement du chef.

– Ce serait trop beau, souffla Melchett entre ses dents.

Puis son visage redevint grave et il adressa à l'inspecteur Flem un coup d'œil interrogateur.

L'autre hocha la tête d'un air entendu :

– L'étau se resserre, monsieur. Voilà trois personnes qui ont entendu la détonation. Reste à découvrir son auteur. Nous avons pris du retard à cause des faux aveux de Redding, mais nous avons plusieurs pistes et rien ne nous empêche de les suivre, à présent. Et d'abord, il faut vérifier ce fameux coup de téléphone.

– Celui de Mrs Price Ridley ?

L'inspecteur fit la grimace :

– Non... quoique, à mon avis, nous ayons intérêt à faire un rapport, sinon cette vieille toupie n'est pas près de nous lâcher. Mais je voulais parler du prétendu coup de téléphone qui aurait appelé le pasteur hors de chez lui.

– Vous avez raison, fit Melchett. Voilà un point important.

– Ensuite, il nous faut établir l'emploi du temps de toutes les personnes concernées entre 18 et 19 heures. À Old Hall, et même au village.

Je soupirai.

– Quelle belle énergie, inspecteur !

– Il suffit de s'y mettre. Nous commencerons par vous, Mr Clement.

– Volontiers. Eh bien, j'ai reçu ce coup de fil vers cinq heures et demie.

– D'un homme ou d'une femme ?

– C'était une voix de femme. C'est du moins ce que je crois, mais j'étais persuadé qu'il s'agissait de Mrs Abbott.

– N'avez-vous pas reconnu sa voix ?

– Je ne dirais pas que je l'ai reconnue. À vrai dire, je n'y ai pas fait très attention.

– Et vous êtes parti sur-le-champ. À pied, c'est bien cela ? Vous n'allez donc pas à bicyclette ?

– Non.

– Combien vous a-t-il fallu de temps ?

– Il y a trois bons kilomètres, quel que soit le chemin que l'on emprunte.

– Mais le plus court est celui qui coupe à travers bois, en passant par Old Hall, non ?

– En effet, mais c'est loin d'être le plus aisé. J'ai pris un sentier à travers champs.

– Celui qui part juste en face de la grille du presbytère.

– Vous avez deviné.

– Et Mrs Clement ?

– Mon épouse était à Londres. Elle est revenue par le train de 18 h 50.

– Bien. J'ai déjà vu la bonne ; j'en ai donc fini avec le presbytère. Je vais passer à Old Hall, et ensuite j'aurai une petite conversation avec Mrs Lestrange pour éclaircir

131

cette visite au colonel Protheroe, la veille du meurtre. Les choses bizarres ne manquent pas dans cette affaire.

J'étais bien forcé d'en convenir.

Jetant un coup d'œil à la pendulette, je constatai qu'il était presque l'heure du déjeuner. Je conviai Melchett à venir partager notre repas à la bonne franquette, mais il s'esquiva sous prétexte qu'il avait affaire au *Sanglier bleu*. Il faut reconnaître que l'on y sert un excellent rôti accompagné de deux légumes, aussi ne pouvais-je le blâmer de son choix judicieux. Quant à nous, Dieu sait dans quel état nous allions retrouver Mary après l'interrogatoire de la police.

14

Sur le chemin du presbytère, je ne pus éviter miss Hartnell qui me retint pendant près de dix minutes pour se plaindre, avec sa voix de basse profonde, de l'insouciante négligence et de l'ingratitude des classes les plus défavorisées. Ce qui la chagrinait, c'était de voir que les pauvres ne voulaient pas lui laisser mettre le nez dans leurs affaires. J'étais de tout cœur avec eux, même si ma position m'empêchait d'exprimer ma façon de penser aussi vigoureusement. Je m'efforçai de la réconforter par quelques paroles apaisantes et la plantai là.

La voiture de Haydock me rattrapa au coin de la rue qui mène au presbytère.

– Je viens de raccompagner Mrs Protheroe, me dit le médecin.

Puis il m'attendit au portail de sa maison et me pria d'entrer un instant. J'acceptai son invitation.

– C'est une affaire bien extraordinaire, fit-il en jetant son chapeau sur une chaise.

Il poussa la porte de son cabinet, se laissa tomber sur une chaise en cuir fatiguée et resta un moment, le regard dans le vague. Il paraissait exténué et inquiet.

Je lui racontai que nous avions réussi à préciser l'heure du coup de feu. Il m'écouta sans manifester le moindre intérêt.

– Anne Protheroe est donc tirée d'affaire, dit-il. Tant mieux, je préfère savoir qu'ils ne sont coupables ni l'un ni l'autre. J'ai de la sympathie pour ces deux-là.

J'en étais convaincu, aussi je me demandai bien pourquoi la proclamation de leur innocence le jetait dans cette humeur noire. Le matin même, il semblait s'être libéré d'un grand poids et voilà qu'il était à présent accablé par le découragement.

Pourtant, je ne mettais pas en doute sa sincérité ; il avait de l'amitié pour Anne Protheroe et pour Lawrence Redding. Pourquoi donc cet air de préoccupation attristée ?

– Au fait, vous savez, pour Hawes..., commença-t-il en se levant avec effort.

Toute cette histoire me l'avait fait oublier.

– Est-il très mal ?

– Non, rien de bien sérieux mais vous devez savoir qu'il a souffert d'une *encephalitis lethargica...* ou si vous préférez, de la maladie du sommeil ?

— Je l'ignorais, dis-je fort surpris. Il ne m'en a jamais parlé. Quand a-t-il été malade ?

— L'an dernier, à cette même époque. Il s'en remet du mieux qu'il peut. C'est une étrange maladie... qui a la particularité d'affecter le caractère. C'est ainsi que vous pouvez changer du tout au tout. (Il garda le silence un court instant avant de reprendre :) Nous n'évoquons pas sans frémir aujourd'hui l'époque où l'on brûlait les sorcières. Je sens que le jour viendra où l'on frémira à l'idée que l'on a pu pendre les criminels.

— Vous n'êtes donc pas favorable à la peine capitale ?

— Il ne s'agit pas de cela, mais..., ajouta-t-il pensif, je préfère mon travail au vôtre.

— Expliquez-moi cela.

— Tout votre travail est fondé sur la distinction entre ce que l'on appelle le bien et le mal... Or, pour ma part, je ne suis pas du tout sûr que le bien et le mal existent. Et si ce n'était qu'une question de sécrétion glandulaire ? Trop de sécrétion d'une certaine glande, pas assez d'une autre... et vous voilà meurtrier, voleur, repris de justice... Je sens que le jour viendra, Clement, où nous frémirons d'horreur à l'idée de tous ces siècles au long desquels nous avons distribué blâmes et malédictions, et puni des malheureux à cause de leurs maladies... Or, contre elles ils ne pouvaient rien eux-mêmes, les pauvres diables. On ne pend pas un homme sous prétexte qu'il est tuberculeux.

— Il n'est pas dangereux pour la communauté.

— Dans un sens, si : ne peut-il pas contaminer autrui ? Et si un homme se prend pour l'empereur de Chine, dites-vous pour autant qu'il a un penchant pour la cruauté ? Je suis d'accord avec votre point de vue sur la communauté ; elle a besoin d'être protégée. Enfermez ceux qui la menacent là où ils ne pourront plus faire de mal à personne, faites-les même disparaître de la circulation bien gentiment... Hé oui, je suis allé jusqu'à penser cela... mais n'allez pas prétendre qu'il faut voir là une juste punition ; n'allez pas jeter l'opprobre sur eux et sur leur famille innocente.

Je regardai mon ami avec curiosité :

— Je ne vous ai jamais entendu tenir ce langage.

— Je ne suis pas de ceux qui exposent leurs théories au grand jour, mais c'est ma marotte. Vous êtes un type bien, Clement, ce qui n'est pas le cas de tous les pasteurs. Vous n'irez peut-être pas jusqu'à affirmer l'inexistence de ce que l'on désigne sous le terme technique de « péché », mais vous êtes assez tolérant pour imaginer que cela n'existe pas.

— C'est le début de la fin pour tout ce en quoi nous croyons, dis-je.

— Nous sommes des pharisiens bornés et mesquins, tout juste bons à juger de tout sans rien savoir. Je crois au fond de moi que le crime est l'affaire des médecins, et non pas celle des policiers et des prêtres. Dans l'avenir... peut-être.

— Vous saurez le guérir ?

— Nous l'aurons guéri. N'est-ce pas une idée plutôt réconfortante ? Vous êtes-vous déjà penché sur les statistiques en matière de crime ? Non... C'est assez rare. Mais moi, je suis allé y regarder de plus près. Vous seriez effaré de voir le nombre de crimes commis par des adolescents... Ce sont les glandes, là encore. Souvenez-vous

135

du jeune Neil, le meurtrier de la région d'Oxford, qui tua cinq fillettes avant d'être seulement soupçonné. C'était un brave garçon... qui n'avait jamais fait d'histoires. Et la petite Lily Rose, de Cornouailles, qui a fait son affaire à son oncle, sous prétexte qu'il rognait sur les confiseries. Elle l'a frappé pendant son sommeil avec un pic à charbon, et elle est revenue quinze jours après, pour assassiner sa sœur aînée qui l'avait contrariée pour une broutille. Ils n'ont pas été pendus, mais envoyés dans une maison où ils se sont peut-être rétablis... peut-être pas. J'ai un doute pour la jeune fille ; tout ce qui lui plaisait, c'était de regarder égorger des cochons. Et savez-vous que ce sont surtout les adolescents de quinze à seize ans qui se suicident ? Or, selon moi, il n'y a qu'un pas du suicide au meurtre, mais n'allez pas croire que c'est le sens moral qui fait défaut au criminel : il souffre bel et bien d'une carence physique.

– Ce que vous dites est terrible !

– Pas du tout, mais c'est nouveau pour vous. Il ne faut pas se voiler la face devant les vérités de notre temps, mais remettre nos vieilles idées en question. Et il est vrai que cela ne facilite pas la vie.

Il était assis là, avec une expression de grande concentration, mais étrangement las.

– Haydock, j'aimerais savoir, au cas où vous nourririez quelque soupçon, si vous dénonceriez celui que vous pensez être le meurtrier, ou si vous seriez tenté de le protéger ?

Je ne m'attendais pas à l'effet que produisit mon intervention. Il se tourna vers moi plein de colère et l'air méfiant :

– Avez-vous des raisons de me demander cela, Clement ? Vous avez quelque chose derrière la tête, hein ?

– Pas du tout, dis-je, interdit. C'est que... eh bien, nous pensons tous au meurtre en ce moment, et si, par hasard, vous aviez découvert la vérité... Enfin, je me demandais ce que vous en penseriez, c'est tout.

Sa colère tomba d'un coup. Il avait le regard fixe de celui qui s'efforce de décrypter la réponse à une énigme connue de lui seul.

– Si je nourrissais des soupçons contre quelqu'un, si je savais qui... Eh bien j'espère que je ferais mon devoir, Clement.

– Tout dépend de votre conception du devoir...

Son œil impénétrable me sonda :

– Cette question finit toujours par se poser dans la vie d'un homme, Clement. Et c'est à chacun d'y répondre en son âme et conscience.

– Vous n'avez pas la moindre idée ?...

– Non, je n'ai pas la moindre idée...

– Mon neveu est passionné par l'affaire, dis-je pour changer de sujet. Il s'évertue à découvrir des traces de pas et des cendres de cigarettes.

– Quel âge a-t-il ? demanda Haydock avec un sourire.

– Seize ans à peine. On ne prend pas la réalité au sérieux à cet âge-là. On se croit Sherlock Holmes ou Arsène Lupin.

– C'est un garçon bien, dit le médecin, pensif. Que comptez-vous en faire ?

– Je ne peux pas lui payer d'études à l'Université. Il

aimerait entrer dans la marine marchande ; il a échoué à Navale.

— Ce n'est pas la voie la plus facile, mais il vaut mieux ça que mal tourner, croyez-moi !

— Je dois vous laisser ! m'exclamai-je en regardant ma montre. Je suis en retard d'une bonne demi-heure pour le déjeuner.

Griselda et Dennis étaient en train de passer à table lorsque j'arrivai au presbytère. Ils exigèrent un compte rendu détaillé des événements de la matinée et je le leur donnai, en songeant qu'il n'y avait pas de quoi se réjouir.

Dennis s'amusa beaucoup de la mésaventure téléphonique de Mrs Price Ridley, et ne put se retenir de rire lorsque j'évoquai sur le mode le plus réaliste le choc nerveux que la dame avait subi, et la nécessité où elle s'était trouvée de prendre un petit remontant.

— Autant pour ce vieux chameau ! s'exclama-t-il. C'est la pire commère du coin. Dommage que je n'aie pas eu cette idée en premier : lui filer la trouille par téléphone ! Ouah ! Dites, oncle Len, on ne pourrait pas recommencer le coup ?

Il n'en était pas question, décrétai-je. Les jeunes générations font de louables efforts pour nous marquer leur sympathie mais il faut s'en méfier comme de la peste.

Puis l'humeur de Dennis changea et il fronça les sourcils pour revenir aux mondanités.

— J'ai passé presque toute la matinée avec Lettice. Elle est très ennuyée, je vous assure, Griselda. Elle le cache bien mais c'est vrai.

— N'est-ce pas la moindre des choses ? fit ma femme avec un petit mouvement de la tête.

Griselda n'apprécie guère la jeune fille.

– Vous êtes injuste avec Lettice, voilà ce que je pense.

– Vraiment ?

– Elle n'est pas la première à refuser de prendre le deuil. (Griselda ne fit aucun commentaire et, comme je me taisais moi aussi, Dennis enchaîna :) Elle ne se livre pas volontiers mais elle me parle, à moi. Elle est très inquiète, et pense qu'on devrait agir.

– Elle ne va pas tarder à constater que l'inspecteur Flem partage son point de vue, dis-je. Il sera à Old Hall cet après-midi et mettra tout le monde sur le grill jusqu'à ce qu'il découvre la vérité.

– La vérité, Len ? Qu'appelez-vous la vérité ? s'exclama mon épouse.

– Voilà bien la question, ma chérie. Et en ce qui me concerne, je ne connais pas la réponse.

– Ne disiez-vous pas que l'inspecteur devait vérifier l'origine du fameux coup de téléphone qui vous a expédié chez les Abbott ?

– En effet.

– Mais n'est-ce pas très difficile à vérifier ?

– Non, car le central téléphonique garde la liste des appels.

– Ah ! fit ma femme avant de se perdre dans ses pensées.

– J'aimerais savoir pourquoi vous étiez si en colère contre moi, ce matin, oncle Len, reprit mon neveu. Je voulais rire en disant que vous aviez souhaité la mort du colonel Protheroe.

– Il y a un temps pour toute chose, Dennis, dis-je. L'inspecteur Flem est imperméable à l'humour et il a pris ce que tu lui as dit pour argent comptant ; il pourra le vérifier auprès de Mary et obtenir un mandat d'arrêt contre moi.

— Il ne comprend donc pas la plaisanterie ?

— Non, il ne la comprend pas. Il est arrivé à la position qu'il occupe aujourd'hui à force de travail et grâce à un zèle sans faille. Il n'a jamais perdu son temps à s'amuser.

— Est-ce que vous aimez l'inspecteur, oncle Len ?

— Non, je dirais même que je l'ai détesté dès le premier abord, mais je ne doute pas de ses compétences professionnelles.

— Pensez-vous qu'il découvrira le meurtrier du vieux ?

— S'il échoue, ce ne sera pas faute de s'être efforcé d'y parvenir.

— Mr Hawes veut vous voir, intervint Mary en apparaissant sur le seuil. Je l'ai mis au salon, et il y a un message. On attend un mot de réponse.

Je déchirai l'enveloppe et lus :

Cher Mr Clement,
Je vous serais très reconnaissante de passer chez moi aussitôt que vous le pourrez, cet après-midi. J'ai besoin de votre avis sur un sujet qui me préoccupe.
                    Bien à vous,
                    Estelle Lestrange.

— Faites dire que je passerai dans une demi-heure environ, répondis-je à Mary.

Puis j'allai rejoindre Hawes au salon.

15

Hawes avait une mine affreuse et j'en fus bouleversé. Ses mains tremblaient et son visage était tout agité de tics. À mon avis, il aurait dû s'aliter et je le lui déclarai sans ambages, mais il rétorqua qu'il se sentait tout à fait bien, et même mieux que jamais.

C'était à ce point contraire à la vérité que j'en restai coi. J'admire ceux qui refusent de céder à la maladie, mais Hawes passait les bornes.

– Je voulais vous dire combien j'étais navré... Pour ce qui s'est passé au presbytère.

– En effet, dis-je. C'est bien malheureux.

– C'est affreux... vraiment affreux. Mais Mr Redding a été relâché.

– Oui. Il avait été arrêté par erreur car il avait fait... euh... une déclaration stupide à la police.

– Et ils le croient innocent ?

– Parfaitement.

– Et pourquoi, si je puis me permettre ? Est-ce à dire que... enfin... soupçonne-t-on quelqu'un d'autre ?

Je ne me serais jamais douté que Hawes pût manifester un si vif intérêt pour une affaire de meurtre. Peut-être était-ce parce que le drame était survenu au presbytère ; en tout cas, il se montrait aussi curieux qu'un journaliste.

– Je ne suis pas dans le secret de la police, mais d'après ce que je sais, l'inspecteur Flem n'en est encore qu'au stade de l'enquête.

– J'entends bien, mais il est difficile d'imaginer

quelqu'un commettant ce crime odieux. (C'était bien mon avis.) Il est vrai que le colonel Protheroe n'était guère populaire, mais de là à aller l'assassiner ! Pour tuer, il faut avoir une bonne raison.

– C'est bien mon avis !

– La police a-t-elle une idée de l'identité de celui qui aurait eu une bonne raison d'assassiner le colonel Protheroe ?

– Je serais bien en peine de vous le dire.

– Il devait avoir des ennemis, non ? Quand on y pense, il était homme à avoir des ennemis. Il passait pour être sévère, au tribunal.

– Cela ne m'étonne pas.

– Pas plus tard qu'hier, il vous racontait qu'un homme l'avait menacé. Vous vous souvenez ? Un dénommé Archer.

– Vous avez raison, cela me revient en effet. Vous étiez là, vous aussi, du reste.

– J'ai entendu ce qu'il disait, par la force des choses, n'est-ce pas ? Il avait la voix qui portait... mais c'est votre réponse qui m'a frappé, quand vous lui avez dit que, l'heure venue, il risquait à son tour de subir un juste châtiment au lieu d'un pardon miséricordieux.

– Je lui ai dit cela ? Ce n'est pas tout à fait ce dont je me souviens, fis-je en fronçant les sourcils.

– Votre façon de vous exprimer m'a vivement impressionné. C'est une chose terrible que la justice. Quand on pense que ce pauvre colonel a été frappé le lendemain... c'était presque une prémonition de votre part.

– Je n'ai eu aucune prémonition, protestai-je d'un ton sec.

J'ai une véritable aversion pour le côté visionnaire de Hawes et sa tendance au mysticisme.

– Avez-vous parlé d'Archer à la police, Mr Clement ?

– Je ne connais pas Archer.

– Mais... avez-vous mentionné les propos du colonel au sujet des menaces qu'Archer avait proférées contre lui ?

– Je n'ai rien mentionné de tel, articulai-je nettement.

– Et comptez-vous le faire ?

Je ne répondis pas. Il me déplaît de m'acharner sur un homme qui a déjà la justice et la police à ses trousses. Non que je prisse le parti d'Archer, un incorrigible braconnier... un de ces propres à rien comme on en trouve dans toutes les paroisses. Quoi qu'il ait pu dire sous l'effet de la colère en entendant la sentence, rien ne me permettait d'affirmer qu'il était le même homme à sa sortie de prison.

– Puisque vous assistiez à la conversation, et si vous jugez qu'il est de votre devoir de la rapporter à la police, faites, dis-je enfin.

– Il vaudrait mieux que cela vienne de vous, Mr Clement.

– C'est possible, mais je ne pense pas que je le ferai. Je n'ai pas envie de conduire un innocent à la potence.

– Mais s'il a tué le colonel Protheroe...

– Si... si... si... Rien ne prouve qu'Archer ait tué Protheroe.

– Il l'a menacé.

– *Stricto sensu,* les menaces ne venaient pas d'Archer mais du colonel qui lui promettait une vengeance mémorable la prochaine fois qu'il le pincerait.

– Je ne vous comprends pas.

– Vous ne me comprenez pas ? répétai-je d'un ton las. Vous êtes encore jeune et vous croyez en la justice, mais lorsque vous aurez mon âge, vous aussi vous accorderez aux hommes le bénéfice du doute.

– Je ne veux pas... enfin... (Il s'interrompit et je le dévisageai, surpris.) Vous n'avez pas la... la moindre idée de... de l'identité du meurtrier ?

– Grand Dieu ! non.

– ... ou de ses motifs ? insista-t-il.

– En aucun cas. Et vous-même ?

– Moi ? Non, bien sûr que non, mais je me demandais si, par hasard, le colonel Protheroe ne vous aurait pas fait quelques confidences, s'il n'avait pas mentionné quelque chose devant vous...

– S'il m'a fait des confidences, comme vous dites, tout le village a pu les entendre, hier matin, fis-je d'un ton sec.

– Je sais ! Mais vous ne croyez pas que... pour Archer... ?

– La police sera toujours informée assez tôt de ce qui concerne Archer. Si je l'avais entendu de mes oreilles proférer des menaces, c'eût été différent. Mais une chose est sûre : si Archer avait menacé le colonel, la moitié du village l'aurait entendu, et la nouvelle en serait déjà parvenue au poste de police. Quant à vous, agissez en votre âme et conscience.

Mais, curieusement, Hawes n'avait pas la moindre envie de prendre une quelconque initiative.

Je trouvais son comportement décidément bizarre et sa nervosité ne cessait d'augmenter. Ce devaient être les séquelles de sa maladie, pensai-je en me souvenant des propos de Haydock.

Hawes prit congé à contrecœur, comme s'il avait encore quelque chose à ajouter et ne savait comment aborder le sujet.

Avant de nous séparer, je le chargeai de la réunion de l'association des Mères de familles et des Dames patronnesses, car j'avais de mon côté un après-midi fort occupé.

Je chassai Hawes et ses problèmes de mes pensées et pris le chemin de la maison de Mrs Lestrange.

Sur une table dans l'entrée, je vis le *Guardian* et *Church Times* encore intacts.

En chemin, je m'étais souvenu que Mrs Lestrange avait eu une entrevue avec le colonel Protheroe, la veille du crime. Peut-être leur conversation avait-elle recelé quelque indice susceptible de jeter un peu de lumière sur le meurtre.

On me fit entrer directement dans le petit salon et Mrs Lestrange vint à ma rencontre. Je remarquai de nouveau l'atmosphère subtile qu'elle parvenait à créer autour d'elle. Sa robe d'un noir profond mettait merveilleusement en valeur la blancheur de son teint ; ses traits restaient impassibles mais elle me fixait de son regard fiévreux, avec une expression inquiète.

– C'est très aimable à vous d'être venu, Mr Clement, dit-elle en me serrant la main. J'aurais aimé vous parler l'autre jour mais je ne l'ai pas fait. J'aurais dû.

– Je vous réitère ma proposition : je serai très heureux de vous aider, si je le puis.

– C'est ce que vous m'avez dit, et vous étiez sincère.

J'ai rencontré bien peu de gens, au cours de ma vie, qui ont sincèrement voulu m'offrir leur aide.

– Je ne saurais le croire, Mrs Lestrange.

– C'est malheureusement vrai. La plupart des gens, et en particulier les hommes, ne pensent qu'à eux.

L'amertume perçait dans sa voix. Comme je ne répondais pas, elle m'invita à m'asseoir.

Elle s'installa sur une chaise en face de moi, hésita un instant et commença à parler avec lenteur, d'un ton réfléchi, pesant chaque mot avant de le prononcer :

– J'aimerais connaître votre avis sur la situation délicate qui est la mienne, Mr Clement. J'ai besoin d'être éclairée sur ce que j'ai à faire. Le passé est le passé et l'on ne peut revenir sur ses actes. Vous voyez ce que je veux dire ?

Je n'eus pas le temps de répondre car la bonne qui m'avait introduit apparut sur le seuil et dit, d'un ton alarmé :

– Excusez-moi, madame, il y a là un inspecteur qui demande à vous parler.

Il y eut un silence. Mrs Lestrange resta impassible ; seules ses paupières se fermèrent lentement avant de se rouvrir. Elle déglutit une ou deux fois et articula de sa voix égale :

– Faites-le entrer, Hilda.

J'allais me lever mais, d'un geste, elle m'ordonna impérieusement de ne pas bouger.

– Si vous le voulez bien... J'aimerais que vous restiez.

– Comme vous voudrez, murmurai-je en me rasseyant tandis que Flem entrait sans façon.

– Bonjour, madame, commença-t-il.

– Bonjour, inspecteur.

C'est alors qu'il s'aperçut de ma présence. Son visage se ferma. Il fallait admettre que Flem n'avait aucune sympathie pour moi.

– Vous n'avez pas d'objection à parler devant notre pasteur, j'espère ? lui demanda Mrs Lestrange.

Il eût été grossier de sa part de prétendre le contraire.

– Non..., grogna-t-il. Mais j'aurais peut-être préféré...

Mrs Lestrange ne prêta aucune attention à ces sous-entendus.

– Que puis-je pour vous, inspecteur ?

– Eh bien, il s'agit du meurtre du colonel Protheroe. C'est moi qui suis chargé de l'enquête. (Mrs Lestrange acquiesça d'un signe de tête.) J'enquête pour la forme sur l'emploi du temps des habitants du bourg, dans la journée d'hier, entre 18 heures et 19 heures. Entendons-nous : c'est purement formel.

Mrs Lestrange n'avait rien perdu de son calme.

– Vous voulez savoir où j'étais hier, entre six et sept heures du soir ?

– C'est bien cela, madame.

– Eh bien... (Elle réfléchit un instant.) J'étais à la maison, chez moi.

– Ah ! (Les yeux de l'inspecteur jetèrent des éclairs.) Et votre bonne – vous n'en avez qu'une à votre service, si je ne me trompe ? – peut confirmer votre déclaration, sans doute ?

– Non. Hilda avait son après-midi, hier.

– Je vois.

– Il faudra vous contenter de ma parole, dit Mrs Lestrange avec un sourire.

147

– Vous êtes sûre que vous étiez chez vous, hier après-midi ?

– Votre première question portait sur mon emploi du temps entre 18 et 19 heures, inspecteur. Je suis allée me promener au début de l'après-midi et suis revenue un peu avant 17 heures.

– Si donc une certaine dame – disons miss Hartnell – affirme qu'elle a sonné en vain à votre porte vers 18 heures, et qu'elle a dû repartir sans vous avoir vue, vous allez prétendre qu'elle a eu la berlue, peut-être ?

– Oh ! mais non ! rétorqua Mrs Lestrange.

– Mais...

– Si votre bonne est à la maison, vous pouvez lui faire prétendre que vous êtes absente, mais si vous êtes seule et sans la moindre envie de recevoir des visites... la seule solution est de les laisser sonner à leur guise.

L'inspecteur Flem était décontenancé.

– Ces dames ont le don de m'ennuyer, ajouta Mrs Lestrange, et en particulier miss Hartnell. J'ai dû supporter cinq ou six sonneries avant qu'elle ne se décide à repartir.

Elle adressa un sourire suave au policier.

L'inspecteur changea de tactique.

– Et si l'on affirmait vous avoir vue dehors vers les...

– Qui aurait pu vous raconter une chose pareille ? (Elle avait aussitôt repéré son point faible.) Personne n'a pu me voir dehors puisque j'étais chez moi !

– C'est évident, chère madame. (L'inspecteur rapprocha sa chaise.) Mais je me suis laissé dire que vous aviez rendu visite au colonel Protheroe, la veille de sa mort.

– En effet, dit-elle de sa voix calme.

– Pourriez-vous me dire de quoi vous avez parlé ?

– Notre entrevue était strictement personnelle, inspecteur.

– Permettez-moi d'insister : je suis obligé de vous demander de me révéler la teneur de cette entrevue.

– Je n'ai pas à vous répondre sur ce point, mais sachez que rien, dans ce que nous nous sommes dit, n'avait la moindre incidence sur le meurtre.

– Comment pourriez-vous en juger ?

– Quoi qu'il en soit, vous n'avez que ma parole, cette fois encore, inspecteur.

– Cela me fait beaucoup de choses à croire, à mon goût.

– Hé oui, fit-elle, sereine.

L'inspecteur Flem était devenu écarlate.

– C'est une affaire grave, madame. Je veux la vérité... et je l'aurai, ajouta-t-il en frappant du poing sur la table.

Mrs Lestrange se taisait.

– Vous ne voyez donc pas que vous vous mettez dans un mauvais cas ? (Mrs Lestrange continua à se taire.) Vous aurez des preuves à fournir.

– Je ne l'ignore pas.

Et ce fut tout. Quelques petits mots prononcés sans emphase, sur un ton presque indifférent. L'inspecteur changea encore de tactique :

– Connaissiez-vous le colonel Protheroe ?

– Je le connaissais. (Elle s'interrompit un bref instant avant de préciser :) Mais je ne l'avais pas vu depuis plusieurs années.

– Connaissiez-vous Mrs Protheroe ?

– Non.

– Pardonnez mon indiscrétion, mais c'était un moment plutôt mal choisi pour une visite.

– Pas pour moi.

– Je ne comprends pas.

– Je désirais voir le colonel Protheroe et non pas Mrs ou miss Protheroe, dit-elle à haute et intelligible voix. Et je désirais le voir seul. J'ai donc jugé que c'était le meilleur moyen.

– Puis-je savoir pourquoi vous ne vouliez pas voir Mrs ou miss Protheroe ?

– Cela me regarde, inspecteur.

– Vous refusez d'en dire davantage ?

– Je refuse.

L'inspecteur se leva.

– Méfiez-vous, Mrs Lestrange. Vous êtes en train de jouer avec le feu, et cela pourrait mal finir.

Mrs Lestrange éclata de rire ; elle n'était pas femme à se laisser impressionner facilement, voilà ce que j'eusse pu affirmer à l'inspecteur Flem.

– Bien, conclut-il dignement. Vous ne pourrez pas dire que je ne vous ai pas prévenue. C'est tout ce que j'avais à vous dire. Au revoir, madame, et n'oubliez pas que nous finirons par connaître la vérité.

Et il sortit. Mrs Lestrange se leva.

– Je suis obligée de vous renvoyer, dit-elle en me tendant la main. C'est mieux ainsi. Il est trop tard pour vous demander conseil, à présent. Ma décision est prise. Oui, ma décision est prise, répéta-t-elle avec du désespoir dans la voix.

16

Sur le seuil, je me heurtai au Dr Haydock.

– L'a-t-il interrogée ? me demanda-t-il avec un coup d'œil sévère en direction de Flem qui franchissait la grille.

– Oui.

– J'espère qu'il s'est montré courtois.

Dans mon esprit, le tact et la courtoisie sont des arts ignorés de l'inspecteur Flem, mais sans doute pouvait-on convenir qu'il avait été poli, du moins selon ses propres critères ; et en tout cas, je n'eusse pas voulu inquiéter davantage le Dr Haydock. Je me bornai donc à lui répondre par l'affirmative.

Sur un signe de tête approbateur, Haydock disparut à l'intérieur et j'eus, quant à moi, tôt fait de rattraper l'inspecteur qui avait dû ralentir le pas à dessein. Son antipathie pour moi n'allait pas jusqu'à se priver de me soutirer quelques informations utiles.

– Que savez-vous d'elle ? me demanda-t-il sans ambages.

– Rien, dis-je.

– Savez-vous pourquoi elle s'est installée ici ?

– Non.

– Pourtant, vous lui rendez visite ?

– Il est dans mes attributions de visiter mes paroissiens, répondis-je en omettant de préciser que c'était Mrs Lestrange qui m'avait fait appeler.

– Hum ! (Il resta silencieux pendant un instant puis,

incapable de résister à l'envie de revenir sur son échec, il reprit :) Il y a du louche, là-dessous, à mon avis.

– Du louche ?

– Vous voulez que je vous dise ? Je parierais que c'est une histoire de chantage. À première vue, ça ne colle pas avec la position du colonel Protheroe, mais il faut se méfier : on a déjà vu des marguilliers mener une double vie.

La remarque de miss Marple à ce sujet me revint à l'esprit.

– Pensez-vous qu'il pourrait s'agir de quelque chose de ce genre ?

– En tout cas, ça concorde avec les faits, Mr Clement. Pourquoi une femme élégante et raffinée serait-elle venue se retirer dans ce trou perdu ? Pourquoi a-t-elle rendu visite à Protheroe à cette heure indue ? Pourquoi tenait-elle à éviter Mrs Protheroe et miss Protheroe ? Tout concorde, vous dis-je ! Elle était gênée d'en convenir, bien sûr... le chantage est un délit puni par la loi. Mais elle sera bien obligée de passer aux aveux. Cela pourrait se révéler d'une grande importance pour la suite de l'affaire. Imaginez que le colonel Protheroe ait eu quelque vilain petit secret à cacher, eh bien, vous voyez où cela nous mènerait ?

Pourquoi pas ? pensai-je. C'était logique.

– J'ai essayé de tirer les vers du nez au maître d'hôtel, au cas où il aurait surpris quelques mots entre le colonel et sa visiteuse. On sait bien comment sont ces gens-là... Mais il jure sur ses grands dieux qu'il n'a pas saisi un traître mot. Croiriez-vous qu'il a failli être congédié à cause de cette visite ? Le colonel lui a reproché d'avoir introduit cette femme dans la maison, et le maître d'hôtel a aussitôt rendu son tablier, sous prétexte qu'il ne se plaisait pas à Old Hall et qu'il avait déjà pensé à quitter sa place.

– Ah oui ?

– Encore un qui nourrissait des griefs contre le colonel Protheroe.

– Le soupçonneriez-vous sérieusement ?... Comment s'appelle-t-il, déjà ?

– Reeves. Ce n'est pas que je le soupçonne sérieusement mais on ne sait jamais, avec ses manières onctueuses...

J'aurais bien voulu savoir ce que Reeves, de son côté, pensait des manières de Flem...

– Maintenant, au chauffeur ! dit-il.

– Si vous allez à Old Hall, peut-être pourriez-vous m'emmener dans votre voiture ? J'ai une petite affaire à régler avec Mrs Protheroe.

– Peut-on savoir à quel sujet ?

– Nous devons parler de l'enterrement.

– Ah ! grogna-t-il, déçu. L'enquête se poursuit demain, samedi.

– Je le sais. Les funérailles pourraient avoir lieu mardi, je pense.

L'inspecteur parut un peu penaud de sa balourdise et sortit le drapeau blanc en m'invitant à assister à l'interrogatoire du chauffeur, un dénommé Manning.

Manning était un brave garçon âgé de vingt-cinq ou vingt-six ans. Il fut vivement impressionné par l'inspecteur de police.

– Eh bien, voilà, mon garçon, dit Flem, j'ai certaines questions à vous poser.

– Oui, monsieur, bafouilla le chauffeur. Je suis à votre disposition, monsieur.

Il n'aurait pas été plus inquiet s'il avait été l'auteur du meurtre.

– Vous avez conduit le colonel à St. Mary Mead, hier ?

– Oui, monsieur.

– À quelle heure ?

– Cinq heures et demie, monsieur.

– Mrs Protheroe était-elle du voyage ?

– Oui, monsieur.

– Les avez-vous emmenés directement à St. Mary Mead ?

– Oui, monsieur.

– Ne vous êtes-vous arrêtés nulle part en route ?

– Non, monsieur.

– Que s'est-il passé, une fois au village ?

– Le colonel est descendu de voiture en disant qu'il n'avait plus besoin de moi, et il est parti à pied. Mrs Protheroe a fait des courses et a chargé les paquets dans la voiture, puis elle m'a dit que c'était terminé et je suis rentré à Old Hall.

– Vous avez laissé Mrs Protheroe au village ?

– Oui, monsieur.

– À quelle heure ?

– Six heures et quart, monsieur. Très exactement.

– Où l'avez-vous laissée ?

– Devant l'église, monsieur.

– Savez-vous où devait aller le colonel ?

– Chez le vétérinaire, je crois, pour un de ses chevaux.

154

– Je vois. Et vous êtes rentré tout droit à Old Hall ?

– Oui, monsieur.

– Il y a deux entrées à Old Hall, l'entrée sud et l'entrée nord. Vous avez dû sortir par le sud pour aller au village ?

– Oui, monsieur. Nous passons toujours par là.

– Et vous êtes rentré par le même chemin ?

– Oui, monsieur.

– Hum ! Eh bien, ce sera tout. Ah ! voilà miss Protheroe.

Lettice nous rejoignait d'un pas nonchalant.

– J'ai besoin de la Fiat, Manning, dit-elle. Faites-la chauffer, s'il vous plaît.

– Très bien, miss, fit le chauffeur qui se dirigea aussitôt vers une biplace dont il souleva le capot.

– Un instant, miss Protheroe, dit Flem. Nous procédons à la vérification des emplois du temps, hier en fin de journée, soit dit sans arrière-pensée offensante.

– Je ne sais jamais l'heure qu'il est, fit-elle en le regardant droit dans les yeux.

– J'ai appris que vous étiez sortie aussitôt après le déjeuner.

Elle acquiesça sans mot dire.

– Puis-je savoir où êtes-vous allée ?

– Jouer au tennis.

– Chez qui ?

– Chez les Hartley Napier.

– À Much Benham ?

– Oui.

– Et à quelle heure êtes-vous rentrée ?

– Je l'ignore. Je vous répète que je ne fais pas attention à ces détails.

– Ce devait être vers sept heures et demie, précisai-je.

– Vous avez raison, dit Lettice. En pleine crise : Anne avait ses nerfs et Griselda était venue la réconforter.

– Merci, miss, fit l'inspecteur. Ce sera tout.

– Bizarre ! Tout cela ne présente aucun intérêt, conclut Lettice en se dirigeant vers sa voiture.

Flem eut un geste rapide en direction de son front.

– Il lui manque une case, non ?

– N'en croyez rien, dis-je. Mais elle aime à jouer les originales.

– Allons ! Il ne me reste qu'à interroger les bonnes.

On peut ne pas apprécier Flem, mais on ne peut qu'admirer son dynamisme.

Chacun partit de son côté et je m'en fus demander à Reeves si je pouvais parler à Mrs Protheroe.

– Elle se repose, monsieur.

– Dans ce cas, je n'ose la déranger.

– Voulez-vous attendre un instant, s'il vous plaît. Au déjeuner, Mrs Protheroe a dit qu'elle était très désireuse de vous voir.

Il me fit passer au salon et donna de la lumière, car les rideaux étaient tirés.

– Une bien triste histoire, dis-je.

– Oui, monsieur.

Il parlait d'une voix glacée et respectueuse.

Je l'observai. Quels sentiments l'agitaient derrière son masque d'impassibilité ? Savait-il des choses qu'il aurait pu nous dire ? Je ne connais rien de plus inhumain que le masque d'un domestique zélé.

– Y aurait-il du nouveau, monsieur ?

Devais-je saisir une touche d'anxiété sous cette question polie ?

– Pas que je sache, dis-je.

Je n'attendis qu'un instant avant de voir apparaître Anne Protheroe. Nous prîmes les décisions qui s'imposaient puis elle s'exclama :

– Le Dr Haydock est un homme merveilleux !

– Haydock est le meilleur des hommes, renchéris-je.

– Il s'est montré si gentil à mon égard. Mais comme il est triste !

Je n'y avais jamais pensé et tournai un instant cette idée dans ma tête.

– Je ne l'avais jamais remarqué, dis-je.

– Moi non plus, jusqu'à aujourd'hui.

– Le malheur nous rend parfois plus attentif.

– Vous avez raison. (Elle s'interrompit un instant avant de reprendre :) Mr Clement, si mon mari a été tué aussitôt après mon départ, je ne comprends pas pourquoi je n'ai pas entendu la détonation.

– Il semblerait que le coup de feu ait été tiré un peu plus tard.

– Le message ne mentionne-t-il pas 6 h 20 ?

– L'heure a pu être rajoutée d'une autre main que la sienne... et que celle du meurtrier.

– C'est horrible ! s'écria-t-elle en pâlissant.

– La différence d'écriture entre la date et le message ne vous a-t-elle pas frappée ?

– Le message non plus n'était pas de sa main.

Sa remarque était judicieuse. La lettre n'était qu'un

gribouillage illisible sans rapport avec l'écriture bien formée que je connaissais à Protheroe.

– Êtes-vous bien sûr que Lawrence soit hors de cause ? poursuivit-elle.

– Définitivement, je pense.

– Qui cela peut-il être, à votre avis, Mr Clement ? Certes, Lucius était plutôt impopulaire, mais je ne lui connaissais pas d'ennemis. En tout cas pas des ennemis capables de...

– Qui sait ? dis-je dubitativement.

Les sept suspects de miss Marple me revinrent à l'esprit. Qui étaient-ils ?

Après que j'eus quitté Mrs Protheroe, je passai à la réalisation d'un plan que j'avais concocté et quittai Old Hall par le sentier privé. Lorsque j'atteignis la barrière, je revins sur mes pas et, avisant un coin où les broussailles avaient été piétinées, j'abandonnai le sentier et me frayai un chemin dans les taillis. Les arbres étaient plantés serrés et les sous-bois très touffus. Je progressais lentement et m'aperçus soudain que quelqu'un marchait dans les buissons, non loin de moi. Comme je m'étais arrêté, indécis, Lawrence Redding surgit, une énorme pierre dans les mains.

Devant mon air surpris, il éclata de rire.

– Ne croyez pas que ce soit un indice, fit-il. C'est une offrande en signe de paix.

– Que voulez-vous dire ?

– De quoi ouvrir les négociations, si vous préférez. J'ai besoin d'un prétexte pour rendre visite à votre voisine, miss Marple, et je me suis laissé dire qu'elle serait sensible à un beau morceau de roche, pour agrémenter son jardin japonais.

– En effet, mais qu'espérez-vous obtenir d'elle en échange ?

– Je vais vous l'expliquer : si jamais il s'est produit quelque chose hier soir, miss Marple n'aura pas manqué de le voir, que ce soit ou non en rapport avec le crime. Je veux parler d'un fait inhabituel, d'un incident curieux, d'un événement anodin susceptible de nous donner la clef du mystère, un détail dont elle aurait négligé d'informer la police.

– Je vois.

– Je ne perdrai rien à tenter ma chance, de toute façon. Voyez-vous, Mr Clement, j'ai bien l'intention de connaître le fin mot de l'affaire. Ne serait-ce que pour Anne. Le fait est que je n'ai pas confiance en Flem... Il est plein de bonne volonté, mais cela ne tient pas lieu d'intelligence.

– Vous voulez jouer les détectives amateurs ; ils ont la faveur des romanciers, mais je ne sais si, dans la vie, ils peuvent se mesurer aux vrais professionnels.

Il me jeta un regard plein de malice et éclata de rire :

– Peut-on savoir ce que vous faites dans les bois, mon père ? (Je ne pus m'empêcher de rougir.) Je ne serais pas surpris si c'était la même chose que moi. Vous êtes-vous demandé, vous aussi, comment le meurtrier était allé jusqu'à votre bureau ? Première solution : il a suivi le sentier privé et a emprunté le portail de derrière. Deuxième solution : il est passé par la porte d'entrée. Troisième solution, si c'en est une, il est venu à travers bois. C'est pourquoi je voulais vérifier si les buissons avaient été piétinés ou les branches brisées quelque part, le long du mur du presbytère.

– C'est ce que je pensais faire, moi aussi, admis-je.

– Je ne me suis pas encore attelé à la tâche, continua Lawrence, car je jugeais plus utile de voir d'abord miss Marple, pour être sûr que personne n'avait pris le sentier pendant que nous étions dans l'atelier, hier soir.

– Elle a affirmé n'avoir vu personne.

– Personne qui fût digne d'intérêt à ses yeux. Cela peut paraître idiot mais comprenez-moi bien : peut-être le facteur est-il passé, ou le laitier, ou le commis du boucher... quelqu'un dont la présence lui serait parue si naturelle qu'elle n'aurait même pas songé à la mentionner.

– Je vois que vous avez pratiqué G.K. Chesterton.

Il ne nia pas mais insista :

– Honnêtement, n'est-ce pas là une idée à creuser ?

– Pourquoi pas ?

Sans rien ajouter, nous prîmes la direction de chez miss Marple. Elle était occupée à son jardin et vint à notre rencontre quand elle nous vit enjamber la barrière du chemin.

– Vous voyez, me souffla Lawrence, rien ne lui échappe.

Elle nous accueillit avec amabilité et fut touchée par l'offrande solennelle de Lawrence.

– Merci infiniment pour cette charmante attention, Mr Redding.

Encouragé par cette entrée en matière, Lawrence entama son interrogatoire. Miss Marple l'écouta avec attention.

– Oui, je vois très bien. Vous voulez parler de ces petites choses bizarres auxquelles nul ne songerait. Mais je puis vous affirmer qu'il ne s'est rien passé de tel.

– En êtes-vous bien sûre, miss Marple ?

– Tout à fait sûre.

– Avez-vous vu quelqu'un emprunter le sentier à travers bois, hier après-midi ? demandai-je.

– J'ai même vu plusieurs personnes. Le Pr Stone et miss Cram l'ont pris un peu après deux heures, car c'est le plus court chemin qui mène aux fouilles. Le Pr Stone est revenu par le même chemin, mais cela, vous le savez, Mr Redding, puisqu'il vous a rejoints, vous et Mrs Protheroe.

– Au fait, Mrs Protheroe et Mr Redding ont dû entendre la détonation dont vous nous avez parlé, miss Marple, dis-je en jetant à Lawrence un regard interrogateur.

– Je crois en effet avoir entendu des coups de feu, dit-il en fronçant les sourcils. Mais je ne saurais dire si c'était un ou deux.

– Je n'en ai entendu qu'un seul, fit miss Marple.

– J'en garde un très vague souvenir, expliqua Lawrence. Bon sang ! Comme j'aimerais pouvoir être plus précis. Mais je ne pouvais pas deviner que... Enfin, j'étais si préoccupé par... par...

Il s'interrompit, gêné. Je toussotai discrètement et miss Marple changea de sujet avec tact.

– L'inspecteur Flem m'a questionnée pour me faire dire si j'avais entendu ce coup de feu avant ou après avoir vu Mrs Protheroe et Mr Redding sortir de l'atelier,

mais j'ai dû avouer que je ne le savais pas. Pourtant...
quand j'y pense... je crois bien que c'était après.

– Le célèbre Pr Stone est donc en dehors du coup,
dit Lawrence en riant. D'ailleurs, pourquoi l'aurait-on
soupçonné d'avoir tué ce pauvre vieux colonel.

– À mon avis, personne ne doit être à l'abri des soupçons. On ne sait jamais, fit miss Marple.

C'était tout miss Marple ! L'impression de Lawrence
au sujet du coup de feu était-elle la même que celle
ressentie par la vieille demoiselle ?

– Je ne saurais le dire. C'était une détonation ordinaire. Peut-être étions-nous dans l'atelier lorsque nous
l'avons entendue, auquel cas, le bruit a dû nous parvenir
assourdi. Nous n'avons pas dû y prêter grande attention.

Le contraire eût été étonnant, pensai-je.

– Je demanderai son avis à Anne, dit Lawrence. Si elle
s'en souvient... Mais au fait, la visite de Mrs Lestrange,
la mystérieuse dame de St. Mary Mead, au père
Protheroe mercredi soir, après dîner, ne vous paraît-elle
pas curieuse et mériter quelque explication ? Quelle en
était la raison ? Le colonel n'en a soufflé mot ni à Lettice
ni à sa femme.

– Peut-être Mr Clement sait-il quelque chose, fit miss
Marple.

Comment savait-elle que j'étais passé chez
Mrs Lestrange dans l'après-midi ? Décidément, elle
savait toujours tout, comme par magie. Mais je niai pouvoir éclairer sa lanterne.

– Et qu'en pense l'inspecteur Flem ? insista-t-elle
encore.

– Le maître d'hôtel ne s'est pas laissé intimider ; il faut

croire qu'il n'a pas poussé la curiosité jusqu'à écouter aux portes. Nous devons nous rendre à l'évidence : personne ne sait rien.

– Il faut bien que quelqu'un sache quelque chose, fit miss Marple. Il y a toujours quelqu'un qui sait quelque chose. Et c'est ce que devrait s'employer à découvrir Mr Redding.

– Mrs Protheroe ne sait rien.

– Je ne pensais pas à Anne Protheroe mais aux bonnes. Elles n'aiment pas beaucoup avoir affaire à la police mais je ne serais pas étonnée si elles consentaient à tout raconter à un beau jeune homme comme vous – sans vous offenser, Mr Redding – et qui plus est, à un jeune homme qui a été injustement soupçonné.

– Je tenterai le coup ce soir, déclara Lawrence d'un ton ferme. Merci du conseil, miss Marple. J'irai après... après que le pasteur et moi-même aurons effectué une petite vérification.

Il valait mieux en rester là. Je saluai miss Marple et nous reprîmes le chemin des bois.

Nous remontâmes le sentier jusqu'à un embranchement ; là, quelqu'un l'avait abandonné pour prendre à droite au travers des taillis. Lawrence m'avoua qu'il avait suivi ces traces et qu'elles aboutissaient à une impasse, mais on ne risquait rien à renouveler l'expérience ; peut-être s'était-il trompé.

Pourtant, il n'avait pas tort. À vingt mètres de là, il n'y avait plus de trace de branches cassées ou piétinées. Lorsque nous nous étions rencontrés, un peu plus tôt, Lawrence sortait de ces fourrés.

De retour sur le sentier, nous le suivîmes un moment

et découvrîmes bientôt un nouveau coin où les buissons avaient été foulés ; les traces n'étaient pas très apparentes mais on ne pouvait s'y tromper. Cette fois, la piste était plus sérieuse.

En dépit d'un long détour, elle menait au presbytère. Nous fûmes bientôt près du haut mur hérissé de tessons et où la végétation devenait très dense. Si quelqu'un avait appuyé une échelle contre le mur, à cet endroit, nous l'aurions aussitôt remarqué.

Nous longions lentement le mur quand nous fûmes surpris par un bruit de branches brisées. Je me frayai un chemin dans l'entrelacs des branchages... et tombai nez à nez avec l'inspecteur Flem.

– Ah ! Vous voilà avec Mr Redding, s'écria-t-il. Peut-on savoir ce que vous faites là, tous les deux ?

Penauds, nous lui exposâmes les raisons de notre présence dans les bois.

– Ah, ah ! Nous ne sommes pas aussi bêtes qu'on veut bien le croire... J'ai eu la même idée que vous et je cherche depuis une bonne heure, mais je vais vous faire une confidence.

– Je vous écoute, dis-je humblement.

– Le meurtrier du colonel Protheroe n'a pas emprunté ce chemin. Il n'y a pas de trace, ni de ce côté du mur ni de l'autre. Le meurtrier du colonel Protheroe est passé par la grande porte ; il n'y a pas d'autre solution.

– Impossible ! m'écriai-je.

– Et pourquoi donc ? Votre porte n'est jamais fermée, il suffit de la pousser pour entrer, sans être vu de la cuisine ; on savait que vous aviez débarrassé le plancher ; on savait aussi que Mrs Clement était à Londres et que

Mr Dennis faisait une partie de tennis. C'était simple comme bonjour. Et on n'avait même pas besoin de traverser le village, car de l'autre côté de la rue, un chemin public vous permettait de vous esquiver dans les bois ; ni vu ni connu, sauf si Mrs Price Ridley choisissait de pointer son nez dehors à cet instant précis. Et c'était bien plus simple que d'escalader le mur du fond du jardin, où l'on risquait d'être vu depuis les fenêtres latérales du premier étage de la maison de Mrs Price Ridley. Non, croyez-moi, le meurtrier est passé par la grande porte.

Oui, il devait avoir raison.

17

Le lendemain matin, je vis arriver l'inspecteur Flem. Il s'humanisait à mon égard ; à la longue, il finirait par oublier l'incident de la pendulette.

– Figurez-vous que j'ai retrouvé l'origine du coup de téléphone que vous avez reçu, me lança-t-il en guise de salut.

– Non ! m'écriai-je, plein de curiosité.

– C'est plutôt bizarre. Il a été passé du pavillon nord de Old Hall. Les gardiens ayant été mis à la retraite et les remplaçants n'étant pas encore dans les lieux, ce pavillon était vide, vide et donc bien commode. Une fenêtre était ouverte sur l'arrière. Aucune empreinte sur le téléphone qui a été nettoyé avec soin. C'est tout dire.

– Je ne comprends pas...

– Cela veut dire qu'on vous a téléphoné exprès pour vous attirer hors de chez vous. Et cela veut dire aussi que le meurtre a été prémédité. Si vous aviez été victime d'une innocente plaisanterie, votre mauvais plaisant ne se serait pas donné tant de peine pour faire disparaître ses empreintes.

– Vous avez raison.

– C'est dire aussi que le meurtrier était un familier de Old Hall et des environs. Ce n'est pas Mrs Protheroe qui a téléphoné. J'ai reconstitué son emploi du temps de ce fameux après-midi : cinq ou six membres du personnel de Old Hall sont prêts à jurer qu'elle n'a pas quitté la maison avant cinq heures et demie, heure à laquelle elle s'est rendue au village en voiture avec son mari. Le colonel est passé au cabinet de Quinton, le vétérinaire, pour l'un de ses chevaux. Mrs Protheroe a fait des courses à l'épicerie et chez le poissonnier, et de là, elle a pris le chemin de derrière où miss Marple l'a vue. Tous les commerçants ont confirmé qu'elle ne portait pas de sac à main. La vieille demoiselle avait raison.

– Comme d'habitude, dis-je doucement.

– Et miss Protheroe était bien à Much Benham, à cinq heures et demie.

– En effet, avec mon neveu.

– Elle n'est donc pas dans le coup. Les bonnes m'ont l'air honnêtes, un peu survoltées mais c'est bien normal dans cette situation. Je garde l'œil sur le maître d'hôtel, bien sûr... il a tout de même donné son congé mais, à mon avis, il ne sait rien.

– On dirait que votre enquête n'a guère abouti, inspecteur.

– Oui et non, Mr Clement, oui et non. Il y a eu une chose bizarre... et plutôt surprenante.

– Ah ?

– Vous n'avez pas oublié l'esclandre de Mrs Price Ridley, votre voisine, hier matin, au sujet d'un appel anonyme ?

– Non, bien sûr.

– Nous en avons vérifié l'origine, juste pour la calmer... et savez-vous d'où diable venait le coup de téléphone ?

– D'une cabine téléphonique, hasardai-je.

– Vous n'y êtes pas du tout, Mr Clement. Il venait de chez Mr Redding.

– Quoi ! m'exclamai-je, estomaqué.

– Comme je vous le dis. Bizarre, hein ? Mr Redding n'a rien à y voir. À cette heure-là, soit 17 h 35, il se dirigeait vers le *Sanglier bleu* en compagnie du Pr Stone, au vu et au su de tous. Et pourtant... c'est intéressant, hein ? On est entré chez lui et on a utilisé son téléphone. Qui ? Voilà la question. Ça nous fait deux coups de téléphone suspects en une seule journée. On pourrait même aller jusqu'à dire qu'il y a un rapport entre les deux. Je vous fiche mon billet qu'ils ont été passés par la même personne.

– Je ne vois pas pourquoi !

– C'est ce que nous devons découvrir. Le second appel paraît gratuit mais il doit bien avoir une raison. Et remarquez qu'on a emprunté le téléphone de Mr Redding, tout comme on lui a emprunté son revolver. De quoi attirer les soupçons sur lui !

– Dans ce cas, le premier appel aurait dû être passé de chez lui, objectai-je.

– J'ai bien réfléchi à cette question, Mr Clement. Mr Redding avait l'habitude de se rendre à Old Hall en moto chaque après-midi pour travailler au portrait de miss Protheroe. Il prenait l'entrée nord. Comprenez-vous à présent pourquoi l'appel est parti du pavillon nord ? Le meurtrier ignorait que Mr Redding et le colonel Protheroe s'étaient disputés et qu'à la suite de cela, Mr Redding avait cessé de fréquenter Old Hall.

Je pris le temps d'assimiler les arguments de l'inspecteur Flem ; ils me paraissaient d'une indiscutable logique.

– A-t-on pu relever des empreintes sur le téléphone de Mr Redding ?

– Non, me répondit l'inspecteur, dépité. Cette maudite bonne femme qui lui fait son ménage les a épous-setées hier matin. (Il rumina sa colère pendant un ins-tant.) Cette vieille folle n'est même pas fichue de se souvenir quand elle a vu le revolver pour la dernière fois. Peut-être était-il sur l'étagère le matin du crime, mais en tout cas elle ne peut pas l'affirmer. Les femmes sont toutes les mêmes !

» J'ai fait une petite visite au Pr Stone, poursuivit-il. C'était pour la forme mais il s'est montré très aimable. Miss Cram l'avait accompagné à ce monticule... à ce tumulus, ou je ne sais comment vous appelez cela, vers les deux heures et demie, hier, et ils y sont restés tout l'après-midi. L'archéologue est revenu le premier et n'a pas entendu de coup de feu ; il reconnaît volontiers qu'il est un peu dans la lune. Voyez-vous, tout concorde...

– Mais vous n'avez pas découvert de meurtrier.

– Hum ! C'est une voix de femme qui vous a appelé, et c'est sans doute une femme qui a appelé Mrs Price Ridley. Si ce coup de feu n'avait pas été tiré à la même heure que l'appel téléphonique, je vous jure bien que je saurais dans quelle direction chercher.

– Vous êtes sûr ?

– Ah, ah ! Vous ne croyez tout de même pas que je vais vous le révéler, Mr Clement !

J'offris sans vergogne à l'inspecteur un verre, d'un excellent vieux porto que je conserve précieusement. Il n'est pas d'usage de boire du porto à 11 heures du matin, mais je me doutais que l'inspecteur n'en prendrait pas ombrage. C'était du gâchis pour le vieux porto, mais il est des situations où les manières ne sont pas de mise.

Après son deuxième verre, l'inspecteur Flem se détendit et se montra même tout à fait jovial. À vieux porto rien d'impossible.

– Je peux bien vous le dire, à vous, Mr Clement. Vous savez garder un secret, hein ? Cela ne fera pas tout le tour de la paroisse ? (Je le rassurai.) Vu que les choses se sont passées dans votre propre maison, il me semble que vous avez le droit de savoir.

– Je le crois aussi.

– Dites-moi, Mr Clement, quelle est votre opinion sur cette dame qui a rendu visite au colonel Protheroe, la veille du crime ?

– Mrs Lestrange ? m'exclamai-je, stupéfait.

– Doucement, m'ordonna l'inspecteur sur un ton plein de reproche. Je la tiens à l'œil. Vous savez ce que je vous ai dit... Le chantage...

– De là à commettre un crime, tout de même ! Et si votre hypothèse était fondée, ce que je ne puis admettre un seul instant, ce serait tuer la poule aux œufs d'or.

L'inspecteur me fit un clin d'œil salace.

– C'est le genre de femme dont les hommes prennent la défense à tous les coups. Mais essayez d'imaginer qu'elle ait fait chanter le vieux avec succès dans le passé, Mr Clement, et que plusieurs années après, elle entende de nouveau parler de lui ; elle vient s'installer ici et tente le coup une deuxième fois. Mais entre-temps, les choses ont changé, la loi a été révisée, les victimes du chantage peuvent porter plainte tout en gardant l'anonymat. Imaginez encore que le colonel Protheroe l'ait menacée de la poursuivre en justice ? Elle est en mauvaise posture car les peines sont lourdes contre les maîtres chanteurs. La balle est dans le camp du colonel, et la dame n'a plus qu'une chose à faire : le liquider vite fait, bien fait.

Je ne répondis pas tout de suite. Force m'était de reconnaître que le scénario construit de toutes pièces par l'inspecteur Flem se tenait ; mais la personnalité de Mrs Lestrange ne cadrait pas avec cette hypothèse.

– Je ne puis vous suivre sur ce terrain, dis-je enfin. Mrs Lestrange n'est pas femme à faire chanter quiconque. Elle est... je vous accorde que c'est là un mot bien démodé, mais je dirai qu'elle est une vraie dame.

« Pauvre type ! » Voilà ce que signifiait le regard qu'il me lança.

– Ça va, ça va, dit-il avec indulgence. Vous êtes un membre du clergé, et vous ne connaissez pas vraiment la vie. Une dame ! Ah, ah !... vous seriez bien surpris si vous saviez tout ce que je sais.

170

– Ce n'est pas seulement une question de position sociale. Il se peut que Mrs Lestrange soit une déclassée, mais je parlais là de sa distinction naturelle.

– Vous ne la voyez pas comme je la vois, Mr Clement. Je suis un homme, certes, mais je suis aussi un policier. On ne me la fait pas avec la distinction. Cette femme vous embrocherait au bout d'un couteau sans broncher.

Curieusement, je croyais Mrs Lestrange capable de commettre un meurtre, mais sûrement pas de se livrer au chantage.

– Ce qui est sûr, c'est qu'il lui était impossible de téléphoner à la vieille Mrs Price Ridley et de faire son affaire au colonel Protheroe à la même heure, poursuivit l'inspecteur. (À peine avait-il prononcé ces mots qu'il frappa sauvagement du pied sur le parquet.) Ça y est ! hurla-t-il. J'y suis ! Le coup de téléphone est un alibi. Elle savait qu'on ferait le rapprochement avec le premier. Il faut creuser dans cette direction. Elle aura soudoyé un benêt qui aura téléphoné à sa place.

Sur ce, l'inspecteur se rua hors de chez moi.

– Miss Marple voudrait vous voir, m'annonça Griselda en pointant la tête. Elle a fait porter un message incohérent, griffonné à la hâte et tout souligné. C'est à peine si j'ai pu en déchiffrer la moitié. On dirait qu'elle est coincée chez elle. Allez-y vite ! Vous n'avez qu'à passer par le jardin. J'y serais bien allée moi-même mais j'attends un bataillon de vieilles biques. Je les déteste... avec leurs histoires de varices... savez-vous qu'elles sont toujours prêtes à vous les faire admirer ? C'est une chance pour vous que l'enquête ait lieu cet après-midi, Len ; vous échapperez au match de cricket du club des Jeunes.

Je me hâtai de sortir, curieux de savoir pourquoi j'étais ainsi convoqué.

Je trouvai une miss Marple écarlate et tenant des propos incohérents.

— Mon neveu, m'expliqua-t-elle, mon neveu Raymond West, l'écrivain... il arrive aujourd'hui. Mon Dieu, mon Dieu ! Pensez donc... Je dois m'occuper de tout. Je ne fais pas confiance à la bonne pour faire son lit comme il faut. Et le dîner ? Il me faut de la viande pour mon dîner. Un jeune homme a besoin de manger de la viande, n'est-ce pas ? Et quelque chose à boire... et de l'eau de Seltz, aussi...

— Si je puis vous être de quelque utilité..., commençai-je.

— Oh ! comme c'est gentil à vous ! Mais ce n'est pas pour cela que je vous ai fait appeler. J'ai tout mon temps. Mon neveu apporte sa pipe et son tabac, heureusement ! Je n'ai pas à courir acheter telle ou telle marque de cigarettes. Mais c'est affreux, cette odeur de tabac dans les rideaux ! Bien sûr, je vais aérer tous les matins de bonne heure et je les secouerai par la fenêtre. Il se lève très tard... comme souvent les écrivains, je crois. Ses livres sont intéressants mais le monde n'est pas aussi affreux qu'il le dépeint dans ses romans. Ces jeunes gens manquent encore d'expérience...

— Faites-nous le plaisir de venir dîner au presbytère, dis-je, incapable de deviner le motif de ma convocation urgente.

— Oh ! je vous remercie beaucoup, mais ne vous donnez pas cette peine.

— Vous vouliez me voir, je crois, risquai-je.

– Oui, oui ! Mais cette visite m'a tourneboulée. (Elle s'interrompit pour appeler :) Emily ! Emily ! ne prenez pas ces draps-là mais ceux qui sont brodés avec les initiales, et ne les approchez pas du feu. (Elle referma la porte et revint vers moi sur la pointe des pieds.) Il s'est passé quelque chose de très curieux hier soir. Je pensais que vous aimeriez le savoir, même si pour le moment cela ne signifie pas grand-chose. Comme j'étais encore éveillée, en train de réfléchir à cette malheureuse affaire, je me suis levée pour me mettre à la fenêtre et devinez ce que j'ai vu...

– Eh bien ? dis-je.

– Gladys Cram, fit miss Marple avec emphase. Aussi vrai que je vous le dis, Gladys Cram s'enfonçant dans les bois, une valise à la main.

– Une valise ?

– C'est incroyable ! Que pouvait-elle bien faire à minuit dans les bois, une valise à la main ? (Nous échangeâmes un regard et elle ajouta :) Cela n'a peut-être rien à voir avec le meurtre mais c'est bizarre. N'est-ce pas une de ces petites choses bizarres qu'il ne faut pas négliger ?

– C'est incroyable. Pensez-vous qu'elle allait... euh... passer la nuit sur le site ?

– Sûrement pas, car un moment après elle réapparaissait les mains vides.

Nous échangeâmes de nouveau un long regard.

18

L'audience eut lieu à deux heures de l'après-midi, au *Sanglier bleu*. Nous étions samedi et tout St. Mary Mead, qui n'avait pas connu de crime depuis quinze ans, était en émoi. Il faut dire que le meurtre d'une personnalité comme le colonel Protheroe dans le bureau du presbytère était une véritable aubaine pour la population.

J'entendis plusieurs commentaires qui ne m'étaient sans doute pas destinés.

– Le pasteur est là. Il est tout pâle. Vous croyez qu'il est dans le coup ? Ça s'est passé au presbytère, après tout.

– Tu dérailles, Mary Adams. Il était chez Henry Abbott à l'heure du crime.

– Ça se peut, mais on dit qu'ils avaient eu des mots, lui et le colonel. Vous avez vu Mary Hill ? Elle fait sa fière sous prétexte qu'elle sert chez le pasteur. Chut ! c'est le coroner...

Le coroner était le Dr Roberts, de Much Benham. Il s'éclaircit la voix, ajusta ses lunettes et se rengorgea.

Pour ne pas paraître fastidieux, je me bornerai à dire que Lawrence Redding témoigna qu'il avait découvert le corps et identifia le revolver comme lui appartenant. La dernière fois qu'il l'avait vu chez lui, ce devait être le mardi, soit deux jours avant le meurtre, dans la bibliothèque ; il précisa qu'il ne fermait jamais sa porte à clef.

Mrs Protheroe raconta ensuite qu'elle avait vu son mari pour la dernière fois au village, vers six heures moins le quart, lorsqu'ils s'étaient séparés dans la rue principale. Elle convint qu'elle était allée le chercher plus tard, au presbytère, vers six heures et quart, en empruntant le petit chemin et le portail de derrière. Tout étant silencieux dans le cabinet de travail, elle en avait déduit qu'il était vide. Si son mari était alors assis au bureau, elle ne l'avait pas vu. Pour autant qu'elle sache, le colonel était égal à lui-même ce jour-là. Elle ne lui connaissait aucun ennemi sérieux.

Je fus le troisième témoin ; j'évoquai mon rendez-vous avec Protheroe et l'appel téléphonique en provenance de chez Abbott, puis je décrivis comment j'avais découvert le corps et fait prévenir le Dr Haydock.

– Qui savait que vous aviez rendez-vous au presbytère avec le colonel Protheroe ce soir-là, Mr Clement ?

– Ma femme et mon neveu le savaient, et tout le monde pouvait l'avoir entendu car le colonel, qui était un peu dur d'oreille, l'avait claironné, le matin même au village, lorsque nous nous étions croisés.

– Ce n'était donc pas un mystère ? insista le coroner.

– Certes pas, dis-je.

Le Dr Haydock s'avança ensuite, pour un témoignage capital. Il décrivit dans le détail et en termes techniques la position du corps et les blessures apparentes. Selon lui le colonel avait été tué pendant qu'il était en train d'écrire ; entre 18 h 20 et 18 h 30, en tout cas pas plus tard que 18 h 35. Il était formel sur ce point. Bien sûr, on ne pouvait parler de suicide ; il était impossible que le colonel se fût blessé lui-même de la sorte.

L'inspecteur fit une déposition à la fois discrète et laconique. Il avait été appelé sur les lieux, dit-il, et amené devant le corps. Le message inachevé du colonel

Protheroe fut produit et ces messieurs insistèrent sur l'heure : 18 h 20. On montra aussi la pendulette, et 18 h 22 fut retenu comme l'heure de la mort. La police ne lâchait pas le morceau : Anne Protheroe devait me raconter ensuite qu'on l'avait pressée de faire comme si elle était arrivée au presbytère un peu avant 6 h 20.

Mary affirma sans ambages qu'elle n'avait rien entendu et ne voulait rien entendre. D'habitude, les gens en visite au presbytère ne se faisaient pas assassiner. Quant à elle, elle faisait son travail sans s'occuper du reste. Le colonel était arrivé à six heures et quart pétantes. Non, elle n'avait pas regardé l'heure, le quart avait sonné au clocher juste après qu'elle l'avait fait entrer dans le bureau. Non, elle n'avait pas entendu de détonation ; s'il y avait eu un coup de feu, elle l'aurait entendu. Oui, elle savait qu'il y avait eu un coup de feu puisque ce monsieur avait été trouvé mort... mais elle n'avait rien entendu.

En accord avec le colonel Melchett, le coroner n'insista pas.

Ensuite un certificat médical, signé par le Dr Haydock, fut produit, indiquant que Mrs Lestrange était souffrante et ne pouvait se présenter à la convocation.

Il ne restait plus que la vieille femme qui faisait le ménage chez Lawrence Redding, Mrs Archer.

On lui montra le revolver et elle le reconnut ; il venait du salon de Mr Redding.

– Le jeune monsieur le laissait traîner sur les rayons de la bibliothèque, dit-elle.

Il y était encore le jour du meurtre. Oui, elle était sûre qu'il y était à l'heure du déjeuner, le jeudi, à une heure moins le quart, quand elle était partie après son travail.

Les propos de l'inspecteur me revinrent à l'esprit et je m'étonnai. Mrs Archer était restée plutôt vague lorsqu'il l'avait interrogée, alors qu'elle était formelle aujourd'hui.

Le coroner résuma la situation d'un ton ferme et le verdict fut rendu en ces termes : homicide commis par un ou plusieurs inconnus.

Comme je quittais la salle, mon attention fut attirée par un petit groupe de jeunes gens à l'œil vif et intelligent ; le visage de plusieurs d'entre eux m'était familier car je les avais vus déambuler dans les parages, ces jours derniers. Je m'engouffrai au *Sanglier bleu* pour leur échapper et, par chance, tombai nez à nez avec l'archéologue.

– Les journalistes, soufflai-je laconique en lui saisissant le bras. Aidez-moi à m'esquiver.

– Mais certainement, Mr Clement. Montons à l'étage, voulez-vous ?

Je le précédai par un escalier étroit et il me fit entrer dans un salon où miss Cram tapait à la machine avec dextérité. Elle sourit aimablement et en profita pour faire une petite pause.

– C'est terrible de ne pas savoir qui a fait le coup, non ? À part ça, je suis déçue ; cette audience était d'un rasoir ! À mon avis, il ne s'y est rien dit d'intéressant, du début à la fin.

– Vous y étiez donc ?

– Si j'y étais ! Et vous ne m'avez pas vue ? Vrai de vrai ? C'est vexant, tout de même, car un gentleman,

177

même s'il est pasteur, devrait au moins avoir des yeux pour voir.

– Y étiez-vous, vous aussi ? demandai-je au Pr Stone pour couper court à ce petit jeu.

J'avoue que les jeunes filles comme miss Cram me mettent toujours très mal à l'aise.

– Non, me répondit l'archéologue. Je suis mauvais juge et... bien trop pris par mon dada.

– Une véritable passion, à ce que je crois.

– Avez-vous quelques notions d'archéologie ?

Je fus forcé de reconnaître que ce n'était pas le cas, mais le Pr Stone ne s'en formalisa pas ; comme si je lui eusse affirmé le contraire, il s'enflamma et se lança dans une véritable tirade : Fosses, tumulus, âge de pierre, âge de bronze, paléolithique, néolithique, dolmens et sarcophages... il se montrait intarissable. Je me contentais d'opiner du chef d'un air entendu... Je ne sais si j'y parvins mais l'archéologue ronronnait : c'est un petit homme au teint fleuri, au crâne chauve et à la face de lune ; ses petits yeux vous sourient à travers des verres épais comme des culs de bouteille. Je ne connais personne comme lui, capable de s'emballer sans qu'il soit besoin de l'aiguillonner. Il m'exposa sa théorie en long et en large et ne m'épargna aucun argument, quoique je n'y entendisse goutte. Après quoi il entreprit de m'expliquer ses divergences de vue avec le colonel Protheroe.

– Un vieux butor entêté, s'emporta-t-il. Je sais bien que le bonhomme est mort et qu'il n'est pas chrétien de médire des morts, mais la mort ne change rien à l'affaire. Un vieux butor entêté, voilà ce qu'il était. Sous prétexte qu'il avait lu quelques livres, il se prenait pour une autorité... quand vous pensez que j'ai passé toute ma vie à creuser le sujet ! Toute ma vie, Mr Clement, vous m'entendez ? Toute ma vie...

L'énervement le faisait bégayer. Gladys Cram le ramena sur terre d'une remarque anodine.

– Attention ! Vous allez rater votre train !

– Oh ! (Le petit homme s'arrêta net et sortit sa montre de sa poche.) Bon Dieu ! moins le quart ! Ce n'est pas possible.

– Quand vous vous lancez dans un de vos discours, le temps n'existe plus. Que feriez-vous si je n'étais pas là ?

– Vous avez raison, mon petit. (Il lui tapota l'épaule avec affection.) Elle est merveilleuse, Mr Clement. Elle pense à tout... On peut dire que j'ai de la chance de l'avoir dénichée.

– Allons, allons, Pr Stone, minauda la chère petite. Vous allez me pourrir !

Je ne pus m'empêcher de penser que ceux qui flairaient le mariage du Pr Stone et de miss Cram n'avaient peut-être pas tort. À sa façon, miss Cram était en effet du genre plutôt futé.

– C'est l'heure, dit-elle.

– C'est bon, c'est bon, j'y vais.

Il disparut dans la pièce voisine et revint chargé d'une valise.

– Vous partez ? m'étonnai-je.

– J'ai à faire à Londres, m'expliqua-t-il. Je dois voir ma vieille mère demain, j'ai rendez-vous avec mon avocat lundi et je reviens mardi. Au fait, j'espère que la mort du colonel ne changera rien à nos arrangements en ce qui concerne les fouilles, et que Mrs Protheroe consentira à me laisser poursuivre mon travail.

– Sans aucun doute.

Tout en l'écoutant, je me demandai à part moi qui prendrait désormais les rênes de Old Hall. Peut-être Lettice hériterait-elle. En tout cas il serait intéressant de connaître les dispositions prises par le colonel Protheroe.

– La mort cause bien des tracas, observa miss Cram d'un air mélancolique. Si vous saviez comme ça peut faire du mal dans une famille...

– Allons ! c'est l'heure, dit le Pr Stone en cherchant en vain à empoigner sa valise, un plaid et un parapluie géant.

Je vins à sa rescousse mais il protesta :

– Ne vous dérangez pas... Ne vous dérangez pas. Ça ira. Je demanderai à quelqu'un, en bas.

Mais en bas, il n'y avait plus âme qui vive. Les journalistes devaient payer à boire à toute la galerie, et l'heure tournait. Aussi prîmes-nous le chemin de la gare, le Pr Stone chargé de sa valise, et moi du plaid et du parapluie.

Nous nous hâtions, hors d'haleine.

– Vous êtes vraiment trop bon..., ahanait le Pr Stone. Je ne voulais pas... vous déranger. J'espère que nous n'allons pas manquer... le train... Gladys est une bonne fille... Elle est merveilleuse... et elle a bon caractère... elle n'est pas très heureuse chez elle... mais elle a un cœur d'or... un cœur d'or, je vous assure... Bien sûr, il y a la différence d'âge... mais nous avons beaucoup de points communs...

Si elle l'avait entendu, miss Marple ne se serait pas privée d'évoquer d'autres couples dans le même cas.

La maison de Lawrence Redding nous apparut juste comme nous tournions au coin de la rue menant à la gare. Elle est construite à l'écart et plutôt isolée. Deux jeunes gens bien mis se tenaient sur le seuil, et j'en aperçus deux autres à la fenêtre. Les journalistes étaient à la noce.

– Redding est un brave garçon, dis-je pour voir la réaction de mon compagnon.

Il était à bout de souffle et pouvait à peine parler, mais il souffla un mot que je ne compris pas tout d'abord.

– Dangereux, cracha-t-il quand je lui demandai de répéter. Très dangereux, même. Toutes les jeunes filles en sont folles... il n'y a pas pire... se laisser baratiner par un type comme ça... toujours à leur tourner autour... C'est très mauvais...

L'unique jeune homme de St. Mary Mead n'était apparemment pas passé inaperçu aux yeux de la blonde Gladys elle-même.

– Bon Dieu ! Le train, éructa Stone.

Nous n'étions plus qu'à deux pas de la gare et nous mîmes à courir. Le train venant de Londres était à quai et celui qui s'y rendait entrait en gare.

En franchissant le guichet, nous bousculâmes un beau jeune homme que je reconnus comme le neveu de miss Marple. Sa prestance et son air d'indifférence furent un instant assombris par cette promiscuité forcée, et il chancela. Je m'excusai brièvement et nous nous ruâmes sur le quai. Le Pr Stone grimpa dans le premier wagon et

181

je lui passai ses bagages tandis que le train s'ébranlait dans un sursaut involontaire.

Je lui fis adieu de la main et revins sur mes pas. Raymond West avait disparu mais je rejoignis notre pharmacien, qui répond au nom évocateur de Cherubim, et qui s'acheminait lentement vers le village.

– Il a bien failli manquer son train, fit-il. Au fait, comment va notre enquête, Mr Clement ?

Je lui rapportai le verdict.

– Ah ! voilà... Je croyais que l'audience avait été ajournée. Et où partait si vite le Pr Stone ? Il a eu de la chance de ne pas le rater, m'expliqua-t-il après que je l'eus renseigné. On ne sait jamais, sur cette ligne. C'est une honte, je vous assure ! Un scandale ! Mon train avait dix minutes de retard. Et c'était un samedi... un jour où il n'y a pas grand monde. Et l'autre jour, mercredi... non, jeudi plutôt... oui, c'est bien cela, jeudi... le jour du meurtre. Je ne l'ai pas oublié car j'avais la ferme intention d'écrire une lettre salée à la compagnie des chemins de fer, mais cette histoire de meurtre me l'a complètement sorti de la tête. Alors, je vous disais, jeudi dernier, j'avais une réunion avec l'association des pharmaciens, eh bien, savez-vous combien le 18 h 50 avait de retard ? Une demi-heure ! Une demi-heure, vous m'entendez ? Qu'est-ce que vous dites de ça ? Dix minutes, passe encore, mais s'il arrive à 19 h 20, pourquoi parle-t-on du 18 h 50 ? Sans compter que vous n'êtes pas chez vous avant la demie.

– En effet, dis-je, me demandant comment m'esquiver.

Et je le plantai là, sous prétexte que j'avais quelque chose à dire à Lawrence Redding que je venais d'apercevoir, de l'autre côté de la rue.

19

– Je suis très heureux de vous rencontrer, fit Lawrence. Venez donc à la maison.

Nous franchîmes un petit portail rustique, longeâmnes une allée et mon compagnon sortit une clef de sa poche pour l'introduire dans la serrure.

– Vous fermez donc à clef, fis-je observer.

– On ferme l'écurie lorsque le cheval est parti, ricana-t-il avec amertume. (Il s'effaça pour me laisser entrer et poursuivit :) Il y a quelque chose de déplaisant dans cette affaire. C'est trop... comment dire ?... c'est l'œuvre de quelqu'un qui est trop au fait des choses. Quelqu'un connaissait l'existence du revolver ; ce qui signifie que le meurtrier, quel qu'il soit, était déjà venu chez moi, que je lui avais peut-être même offert un verre.

– N'en croyez rien, objectai-je. Je parierais que tout St. Mary Mead sait où vous rangez votre brosse à dents et connaît la marque de votre dentifrice.

– Et en quoi cela pourrait-il intéresser les gens d'ici ?

– Je l'ignore, mais ils se passionnent pour ces choses-là, et si vous venez à changer de crème à raser, il n'est plus question que de cela.

– Faut-il qu'on n'ait rien à faire dans ces villages !

– C'est bien là le drame. Il ne se passe jamais rien, ici.

– On ne peut plus en dire autant, à présent. Mais qui peut bien colporter des ragots sur les brosses à dents et les crèmes à raser ?

– Disons que c'est la vieille Mrs Archer.

– Ce vieux chameau ? Elle est un peu simple d'esprit, non ?

– C'est ce que vous croyez. Les pauvres gens passent souvent pour des imbéciles, mais vous vous apercevrez peut-être un jour que cette femme a toute sa tête. Au fait, elle affirme que le revolver était bien là jeudi à midi, et je me demande ce qui a pu l'en convaincre.

– Je n'en sais fichtre rien.

– Croyez-vous qu'elle a raison ?

– Encore une fois, je l'ignore. Je ne passe pas mes journées à faire l'inventaire...

J'examinai le petit salon : la moindre étagère, le moindre guéridon était encombré des objets les plus divers. Lawrence vivait entouré d'un désordre bohème qui m'eût rendu fou.

– Ce n'est pas une mince affaire de mettre la main sur ce que je cherche, parfois, fit-il en me lançant un coup d'œil rapide. D'un autre côté, j'ai tout sous la main, tout est là...

– Je ne le nierai pas, dis-je. Mais peut-être ce revolver aurait-il dû être rangé quelque part.

– J'étais sûr que j'aurais droit à une pique de la part du coroner. Les coroners sont tellement idiots ! Je l'attendais au tournant.

– Le revolver était-il chargé ?

– Je ne suis pas fou, fit Lawrence avec un signe de

dénégation, mais il y avait une boîte de cartouches à côté.

– Le chargeur contenait six balles dont une seule a été tirée.

– Et qui a tiré ? enchaîna Lawrence. J'aimerais bien le savoir car, à moins de trouver le meurtrier, c'est moi qui serai soupçonné jusqu'à la fin de mes jours.

– Allons, allons, mon garçon...

– C'est pourtant la vérité ! (Il réfléchit un instant, puis finit par lâcher :) Je vais vous raconter ce que j'ai fait, hier soir. Je ne vous apprendrai rien si je vous dis que miss Marple est au courant de tout.

– Et je sais qu'on a tendance à lui en vouloir à cause de ça, admis-je.

Suivant le conseil de la vieille demoiselle, Lawrence s'était donc rendu à Old Hall, et là, avec la caution d'Anne, il avait interrogé la petite bonne.

– Mr Redding aimerait vous poser une ou deux petites questions, Rose, avait dit Mrs Protheroe avant de les laisser seuls.

Lawrence se sentait un peu nerveux. Rose était une jolie fille de vingt-cinq ans environ, et elle posait sur lui un regard innocent qui n'était pas fait pour l'enhardir.

– C'est au sujet de... de la mort du colonel...

– Oui, monsieur.

– Je tiens par-dessus tout à découvrir la vérité, comprenez-vous ?

– Oui, monsieur.

– Peut-être que quelqu'un... quelque chose... Il a pu se produire un fait qui... que... (Il enrageait d'être aussi lamentable et, en son for intérieur, maudit l'instigatrice de cette entrevue.) Peut-être pourriez-vous m'aider, réussit-il à dire.

– Comment, monsieur ?

Le comportement de Rose était irréprochable ; elle était polie et attentive, mais rien ne l'atteignait.

– Bon sang ! fit enfin Lawrence. N'avez-vous donc pas parlé de cette affaire entre vous, à l'office ?

Cette attaque frontale fit monter le rouge aux joues de Rose. Sa belle indifférence avait été ébranlée.

– À l'office, monsieur ?

– Ou chez le gardien, ou à l'écurie, n'importe où... vous devez bien parler entre vous !

Rose parut soudain éprouver une furieuse envie de rire et ce fut un encouragement pour Lawrence.

– Vous êtes une bonne fille, Rose, mettez-vous à ma place : je ne tiens pas à être pendu. Ce n'est pas moi qui ai tué votre maître, quoi que continuent d'en penser bon nombre de personnes. Je vous en prie, aidez-moi !

J'eus une vision de Lawrence en cet instant, de son beau visage tendu, de ses yeux bleus suppliants... Il n'en avait pas fallu davantage pour que Rose baissât les armes.

– Oh ! monsieur, je suis sûre... Si nous pouvions être d'un quelconque secours... Nous ne pensons pas que vous l'avez tué. Ça, non !

– Je m'en doutais, ma fille. Mais votre certitude n'est d'aucune utilité aux yeux de la police.

– La police ! sursauta Rose. Je vais vous dire une chose, monsieur : nous n'aimons guère l'inspecteur, ici. L'inspecteur Flem, je crois... Si c'est ça, la police...

– Mais la police a tous les pouvoirs, Rose. Vous voulez m'aider ? Eh bien, je vais vous en donner l'occasion :

parlez-moi de la dame qui est venue rendre visite au colonel, la veille du meurtre.

– Mrs Lestrange ?

– Voilà, Mrs Lestrange ! Pour moi, cette visite est suspecte.

– Vous avez bien raison, monsieur. C'est ce que nous avons pensé, nous aussi.

– Ah bon ?

– Venir à cette heure-là ! Et demander après le colonel... Bien sûr, nous en avons parlé entre nous... Nous ne l'avions jamais vue, ici. Mrs Simmons, la gardienne, a dit qu'elle était louche. Mais après ce que m'a rapporté Gladdie, je ne sais plus que penser.

– Gladdie vous a dit quelque chose ?

– Oh ! pas grand-chose, monsieur. C'est juste que... enfin, on en a parlé, vous voyez ?

Lawrence la regarda. Ne lui cachait-elle pas quelque chose ?

– Je serais curieux de savoir sur quoi portait la conversation entre Mrs Lestrange et le colonel.

– Oui, monsieur.

– Vous le savez, n'est-ce pas, Rose ?

– Moi ? Non, monsieur. Pas du tout. Comment pourrais-je le savoir ?

– S'il est vrai que vous voulez m'aider, Rose, et si vous avez entendu quoi que ce soit, n'importe quoi... même une petite chose... je vous serais très reconnaissant de bien vouloir me le dire. Après tout, il arrive qu'on ait l'occasion d'entendre un mot...

– Moi, je n'ai rien entendu, monsieur. Rien du tout !

– Mais peut-être quelqu'un d'autre...

– C'est que...

– N'ayez pas peur, Rose, dites-le-moi.

– Mais Gladdie va...

– Gladdie elle-même vous demanderait de me le répéter. Mais au fait, qui est Gladdie ?

– Elle aide à la cuisine, monsieur. Et justement, elle était sortie pour parler à un de ses amis, et elle passait devant la fenêtre du bureau, et le maître était là avec cette dame. Et, bien sûr, il parlait très fort, comme d'habitude. Et par curiosité, je veux dire...

– Je comprends ! Qui n'en eût fait autant ?

– Elle ne l'a répété à personne, sauf à moi, et nous avons trouvé ça plutôt bizarre. Gladdie ne pouvait rien dire à personne, car si on avait su qu'elle était sortie pour parler à... à son ami, Mrs Pratt, la cuisinière lui aurait sûrement tiré les oreilles. Mais je suis sûre qu'elle vous le racontera volontiers, à vous, monsieur.

– Je peux peut-être aller la voir à la cuisine ?

– Oh ! surtout pas, monsieur ! s'écria Rose horrifiée à cette idée. C'est impossible. Et puis, Gladdie est très timide.

Les choses finirent par s'arranger après une interminable discussion, et rendez-vous fut pris dans un bosquet du parc.

C'est là qu'à l'heure dite Lawrence rencontra la timide Gladdie, tremblante comme un petit animal peureux. Il ne fallut pas moins de dix minutes pour calmer la pauvre fille, dix minutes pendant lesquelles elle lui expliqua qu'elle n'aurait jamais dû... qu'elle ne devrait pas... qu'elle n'aurait pas cru que Rose... qu'elle n'avait pas voulu mal faire... et qu'elle risquait de se faire sermonner d'une belle manière si jamais Mrs Pratt avait vent de cette histoire.

Lawrence la rassura, la consola, la persuada, et Gladdie consentit enfin à parler :

– Je compte sur vous, monsieur, personne n'en saura rien ?

– Je vous le jure.

– Et on ne s'en servira pas contre moi au tribunal ?

– Du tout !

– Et Madame n'en saura rien ?

– En aucun cas.

– Si Mrs Pratt savait que...

– Elle ne le saura pas. Allez-y, je vous écoute.

– Vous êtes sûr que je dois...

– Mais oui. Un jour, vous serez bien contente de m'avoir sauvé la vie.

– Oh ! monsieur, je ne veux pas vous voir pendu ! s'étrangla Gladdie. Eh bien, voilà, je n'ai presque rien entendu... et c'était par hasard, je vous le jure.

– J'en suis sûr...

– Le colonel était hors de lui. « Après toutes ces années, vous osez venir ici, criait-il. C'est une honte... » Je n'ai pas entendu ce que la dame a répondu mais un moment après, il a dit : « Je refuse. Il n'en est pas question... pas-ques-tion ! » Je ne me souviens pas de tout, mais ce qui est sûr, c'est qu'ils se disputaient comme des chiffonniers ; elle voulait quelque chose et lui n'était pas d'accord. « N'avez-vous pas honte de venir ici ? » a-t-il dit encore. Et aussi : « Vous ne la verrez pas... Je vous l'interdis. » Cela m'a fait dresser l'oreille. Peut-être que la dame elle voulait dire quelque chose à Mrs Protheroe

189

et que le colonel il avait peur de ce qu'elle voulait lui dire. Voyez-moi ça ! Que j' me suis dit. Le maître... ce mal embouché. Et même pas beau, avec ça ! Les hommes sont bien tous les mêmes, comme j'ai dit à mon ami, un peu plus tard. Il y croyait pas lui : ça l'étonnait de la part du colonel... un marguillier qui faisait la quête à l'office et qui lisait la Bible le dimanche. « Ma mère, elle disait que c'étaient bien souvent les pires », voilà ce que je lui ai répondu.

Essoufflée, Gladdie s'interrompit et Lawrence s'évertua avec tact à la ramener au cœur du sujet.

– Avez-vous entendu encore autre chose ?

– Je ne m'en souviens pas bien, monsieur. Il répétait toujours la même chose : « Vous ne me le ferez pas croire » comme ça, et puis : « Je me fiche de ce que dit Haydock ; vous ne me le ferez pas croire. »

– Vous avez bien entendu : « Je me fiche de ce que dit Haydock » ?

– Il a même crié que c'était un complot contre lui.

– Et que disait la dame ?

– Je n'ai entendu que la fin. Elle avait dû se lever pour partir et elle s'était approchée de la fenêtre. Là, j'ai senti mon sang se glacer. « Il se pourrait que demain, à la même heure, on vous retrouve mort. » Voilà ce qu'elle a dit d'une voix mauvaise. Et dès que j'ai appris la nouvelle : « Tu te rends compte ! » que j'ai dit à Rose. « Tu te rends compte ! »

Lawrence resta un long moment perdu dans ses pensées. Jusqu'à quel point pouvait-il croire au récit de Gladdie ? Ce devait être la vérité *grosso modo*, mais n'avait-elle pas enjolivé la scène depuis le crime ? Cette dernière phrase, surtout... Il fallait s'en méfier. Elle avait pu être forgée de toutes pièces après le meurtre.

Il remercia Gladdie, la récompensa généreusement et la rassura de nouveau : Mrs Pratt n'en saurait rien. Puis il quitta Old Hall, pensif et tourmenté.

Une chose était claire : l'entrevue de Mrs Lestrange et du colonel Protheroe avait été orageuse, et le colonel l'avait cachée à sa femme.

La double vie du marguillier de miss Marple me revint à l'esprit. Était-ce le cas, cette fois encore ?

Et le rôle de Haydock dans l'affaire m'intriguait. N'avait-il pas épargné à Mrs Lestrange de paraître à l'audience ? Il avait fait tout ce qui était en son pouvoir pour la protéger contre la police.

Jusqu'à quel point la défendrait-il ?

En supposant qu'il la soupçonne d'être l'auteur du crime, irait-il jusqu'à la couvrir ?

C'était une femme étrange et douée d'un puissant magnétisme. L'idée qu'elle pût d'une façon quelconque être mêlée au crime me révoltait.

Une voix en moi soufflait : ce ne peut pas être elle. Et pourquoi pas ? Parce que c'est une femme très belle et très séduisante, voilà pourquoi ! me chuchotait une autre petite voix. Miss Marple avait raison : un pasteur n'en est pas moins homme.

20

J'arrivai au presbytère en pleine querelle domestique. Griselda m'accueillit dans l'entrée, les larmes aux yeux, et m'entraîna au salon :

— Elle nous quitte.

— Qui nous quitte ?

— Mary, elle rend son tablier.

— Allons, allons ! dis-je, incapable de prendre cette nouvelle au tragique, nous en trouverons une autre.

C'était la solution la plus sage à mon sens : lorsqu'une bonne vous quitte, vous en engagez une autre ; aussi ne comprenais-je pas la raison des regards chargés de reproche que me lançait Griselda.

— Quel homme sans cœur vous faites, Len. On voit bien que cela vous importe peu.

Elle avait raison, et j'étais même soulagé à la perspective de ne plus avoir à ingurgiter des puddings brûlés et des légumes à moitié crus.

— Je serai obligée d'en chercher une autre et de tout lui apprendre, se lamenta Griselda.

— Mary a-t-elle jamais appris quoi que ce soit ?

— Mais oui ! s'exclama mon épouse.

— Quelqu'un l'aura entendue nous donner du « madame... monsieur » et lui aura prêté tous les mérites... il ne va pas tarder à déchanter...

— N'en croyez rien, personne ne veut nous la souffler, et d'ailleurs le contraire m'eût étonnée, mais elle a été piquée au vif car Lettice Protheroe lui a reproché de mal faire la poussière.

Griselda ne cesse de m'étonner par ses déclarations, mais cette fois, mon étonnement me poussa à lui demander des précisions. Miss Protheroe avait-elle eu le front de venir faire des reproches à notre bonne sur la qualité de ses prestations au presbytère ? Ce n'était guère de Lettice, et je le fis observer à Griselda.

– Je ne vois pas en quoi Lettice Protheroe est concernée par le ménage au presbytère.

– Moi non plus ! C'est ridicule et c'est pourquoi vous devriez aller voir Mary. Elle est à la cuisine.

Je n'avais aucune envie de voir Mary mais, sans me laisser le temps de protester, Griselda me poussa gentiment quoique fermement vers la porte capitonnée qui séparait la salle à manger de la cuisine.

Mary était occupée à peler des pommes de terre devant l'évier.

– Euh... bonjour, dis-je timidement.

Elle jeta un coup d'œil sur moi et renifla sans répondre.

– Mrs Clement me dit que vous auriez l'intention de nous quitter ?

Mary condescendit à répondre, la mine sombre :

– On n'est pas obligé de tout supporter.

– Je ne comprends pas...

– Hein ?

– Vous ne voulez pas me dire ce qui vous a contrariée de la sorte ?

– Ce sera vite fait ! (Elle exagérait un peu.) Il y a des gens qui viennent et fourrent leur nez partout ici, dès que j'ai le dos tourné, et qui farfouillent dans tous les coins. De quoi ils se mêlent, à dire que le ménage n'est

193

pas fait dans le bureau, ou qu'il y a du désordre ? Si votre dame et vous ne vous plaignez de rien, ça ne regarde pas les autres. Si ça vous va, ça me va aussi.

Mais cela ne m'allait pas du tout et j'aurais de loin préféré que la maison soit impeccable et bien rangée. Se contenter de donner un coup de chiffon sur les tables basses était loin d'être suffisant à mes yeux, mais l'heure n'était pas à ces détails.

— Et ils m'ont convoquée à l'audience... moi, une fille respectable, répondre aux questions d'une douzaine d'hommes ! laissez-moi vous dire une chose, monsieur : c'est la première et la dernière fois que je suis placée dans une maison où on tue un homme.

— Espérons-le ! mais si l'on en croit la loi des probabilités vous n'avez guère de chances...

— Je ne veux rien avoir à faire avec la loi, moi. Le colonel était magistrat, lui, et Dieu sait combien de pauvres gens sont allés en prison à cause de lui, pour avoir chopé un lapin, ou ses maudits faisans... Il n'est pas encore en terre et sa fille vient dire que je fais mal mon travail !

— Miss Protheroe est venue ici ?

— Je l'ai trouvée dans le bureau en revenant du *Sanglier bleu*. « Je cherche mon petit béret jaune, qu'elle a fait. Un petit bibi jaune que j'ai oublié l'autre jour. » Moi, je n'ai pas vu de bibi quand j'ai fait le bureau, jeudi matin, et je le lui ai dit. « Pas étonnant, le ménage est vite fait, avec vous, hein ? » qu'elle m'a répondu. Et voilà qu'elle passe son doigt sur la tablette de la cheminée et le regarde... Comme si j'avais que ça à faire, ce matin-là, enlever tous les bibelots et faire la poussière, avec la

194

police qui avait rouvert la porte juste la veille. « Si Madame et Monsieur sont contents de mes services, moi aussi, miss », que j'ai dit. Elle est sortie par la porte-fenêtre en riant et m'a demandé : « Et vous êtes bien sûre qu'ils en sont contents, de vos services ? »

– Je vois...

– Mais j'ai ma fierté, moi ! Je m'échine au travail pour vous et votre dame, et je suis toujours prête quand il faut essayer une nouvelle recette.

– Pour ça, oui, dis-je pour la calmer.

– Quelque chose sera parvenu aux oreilles de miss Protheroe sinon elle n'aurait jamais dit ça. Si vous n'êtes pas contents de moi, je préfère partir. Notez que je me fiche de ce qu'elle a dit, je sais qu'ils ne l'aiment pas beaucoup à Old Hall. Jamais un « s'il vous plaît », jamais un « merci » et il paraît qu'elle laisse tout traîner. Je me ficherais bien de miss Lettice Protheroe mais c'est Mr Dennis... Elle sait y faire pour entortiller les garçons.

Mary n'avait cessé, pendant son discours, d'extraire les yeux des pommes de terre si vigoureusement qu'ils sautaient à travers la cuisine et que l'un d'eux m'arriva dans l'œil, interrompant un instant notre conversation.

– N'avez-vous pas été trop prompte à vous sentir offensée ? risquai-je en me tamponnant l'œil avec mon mouchoir. Mrs Clement serait navrée de vous perdre, Mary.

– Je n'ai rien contre votre dame, ni contre vous, monsieur.

– Dans ce cas, ne soyez pas stupide...

– J'étais toute retournée après l'enquête et tout,

renifla Mary. J'ai ma fierté mais je ne voudrais pas embê-
ter Madame.

– C'est fini, allons ! conclus-je en quittant la cuisine.

Griselda et Dennis m'attendaient dans l'entrée.

– Eh bien ? fit ma femme.

– Elle ne part plus, soupirai-je.

– J'étais sûre que vous sauriez vous y prendre, Len.

Ce n'était pas du tout mon avis. Je restais convaincu
qu'il n'y avait pire cuisinière que Mary, et que dans tous
les cas, nous aurions gagné au change. Néanmoins, j'énu-
mérai les griefs de Mary pour faire plaisir à Griselda.

– C'est tout Lettice, dit Dennis. Je me demande
comment elle aurait pu laisser son béret jaune au
presbytère, mercredi, puisqu'elle le portait jeudi au
tennis.

– Cela paraît l'évidence même, dis-je.

– Elle perd tout, expliqua Dennis avec une sorte
d'admiration affectueuse qui n'était guère de mise, selon
moi. Elle perd un million de choses par jour !

– Belle qualité, en vérité, fis-je observer.

– Elle est pleine de qualités, soupira-t-il, imperméable
à mes sarcasmes. On ne cesse de la demander en
mariage... c'est elle-même qui me l'a dit.

– Ce sont sans doute des propositions malhonnêtes,
remarquai-je, car il n'y a pas un seul garçon à marier
dans les parages.

– Il y a le Pr Stone, dit Griselda avec un coup d'œil
malicieux. (Je devais admettre qu'il l'avait invitée à visiter
ses fouilles.) C'est tout naturel, Len, ajouta-t-elle, même
les archéologues chauves peuvent s'apercevoir que
Lettice est une beauté.

– Elle a du chien, dit Dennis d'un air de connaisseur.

– Pourtant, son charme laisse Lawrence Redding complètement indifférent, rétorqua Griselda avant d'expliquer : Il est très séduisant lui-même, mais ce qui lui plaît, ce sont les femmes puritaines... du genre quaker, réservées, froides. Anne est à mon avis la seule femme capable de le retenir. Ils sont faits l'un pour l'autre mais d'un autre côté, il s'est conduit comme un imbécile et n'a pas hésité à se servir de Lettice. Il ne s'est même pas aperçu qu'elle n'avait d'yeux que pour lui. C'est sa façon d'être modeste car à mon avis, il ne la laisse pas indifférente.

– Elle ne peut pas le sentir, dit Dennis, catégorique. Elle me l'a répété cent fois.

Je ne pus m'empêcher de noter le silence méprisant avec lequel Griselda accueillit cette remarque et me retirai dans mon bureau.

Une atmosphère inquiétante baignait la pièce. Je devais lutter contre cette impression car, si je m'abandonnais ne fût-ce qu'une fois à mon sentiment de malaise, je ne pourrais jamais y remettre les pieds. Pensif, je marchai jusqu'à ma table. C'est là que Protheroe s'était assis, avec son visage rougeaud et autoritaire. C'est là qu'il avait été abattu. Son ennemi s'était tenu là où je me tenais.

Et puis... ç'avait été la fin de Protheroe. Voilà le porte-plume qu'il avait tenu entre ses doigts.

On voyait encore une tache sombre sur le plancher... Le tapis avait été expédié chez le teinturier, mais le sang avait traversé les fibres.

– Il m'est impossible de travailler ici, dis-je tout haut en frissonnant. Impossible.

Puis mon regard fut attiré par quelque chose... Une tache bleu clair sur le sol. Je me baissai pour ramasser un petit objet sous le bureau.

Je le tenais dans ma paume ouverte et l'examinais quand Griselda entra.

– J'avais oublié, Len : miss Marple compte sur nous après le dîner pour distraire son neveu. Elle ne voudrait pas qu'il s'ennuie... J'ai accepté l'invitation.

– Très bien, ma chérie.

– Qu'avez-vous dans la main ?

– Rien, rien, dis-je en refermant le poing et, la regardant, je remarquai : si Mr Raymond West n'apprécie pas votre compagnie, ma chérie, c'est qu'il est bien difficile.

– Vous exagérez, Len, dit ma femme en rougissant.

Elle quitta la pièce et je me remis à examiner le petit objet, dans ma paume : c'était une boucle d'oreille bleue, ornée d'un lapis-lazuli serti de perles minuscules.

Le bijou était original et je me rappelais fort bien où je l'avais vu, la dernière fois.

21

Je mentirais en prétendant nourrir une vive admiration pour Mr Raymond West. Je sais qu'il passe pour un brillant romancier et qu'il s'est fait un nom comme poète. Il écrit des poèmes sans ponctuation, ce qui est, paraît-il, le comble du modernisme. Ses livres sont remplis de personnages odieux qui s'évertuent à sortir de leur médiocrité.

Il voue à sa « tante Jane » une affection un peu condescendante et la traite comme un vivant témoignage du passé. Elle-même l'écoute avec une attention flatteuse et, si ses yeux pétillants s'allument parfois d'une lueur amusée, Mr West n'a jamais fait mine de s'en apercevoir.

Il ne tarda pas à monopoliser Griselda et ils passèrent en revue toutes les pièces de théâtre contemporaines avant de définir le goût du jour en matière de décoration. Griselda affecte de se moquer de Raymond West, mais elle n'est pas insensible à sa conversation.

Pendant que je bavardais sans enthousiasme avec miss Marple, j'entendis son neveu répéter plusieurs fois : « ...enterrée comme vous l'êtes dans ce trou... » et je sentis la moutarde me monter au nez.

– Vous nous croyez sans doute totalement coupés du monde, ici ? lui demandai-je à brûle-pourpoint.

– Pour moi, St. Mary Mead est une mare d'eau stagnante, fit-il, pontifiant, en agitant mollement sa cigarette.

Il nous regarda, prêt à essuyer une grêle de protestations, mais sa provocation tomba à plat, à son vif dépit.

– La comparaison est impropre, mon cher Raymond, dit miss Marple d'un ton animé. Rien n'est plus vivant qu'une goutte d'eau provenant d'une mare stagnante vue au microscope.

– Vivant... d'une drôle de vie, concéda l'écrivain.

– Mais c'est toujours la vie, dit miss Marple.

– Je ne savais pas que vous vous preniez pour un spécimen des eaux stagnantes, tante Jane.

– N'est-ce pas là le thème de votre dernier livre, mon cher ?

Aucun romancier digne de ce nom n'aime à se voir contredit par ses propres romans, et Raymond West ne faisait pas exception à la règle.

– Cela n'a rien à voir, aboya-t-il.

– Après tout, la vie n'est-elle pas toujours la vie ? reprit miss Marple avec sérénité. Naître, grandir, rencontrer ses semblables, s'affronter à eux, se marier, avoir des enfants...

– Et mourir, conclut West. Et parfois même sans certificat de décès. Devenir un mort vivant, en somme.

– Au fait, savez-vous qu'il y a eu un meurtre, à St. Mary Mead ? fit Griselda.

Raymond West balaya cette histoire de meurtre d'un revers de la main :

– Le meurtre est si vulgaire ! Aucun intérêt...

Je n'en croyais pas un mot. On dit que l'on aime ceux qui aiment, le même adage pourrait s'appliquer au meurtre : nul ne saurait rester indifférent à un meurtre. Des gens sans prétentions, comme Griselda et moi, sont tout prêts à l'admettre, mais un homme comme Raymond West se croit obligé de prétendre le contraire... du moins pendant cinq minutes, car il fut bientôt remis à sa place.

– Nous n'avons parlé que de cela durant tout le dîner, fit remarquer sa tante.

– Je suis passionné par les nouvelles locales, se hâta d'expliquer Raymond avec un sourire patelin.

– Et quelle est votre opinion ? demanda Griselda.

– Logiquement, énonça Raymond West en traçant des cercles avec sa cigarette, une seule personne a pu tuer Protheroe.

– Ah oui ? fit Griselda.

Nous étions suspendus à ses lèvres.

– Le pasteur, fit-il en pointant son doigt sur moi. (Je sursautai.) Bien sûr, me rassura-t-il aussitôt, je sais qu'il n'en est rien. Les choses ne sont jamais ce qu'elles devraient être. Mais quel scénario ! Le marguillier tué par le pasteur, dans le bureau du presbytère. Superbe !

– Et le mobile ? demandai-je.

– Ah ! voilà qui est intéressant. (Il laissa sa cigarette s'éteindre.) Peut-être un complexe d'infériorité... De la rancœur accumulée... Je devrais en faire un roman... d'une stupéfiante complexité. Semaine après semaine, année après année, le pasteur a vu son marguillier dans les réunions d'administration de la paroisse et lors des excursions des enfants de chœur ; il l'a vu faire la quête pendant les offices et rapporter les offrandes à l'autel ; il ne l'a jamais aimé et a toujours dû cacher son jeu. Ce n'est guère charitable et il lutte contre son antipathie. Mais elle couve, et un beau jour...

Il fit un geste expressif.

– Vous reconnaissez-vous dans ce tableau, Len ? me demanda Griselda.

– Pas du tout, répliquai-je, sincère.

– Et pourtant j'ai entendu dire que vous aviez souhaité sa mort, remarqua miss Marple.

Encore ce maudit Dennis ! Mais je l'avais bien cherché.

– Je dois reconnaître que c'est vrai, lâchai-je. C'était une réflexion stupide de ma part ; pour ma défense, je dois avouer que nous avions eu une matinée épouvantable.

– Quel dommage ! fit West. Car si vous aviez inconsciemment le projet de vous débarrasser de lui, vous n'auriez jamais laissé échapper cette remarque. Ma théorie s'effondre, soupira-t-il. Encore un de ces meurtres banals, vengeance de braconnier ou autre.

– J'ai eu la visite de miss Cram, cet après-midi, annonça miss Marple. Nous nous étions croisées au village et je lui avais proposé de venir voir mon jardin.

– Elle a donc du goût pour le jardinage ? demanda Griselda.

– Je n'irais pas jusque-là, fit miss Marple avec un clin d'œil, mais c'était un prétexte tout trouvé pour bavarder un peu, n'est-ce pas ?

– Vous en avez tiré quelque chose ? demanda Griselda. C'est une brave fille, je crois.

– Je n'ai pas eu besoin de lui poser de questions : elle m'a parlé d'elle, de sa famille, d'un tas de choses ! Ses parents sont morts ou vivent aux Indes. C'est bien triste ! Au fait, elle est à Old Hall pour le week-end.

– Comment ?

– Mrs Protheroe le lui a demandé, à moins qu'elle ne l'ait suggéré elle-même à Mrs Protheroe. Je ne connais pas les détails, mais c'est pour du secrétariat. Il y a du courrier à faire... vous savez ce que c'est. Et comme le Pr Stone est absent, miss Cram était inoccupée. On peut dire que ces fouilles ont été l'occasion d'un grand remue-ménage.

– Stone ? L'archéologue ? demanda West.

– C'est cela. Il a un chantier sur la propriété de Protheroe.

– C'est un homme qui connaît sa partie. Nous nous sommes rencontrés récemment dans un dîner, et nous avons eu une conversation passionnante. J'espère que je pourrai le voir.

– Malheureusement, dis-je, il est à Londres pour le week-end. D'ailleurs, cet après-midi, à la gare, vous l'avez bousculé.

– C'est vous que j'ai bousculé. N'étiez-vous pas avec un petit gros à lunettes ?

– C'était le Pr Stone.

– Mais pas du tout, mon cher ami !

– Ce n'était pas le Pr Stone ?

– Ce n'était pas l'archéologue que je connais, je puis vous l'assurer. Il ne lui ressemblait même pas.

Nous nous regardâmes, interloqués, et j'échangeai un coup d'œil avec miss Marple.

– C'est incroyable ! m'exclamai-je.

– La valise..., fit miss Marple.

– Je ne comprends pas..., commença Griselda.

– Je me souviens d'un homme qui s'était fait passer pour l'employé du gaz, il y a longtemps. Il avait récolté une petite fortune..., murmura miss Marple.

– Un imposteur, fit West. Voilà qui devient intéressant.

– Reste à savoir si c'est lié au meurtre, remarqua Griselda.

– Ce n'est pas sûr, dis-je en regardant miss Marple. Mais...

– C'est une de ces petites choses bizarres, dit-elle.
Une de plus.

– Vous avez raison, et il faut en informer l'inspecteur
tout de suite.

22

À peine avais-je exposé la situation à l'inspecteur Flem
qu'il donna quelques ordres brefs et péremptoires : rien
ne devait s'ébruiter ; miss Cram ne devait en aucun cas
se douter de quoi que ce fût et, en attendant, il envoyait
quelqu'un à la recherche de la valise.

Griselda et moi rentrâmes au presbytère, énervés par
ces développements inattendus. Nous ne pouvions parler
devant Dennis, puisque nous avions promis sur l'honneur de garder le silence. Et d'ailleurs mon neveu avait
ses propres soucis ; il vint me rejoindre dans mon bureau
et se mit à tripoter tout ce qui lui tombait sous la main,
puis resta à se dandiner d'un pied sur l'autre, l'air embarrassé. Je finis par lui demander ce qui n'allait pas.

– Voilà ! Je ne veux plus faire carrière dans la marine
marchande ! oncle Len.

– Mais tu y tenais tellement ! rétorquai-je, abasourdi,
en songeant combien sa décision première m'avait toujours paru inflexible.

– J'ai changé d'avis.

– Et que comptes-tu faire ?

– Je veux travailler dans la finance.

– Qu'entends-tu par « la finance », demandai-je, de plus en plus éberlué.

– Je veux travailler à la *City*.

– Mais tu n'aimerais pas du tout cette vie-là, crois-moi ! Même si je pouvais te faire entrer dans une banque...

Mais Dennis ne voulait pas rentrer dans une banque. J'essayai alors de lui faire préciser son souhait mais, comme je m'y attendais, il ne savait pas exactement ce qu'il voulait.

Pour lui, « être dans la finance » signifiait en toute simplicité devenir riche, et vite ; ce qui, lorsqu'on est jeune et optimiste, se réalise à coup sûr et dans les plus brefs délais à condition de travailler à la *City*. Je m'efforçai en douceur de lui faire perdre ses illusions.

– Je te croyais fou de joie à l'idée d'entrer dans la marine, dis-je. Comment ce nouveau projet a-t-il germé dans ta tête ?

– J'ai réfléchi, oncle Len. Un jour, je me marierai et... vous savez... il faut être riche pour ça.

– La réalité est souvent bien différente de ta théorie.

– Je sais, mais s'il s'agit d'une vraie jeune fille, habituée à avoir tout ce qu'elle veut...

C'était vague mais je pensais néanmoins avoir compris.

– Tu sais, dis-je doucement, les filles ne sont pas toutes comme Lettice Protheroe.

– Vous êtes injuste avec elle ! s'emporta-t-il. Vous ne l'aimez pas, et Griselda la trouve exaspérante.

Si l'on se plaçait du point de vue d'une femme, Griselda n'avait pas tort : Lettice était exaspérante. Mais

205

je comprenais qu'un jeune homme ne fût pas d'accord avec cette épithète.

– Les gens ne savent pas ce qu'est la tolérance. Même les Hartney Napier la harcèlent, dans un moment pareil. Sous prétexte qu'elle a quitté la partie de tennis avant la fin ! Et pourquoi aurait-il fallu qu'elle reste jusqu'à la fin si elle n'en avait pas envie ? C'était déjà bien gentil de sa part d'y être allée.

– Tu veux dire qu'elle leur faisait une faveur, sans doute ?

Dennis ne releva pas l'ironie. Il ne pensait qu'à prendre sa défense.

– C'est la personne la moins égoïste que je connaisse. La preuve ? Elle m'a obligé à rester chez les Hartney Napier. Je voulais la raccompagner mais elle n'a pas voulu en entendre parler ; ce serait incorrect vis-à-vis des Napier, m'a-t-elle dit. Je suis resté un quart d'heure de plus, juste pour lui faire plaisir. (La définition de la générosité a bien changé ! songeai-je.) Et maintenant, Suzanne Hartney Napier dit à qui veut l'entendre que Lettice a des mauvaises manières.

– Il ne faut pas t'inquiéter pour cela, Dennis.

– Je sais ! Mais je ferais n'importe quoi pour Lettice, explosa-t-il.

– Bien peu d'entre nous sont capables de faire n'importe quoi pour autrui, dis-je. Et même si c'est là ce que nous voulons, nous ne sommes pas toujours en mesure de le faire.

– Je voudrais être mort !

Pauvre Dennis ! Le premier amour est une maladie qui fait bien des ravages. J'évitai les platitudes habituelles et malheureusement trop vraies qui nous viennent à l'esprit dans ces moments-là, et lui souhaitai bonne nuit avant de monter me coucher.

Le lendemain matin, après le service de huit heures, je rentrai au presbytère et trouvai Griselda attablée devant son petit déjeuner, une lettre à la main. Elle portait la signature d'Anne Protheroe.

Ma chère Griselda,
Je serais très heureuse de vous avoir à déjeuner avec votre mari, sans façon, aujourd'hui. Il s'est produit un incident très étrange et je voudrais connaître l'avis de Mr Clement.
N'en dites rien en arrivant ici car je n'en ai parlé à personne.

Affection, Anne Protheroe.

– Nous irons, n'est-ce pas ? Je me demande ce qui a bien pu se passer, dit Griselda.

Je me posais la même question.

– À mon avis, dis-je à mon épouse, cette affaire n'est pas finie.

– Il reste à démasquer l'assassin, bien sûr.

– Sans parler des prolongements et des aspects cachés. Il reste à démêler bien des choses avant de faire éclater la vérité.

– Vous faites allusion aux petits incidents anodins pris isolément mais qui ralentissent l'enquête ?

– Oui, c'est à cela que je pensais.

– Tout ça, c'est des histoires, fit Dennis en se servant de confiture. Le vieux Protheroe est mort et c'est tant mieux. Personne ne l'aimait. Je sais bien que la police est là pour éclaircir le mystère... mais j'espère qu'elle échouera. Je n'ai pas envie de voir Flem se pavaner avec de l'avancement.

Je ne suis qu'un homme et j'approuvais mon neveu sur ce dernier point. Un policier qui prenait un malin plaisir à vous maltraiter et à vous brimer ne pouvait tout de même pas s'attendre à être applaudi !

– Et le Dr Haydock est d'accord avec moi, poursuivit Dennis. Ce n'est pas lui qui irait donner un meurtrier ! C'est lui-même qui l'a dit.

Voilà bien l'effet pernicieux des théories de Haydock, qu'il eût d'ailleurs été le premier à déplorer. Ce n'est pas qu'elles soient mauvaises en soi – je ne suis pas à même d'en juger –, mais elles peuvent s'insinuer dans de jeunes esprits malléables, au risque de les pervertir.

Griselda jeta un coup d'œil au-dehors et nous fit remarquer que des journalistes avaient envahi le jardin.

– Ils sont encore à prendre des photographies des fenêtres de votre bureau, soupira-t-elle.

Nous avions déjà beaucoup pâti de cette affaire ; d'abord ç'avait été la curiosité désœuvrée des gens du village et un défilé incessant de badauds ; ensuite les journalistes armés de leurs appareils photo ; puis de nouveau les gens du village venant admirer les journalistes. Nous avions fini par demander la protection de la police et un homme montait la garde à notre porte.

– Heureusement, les funérailles sont pour demain, dis-je. Ensuite les choses se tasseront.

Des journalistes rôdaient autour de Old Hall lorsque nous y arrivâmes. Certains m'abordèrent pour me poser des questions et je leur servis la meilleure parade que nous avions trouvée : « Je n'ai aucune déclaration à faire. »

Le maître d'hôtel nous fit passer au salon où nous découvrîmes miss Cram, de très bonne humeur.

– Ça vous étonne, hein ? dit-elle en nous serrant la main. Je n'y aurais pas pensé mais Mrs Protheroe est si gentille. Une jeune fille comme moi, loger au *Sanglier bleu,* seule, avec tous ces journalistes qui traînent... c'était un peu indécent. Et puis on a bien besoin d'une secrétaire ici, en ce moment, avec miss Protheroe qui ne lève pas le petit doigt...

Ainsi sa vieille animosité contre Lettice n'avait pas désarmé, songeai-je, amusé ; en revanche, Gladys était devenue une ardente partisane de Mrs Protheroe. J'allai jusqu'à me demander si le prétexte de son installation à Old Hall était bien celui qu'elle nous avait donné. L'initiative, selon elle, en revenait à Anne, mais je me permettais d'en douter. Peut-être la jeune fille s'était-elle plainte de se retrouver seule au *Sanglier bleu.* Je continuais à penser qu'on ne pouvait pas lui faire tout à fait confiance.

C'est alors qu'Anne Protheroe entra dans la pièce, toute de noir vêtue ; elle tenait à la main le journal du dimanche qu'elle me tendit avec un regard peiné.

– Je manque d'expérience dans ce domaine, mais n'est-ce pas affreux ? À l'audience, j'ai fait comprendre à un journaliste qui m'interrogeait que j'étais bouleversée et que je ne pouvais rien dire de plus. À sa question

« Voulez-vous à tout prix retrouver le meurtrier de votre mari ? », j'ai répondu : « Oui. » Ensuite, il a voulu savoir si j'avais des soupçons et j'ai dit : « Non. » « Ne pensais-je pas que le crime avait été commis par un familier ? » « Peut-être », ai-je dit. Et c'est tout. Et voilà le résultat !

Une photographie datant d'une bonne dizaine d'années s'étalait en pleine page – Dieu sait où ils étaient allés la dénicher. LA VEUVE DÉCLARE QU'ELLE N'AURA DE CESSE QUE NE SOIT DÉCOUVERT L'ASSASSIN DE SON MARI, lisait-on en gros titre. *La veuve du colonel assassiné est convaincue que le meurtrier est à rechercher parmi les proches de son mari. Ses soupçons ne sont pas encore des certitudes. Très affligée, elle affirme néanmoins sa détermination à démasquer le coupable.*

– C'est loin d'être ressemblant, n'est-ce pas ? soupira Anne.

– Je craignais que ce ne soit encore pire, répondis-je en lui rendant le journal.

– Quel culot ! s'écria miss Cram. Je voudrais bien qu'ils s'avisent de me cuisiner !...

Un clin d'œil de Griselda me fit comprendre que nous avions eu la même idée : miss Cram était sincère – elle eût adoré être interrogée par la presse.

Le repas était servi et nous passâmes à table dans la salle à manger. Lettice apparut à la moitié du repas et se glissa à sa place avec un sourire pour Griselda et un petit signe de tête pour moi. Je l'observai : elle était égale à elle-même, absente, très jolie aussi, il faut bien le dire. Elle n'avait pas encore pris le deuil et portait une robe vert pâle qui faisait ressortir son teint délicat.

– Je désirerais parler au pasteur, déclara Anne après

210

le café. Si vous le voulez bien, nous pourrions monter dans mon petit salon..., ajouta-t-elle à mon adresse.

J'allais enfin connaître le fin mot de l'affaire. Je me levai et elle me précéda dans l'escalier jusqu'à une porte à l'étage. J'ouvrais la bouche pour parler mais elle me fit signe de me taire et tendit l'oreille.

– Ils sortent dans le jardin, tant mieux. Nous n'avons qu'à monter directement.

À mon grand étonnement, elle m'entraîna au bout du couloir où se trouvait un autre petit escalier, aussi raide qu'une échelle de meunier, et s'y engagea ; je la suivis et nous nous retrouvâmes bientôt dans un corridor poussiéreux aux murs couverts d'étagères. Anne poussa une porte et s'effaça pour me laisser pénétrer dans un vaste grenier mal éclairé où s'entassait tout un bric-à-brac de malles, de vieux meubles cassés, de peintures empilées, toutes les vieilleries que l'on remise habituellement dans ce genre d'endroit.

Mrs Protheroe eut un pauvre sourire devant ma mine stupéfaite.

– Vous comprendrez que je dors d'un sommeil très léger en ce moment. Or, la nuit dernière, à trois heures du matin, il m'a semblé entendre quelqu'un marcher dans la maison. J'ai écouté pendant un long moment, puis j'ai fini par me lever pour aller voir sur le palier ; là je me suis aperçue que le bruit ne provenait pas du rez-de-chaussée mais du grenier. Je suis allée jusqu'au pied du petit escalier que nous venons d'emprunter et de nouveau il m'a semblé entendre un bruit. J'ai appelé mais personne ne m'a répondu. Tout était silencieux, aussi ai-je cru que mes nerfs m'avaient joué un tour et suis-je retournée me coucher. Mais ce matin, je suis montée ici... par curiosité, et regardez ce que j'ai trouvé !

Elle se pencha sur une toile, appuyée contre le mur, dont on ne voyait que le châssis, et la retourna.

J'eus un haut-le-corps quand je découvris un portrait à l'huile dont le visage avait été lacéré à coups de couteau et rendu méconnaissable. On voyait bien que les dégâts avaient été causés tout récemment.

– C'est incroyable ! dis-je.

– C'est le mot ! Qu'en pensez-vous ?

Je ne voyais aucune explication.

– C'est un acte de sauvagerie, dis-je, et je n'aime pas du tout cela. Il faut que son auteur ait été saisi d'une véritable folie furieuse.

– C'est ce que j'ai pensé, moi aussi.

– De qui est ce portrait ?

– Je l'ignore, d'ailleurs je ne l'avais jamais vu. Toutes ces vieilleries étaient déjà au grenier lorsque je suis venue m'installer à Old Hall, après mon mariage avec Lucius. Je n'étais jamais montée fureter ici.

– C'est incroyable ! répétai-je.

Je me baissai pour regarder les autres tableaux : paysages médiocres, chromos et reproductions mal encadrés mis au rancart.

Rien d'utile ou qui puisse nous aider. Un coffre ancien portait les initiales E.P. J'en soulevai le couvercle mais il était vide. Rien qui pût nous fournir le moindre indice.

– C'est incroyable ! répétai-je pour la troisième fois. C'est à n'y rien comprendre.

– J'avoue que cela me fait un peu peur, dit Anne.

Nous n'avions plus qu'à redescendre ; ce que nous fîmes pour aller nous enfermer au salon.

– À votre avis, dois-je alerter la police ?

J'hésitai sur le parti à prendre.

– Il est difficile de dire si...

– ... si cela est en rapport avec le meurtre, conclut Anne. Bien sûr... Mais je n'en ai pas l'impression.

– Dans ce cas, nous sommes en présence d'une autre de ces petites choses bizarres.

Chacun se perdit dans ses pensées.

– Permettez-moi de vous demander ce que vous comptez faire, maintenant.

Mrs Protheroe me regarda :

– Je vais rester à Old Hall pendant six mois, répondit-elle sur un ton de défi. Non que j'en aie envie, la perspective de continuer à vivre ici m'est odieuse, mais je n'ai pas d'autre solution, sinon tout le monde dira que je me suis sauvée parce que j'avais quelque chose à me reprocher.

– Ne croyez pas cela !

– Mais si ! Surtout quand... (Elle s'interrompit un instant avant de poursuivre :) Voyez-vous, dans six mois... j'épouserai Lawrence. (Nos yeux se croisèrent.) Nous ne tenons pas à attendre davantage.

– C'est ce que je pensais.

Soudain elle s'effondra et se prit la tête entre les mains.

– Je vous suis si reconnaissante !... J'ai la conscience tranquille car nous nous étions dit adieu, et Lawrence devait partir. Mais si nous avions projeté de nous enfuir et que Lucius soit mort à ce moment-là, ce serait terrible à présent. C'est vous, cher pasteur, qui nous avez aidés à comprendre que c'eût été une grave erreur, et vous avez toute ma gratitude.

– Vous m'en voyez très heureux, dis-je d'un ton grave.

– Néanmoins, dit-elle en se levant, tant que le meurtrier n'aura pas été démasqué, tout le monde continuera à soupçonner Lawrence. J'en suis sûre. Surtout quand nous nous marierons.

– Les conclusions du Dr Haydock ont levé tous les doutes, chère amie...

– Les gens ne s'attardent pas à ces détails ! Ils n'en ont même pas connaissance. Et d'ailleurs, que signifie le témoignage d'un médecin pour les profanes ? Voilà pourquoi je reste à Old Hall : je veux savoir la vérité, Mr Clement. (Ses yeux brillaient et elle ajouta :) J'ai donc proposé à cette jeune fille de venir ici.

– Gladys Cram ?

– Oui.

– Ainsi, c'est vous qui le lui avez suggéré ?

– Mais oui. En fait, elle s'était ouverte de ses problèmes le jour de l'audience... Elle était arrivée avant moi. Mais la proposition est venue de moi.

– Je ne vois pas quel lien peut exister entre cette bécasse et le crime qui nous intéresse...

– Rien n'est plus facile que de passer pour une bécasse, Mr Clement. C'est à la portée de n'importe qui.

– Vous pensez que...

– Non, honnêtement, non. Mais je ne serais pas étonnée que cette fille sache quelque chose et je veux en avoir le cœur net.

– Et cette toile est lacérée au cours de la première nuit qu'elle passe sous votre toit, dis-je, pensif.

– Ce pourrait être elle, à votre avis ? Mais pourquoi ? C'est absurde ! C'est impossible !

– Pour moi, ce qui est absurde et impossible, c'est que votre mari ait été tué dans mon bureau ; et pourtant je ne puis le nier, rétorquai-je d'un ton amer.

– Je comprends, dit-elle en posant sa main sur mon bras. C'est terrible pour vous. J'en suis bien consciente même si je ne vous en ai rien dit.

Je plongeai la main dans ma poche, en sortis la boucle d'oreille en lapis-lazuli et la lui tendis :

– Elle est à vous, n'est-ce pas ?

– Oh ! oui. Où l'avez-vous trouvée ? me demanda-t-elle en tendant la main, radieuse.

Je gardai le bijou dans ma paume.

– Verriez-vous un inconvénient à ce que j'en dispose pendant quelques jours ?

– Je vous en prie..., répondit-elle un peu intriguée.

Je ne lui fournis aucune explication mais cherchai à savoir quelle était sa situation financière.

– C'est très indiscret, je sais, mais ne le prenez pas en mauvaise part...

– Venant de vous, je ne crois pas que ce soit indiscret. Vous êtes, avec Griselda, mes amis les plus chers. J'aime aussi beaucoup miss Marple. Elle est originale, non ?... Vous devez savoir que Lucius était très riche... Il a partagé ses biens, à parts égales, entre Lettice et moi. Je garde Old Hall, mais Lettice peut choisir tous les meubles qu'elle veut pour installer une petite maison qu'elle pourra acheter. Ainsi les choses sont équitables.

– Vous a-t-elle dit ce qu'elle comptait faire ?

– Non, répondit Anne avec une drôle de petite moue. Je pense qu'elle partira dès que possible. Elle ne m'a jamais aimée et sans doute la responsabilité m'en incombe-t-elle, même si j'ai toujours été correcte avec elle. Les jeunes filles n'aiment pas leur belle-mère, c'est dans l'ordre des choses...

– Et vous, l'aimez-vous ? demandai-je de but en blanc.

Mrs Protheroe réfléchit un instant et je songeai que, décidément, c'était une femme honnête et sincère.

– Je l'ai aimée au début, dit-elle. C'était une adorable fillette. Mais je dois avouer que je ne l'aime plus, sans pouvoir dire pourquoi. Peut-être, si elle m'avait aimée... J'aime être aimée...

– C'est notre lot à tous, lui dis-je – ce qui la fit sourire.

J'avais encore quelque chose à faire à Old Hall ; je voulais parler à Lettice Protheroe et manœuvrai pour la rejoindre au salon, tandis que Griselda et Gladys Cram étaient au jardin.

– Je voulais vous demander quelque chose, Lettice, fis-je après avoir refermé la porte.

– Oui ? répondit-elle en levant vers moi son regard indifférent.

J'avais préparé ce que j'allais dire ; je sortis la boucle d'oreille et lui demandai d'une voix calme :

– Pourquoi avez-vous dissimulé ceci dans mon bureau ?

Elle se raidit mais se ressaisit si vite que je doutai presque de sa réaction, puis elle laissa tomber négligemment :

– Je n'ai rien dissimulé dans votre bureau. Elle n'est pas à moi, mais à Anne.

– Je le sais.

– Dans ce cas pourquoi me le demander ? Anne l'a peut-être perdue.

– Mrs Protheroe est revenue une seule fois au presbytère depuis le meurtre ; elle était en noir et n'aurait jamais eu l'idée de porter des boucles d'oreilles bleues.

– Elle a dû perdre celle-ci avant. C'est la seule explication logique.

– Apparemment, oui. Vous rappelez-vous la dernière fois que vous l'avez vue avec ces boucles d'oreilles ?

– Est-ce important ? fit-elle d'un air à la fois innocent et contrarié.

– Peut-être.

– Je vais y réfléchir, dit-elle.

Elle était assise, les sourcils froncés, ravissante.

– Ça y est ! s'écria-t-elle soudain. C'était jeudi, je m'en souviens maintenant.

– Jeudi ? soufflai-je. Le jour du meurtre ? Mais Mrs Protheroe s'est arrêtée devant la fenêtre de mon bureau sans entrer dans la pièce, c'est ce qu'elle a dit à l'audience.

– Où était la boucle ?

– Elle avait roulé sous le bureau.

– Donc elle a menti, dit la jeune fille froidement.

– Elle serait entrée dans la pièce et se serait approchée du bureau ?

– C'est ce qu'on pourrait croire, non ? (Nos regards se croisèrent.) J'ai toujours pensé qu'elle mentait, ajouta-t-elle d'une voix calme.

– Et moi, je sais que vous mentez en ce moment, Lettice.

– Je ne comprends pas..., commença-t-elle, interloquée.

– Je vais vous expliquer : la dernière fois que j'ai vu ces boucles d'oreilles, c'était vendredi matin, lorsque je suis venu à Old Hall avec le colonel Melchett. Elles étaient posées sur la coiffeuse de votre belle-mère ; je les ai même touchées.

Elle accusa le coup, s'effondra sur le bras du fauteuil et éclata en sanglots. Dans ce mouvement d'abandon inattendu, ses cheveux blonds touchaient presque le sol et elle était très belle.

Je la laissai sangloter un moment en silence, puis lui demandai avec douceur :

– Dites-moi pourquoi vous avez fait cela, Lettice ?

– Quoi ? (Elle bondit sur ses pieds, rejetant sauvagement ses cheveux en arrière. Elle avait l'air d'un animal aux abois.) Je ne comprends pas.

– Je veux savoir pourquoi vous avez fait cela, répétai-je. Par jalousie ? Par inimitié ?

– Par jalousie ! (Elle avait repoussé ses cheveux en arrière et s'était ressaisie.) Je l'ai toujours détestée, depuis son arrivée à Old Hall. Elle s'est installée comme une reine... J'espérai lui attirer des ennuis en cachant cette fichue boucle sous votre bureau. Et c'est ce qui se serait passé si vous ne vous étiez pas mêlé de fouiner sur sa coiffeuse. Depuis quand les pasteurs aident-ils la police ?

Elle n'était plus qu'une petite fille dépitée et pathétique.

Je lui dis que sa puérile tentative de se venger d'Anne n'était guère convaincante et que j'allais rendre le bijou à sa propriétaire sans préciser où et comment je l'avais déniché.

– C'est gentil à vous, dit-elle, touchée. (Elle s'interrompit un instant et ajouta sans me regarder, mais en choisissant ses mots avec soin :) À votre place, j'éloignerais Dennis d'ici, Mr Clement.

– Dennis ? fis-je en haussant un sourcil amusé et surpris.

– Ce serait préférable, répéta-t-elle d'un air gêné. Je suis désolée pour Dennis. Je ne croyais pas qu'il... Je suis désolée.

Nous nous quittâmes sur ces mots.

23

Comme nous revenions au presbytère, je proposai à Griselda de faire un crochet pour aller voir les fouilles. Il me tardait de savoir si la police était à pied d'œuvre et si l'on avait découvert quelque chose. Mais Griselda avait à faire au presbytère et je me mis en route seul.

L'agent Hurst dirigeait les opérations.

– Toujours rien, Mr Clement, me dit-il. C'est pourtant une bonne gâchette. (Je sursautai à ce mot mais compris aussitôt qu'il avait voulu dire « cachette ».) C'est vrai ! Où la jeune fille a-t-elle bien pu aller par ce chemin ? Soit à Old Hall, soit ici, il n'y a pas d'autre solution.

– L'inspecteur Flem juge sans doute inutile de l'interroger en personne ?

– C'est qu'il ne veut pas lui mettre la puce à l'oreille. Imaginez qu'ils s'écrivent : l'un ou l'autre pourrait lâcher un renseignement quelconque ; mais si elle sait qu'on est après elle, elle restera bouche cousue, comme on dit.

Bouche cousue ! J'en doutais pour ma part, vu qu'elle était bavarde comme une pie.

– Quand vous avez affaire à un imposteur, vous mettez votre point d'honneur à le démasquer, énonça Hurst d'un ton docte.

– Je comprends.

– Et la réponse est dans ces fouilles... sinon pourquoi aurait-il toujours été à fouiner dans le coin ?

– Pensez-vous qu'il alléguait ce prétexte pour rôder dans les parages tout à son aise ?

Mais c'en fut trop pour l'agent Hurst qui se vengea de cette remarque affétée par une réplique désobligeante :

– On voit bien que vous êtes un amateur !

– En tout cas, la valise n'a pas reparu.

– Nous la trouverons, Mr Clement. Vous en faites pas pour ça !

– Je n'en suis pas si sûr. J'ai réfléchi à ce qu'a dit miss Marple : la jeune fille est ressortie du bois les mains vides, très peu de temps après y être entrée, et à mon avis, elle n'a pas eu le temps de faire l'aller et retour jusqu'ici.

– Si vous faites confiance aux radotages des vieilles filles ! Un rien suffit pour leur faire perdre la notion du temps ; et de toute façon, les femmes n'en ont pas la moindre notion.

Pourquoi avons-nous toujours tendance à généraliser ? C'est une question que je me suis souvent posée. Ce faisant, on s'éloigne de la vérité, et parfois même on lui tourne carrément le dos. Moi-même, je ne sais jamais l'heure qu'il est, d'où mon habitude d'avancer ma pendule, alors que miss Marple au contraire est d'une ponctualité rigoureuse en toute occasion.

Mais il n'était pas dans mon intention d'engager la discussion sur ce point avec Hurst, aussi lui souhaitai-je bonne chance et bon après-midi.

J'étais presque rendu lorsque j'eus une illumination. Ce n'était pas le fruit d'une réflexion, mais je tenais peut-être la solution.

Vous vous souvenez sans doute que lors de ma première expédition à travers bois, le lendemain du meurtre, j'avais trouvé les buissons piétinés à un certain endroit. J'avais alors pensé qu'ils avaient été écrasés par Lawrence qui avait eu la même idée que moi.

Puis nous avions suivi ensemble d'autres traces qui s'étaient révélées celles de l'inspecteur Flem.

Tout bien réfléchi, la première piste, celle de Lawrence, était beaucoup plus marquée que la seconde, comme si elle avait été empruntée par plusieurs personnes ; j'en conclus que ce devait être ce qui avait incité Lawrence à la suivre. Et si elle avait été frayée par le Pr Stone et par Gladys Cram ?

N'avais-je pas remarqué des branches cassées aux feuilles déjà fanées ? Si c'était le cas, ce sentier n'avait pas été tracé l'après-midi même.

J'étais tout près de l'endroit en question et le retrouvai sans difficulté. M'engageant de nouveau sous les taillis, je constatai que des branches avaient été fraîchement brisées ; quelqu'un d'autre avait suivi ce chemin depuis que Lawrence et moi l'avions découvert.

Je reconnus bientôt l'endroit où j'avais rencontré Lawrence et continuai jusqu'à une petite clairière dont le sol avait été récemment retourné. Je parle de clairière car la végétation était moins dense sur quelques mètres carrés, mais le feuillage des arbres se rejoignait au-dessus de ma tête et cachait le ciel.

En face de moi, la végétation se refermait et on aurait pu jurer que personne ne s'était aventuré là au cours des derniers jours. Un seul coin semblait avoir été dérangé.

Je m'avançai et m'agenouillai, écartant les buissons de mes mains. Un reflet brun récompensa mes efforts et je me mis à fouiller fiévreusement la terre pour en extirper à grand-peine une petite valise marron.

Je poussai un cri de joie. J'avais raison. L'agent Hurst avait voulu me remettre à ma place mais j'étais sur la bonne voie et j'en avais la preuve. Je tenais la valise qu'avait transportée miss Cram. J'essayai en vain de l'ouvrir ; elle était bouclée.

Je me relevai quand j'aperçus par terre un petit cristal brunâtre – on eût dit du sucre candi. Je le ramassai machinalement et le glissai dans ma poche.

Puis j'empoignai la valise et fis demi-tour.

Comme j'enjambais la barrière pour prendre l'allée, je m'entendis héler avec enthousiasme par une voix toute proche.

– Vous l'avez trouvée ! Ah ! on peut dire que vous êtes malin, Mr Clement.

Décidément miss Marple excellait dans l'art de voir sans être vue. Je fis passer ma trouvaille par-dessus la barrière.

– C'est bien celle-là, dit miss Marple. J'en mettrais ma main au feu.

N'exagérait-elle pas un peu ? Les valises en carton verni bon marché étaient légion, et nul n'aurait été capable d'en identifier une formellement, surtout de loin et la nuit. Mais après tout, miss Marple pouvait se vanter d'être à l'origine de cette découverte et je pouvais passer sur ce petit manque de modestie.

– Elle est fermée à clef, bien sûr ?

– Oui, et je vais de ce pas la porter au poste de police.

– Peut-être vaudrait-il mieux téléphoner.

C'était le bon sens ! Nous n'avions nul besoin de la publicité indésirable que n'aurait pas manqué de nous procurer ma petite promenade à travers le village, la valise à la main.

Je poussai la grille du jardin de miss Marple et entrai chez elle. Là, bien à l'abri derrière les portes closes du salon, j'appelai l'inspecteur Flem qui arriva presque aussitôt et de la plus méchante humeur :

– Comme ça, vous l'avez trouvée, hein ? Faut-il que je vous dise que vous n'avez pas le droit de garder ces choses-là pour vous ? Si vous aviez une idée de cette cachette, vous auriez dû en informer l'autorité compétente.

– C'était un pur hasard. J'ai eu une illumination.

– C'est vous qui le dites ! Le bois s'étend sur près de

cent hectares mais vous allez droit au but, et il ne vous reste qu'à vous baisser pour ramasser la valise.

Il avait réussi à me contrarier, comme d'habitude, aussi me refusai-je à lui expliquer le raisonnement qui m'avait conduit sur les lieux.

– Bon, eh bien, dit-il en lorgnant la valise avec une feinte indifférence, voyons au moins ce qu'il y a là-dedans.

Il avait apporté avec lui un trousseau de clefs et du fil de fer. La serrure ne valait pas grand-chose et ne résista pas longtemps.

Nous nous attendions sans doute à faire une découverte sensationnelle, mais la première chose que nous vîmes apparaître fut une écharpe écossaise crasseuse. L'inspecteur l'extirpa de la valise, révélant ainsi un vieux pardessus bleu foncé immettable et une casquette à carreaux.

– Fichue camelote, fit l'inspecteur.

Il y avait encore une paire de bottines éculées et, tout au fond, un paquet enveloppé dans du papier journal.

– Il ne manque que la chemise, observa Flem d'un ton amer en déchirant le papier journal.

Mais il hoqueta de stupéfaction.

Le paquet contenait de petits objets en argent et une coupe du même métal.

Miss Marple poussa un cri aigu en les reconnaissant :

– Les salières et la coupe Charles II du colonel Protheroe... Voyez-vous cela !

L'inspecteur était devenu écarlate.

– C'était donc ça, murmura-t-il. Un vol ! Mais il y a

quelque chose qui cloche : personne ne s'est plaint du vol de ces objets.

– Peut-être ne s'est-on pas encore avisé qu'ils manquaient, suggérai-je. On ne se sert pas tous les jours de telles pièces de valeur. Le colonel les gardait peut-être dans son coffre-fort.

– Il faut voir ça de plus près, dit l'inspecteur. Je vais à Old Hall sur-le-champ. Je commence à comprendre pourquoi le Pr Stone a pris la poudre d'escampette ; il avait peur que ce meurtre nous amène à fourrer notre nez dans ses affaires, et il a envoyé sa secrétaire les cacher dans les bois avec des vêtements de rechange. Il projetait sans doute de revenir par un chemin détourné et de filer avec le butin, une nuit, tandis qu'elle serait restée dans le coin pour détourner les soupçons. À part ça, il n'est pas dans le coup pour le meurtre ; il n'a rien à y voir ; ce sont deux affaires différentes.

L'inspecteur remit le tout dans la valise et s'en fut, après avoir refusé le petit verre de cherry que lui proposait miss Marple.

– Voilà au moins une énigme tirée au clair, soupirai-je. Comme dit l'inspecteur Flem, il n'y a aucune raison de soupçonner Stone de meurtre.

– Peut-être, dit miss Marple. Mais il ne faut jurer de rien.

– Il avait commis son larcin et n'avait plus qu'à s'éclipser. Où serait son mobile ?

– Ouiii..., commença miss Marple avec réticence. (Elle s'empressa de répondre à mon regard interrogatif et s'excusa :) Sans doute ai-je tort car je ne connais rien à cette sorte d'objets, mais je me demandais... Ce sont des pièces rares, n'est-ce pas ?

— Une coupe semblable a été mise en vente, il y a peu, pour plus de mille livres, d'après ce que j'ai entendu dire.

— Je ne parlais pas de la valeur marchande.

— Bien sûr, ce sont des objets d'art.

— C'est cela ! Ces pièces-là se vendent sans tapage, voire en secret. Si l'on découvrait que ce sont des objets volés, ils deviendraient aussitôt invendables.

— Je ne vous suis pas.

— C'est que... comment dirai-je... (Elle s'énervait et s'excusait à tout bout de champ :) Si j'ai bien compris, on ne pouvait pas voler ces objets, pour ainsi dire ; on ne pouvait que les escamoter et les remplacer par des copies. Ainsi, le propriétaire ne risquait pas de découvrir le vol avant longtemps.

— C'est très ingénieux.

— Je ne vois pas d'autre solution. Et une fois la substitution opérée, le voleur n'avait en effet aucune raison de tuer le colonel, au contraire ; vous avez raison.

— C'est bien ce qu'il me semble.

— Oui, mais je me demandais... ce n'est pas sûr, mais... le colonel Protheroe avait la fâcheuse habitude d'annoncer à l'avance le moindre de ses projets, même si ensuite il ne les réalisait pas...

— Oui ?

— C'est ainsi qu'il avait prévu de faire expertiser ses pièces d'argenterie... Par quelqu'un de Londres, pour faire homologuer son testament... non, car il faut être mort pour cela... ce devait être pour l'assurance. C'est ce qu'on lui avait conseillé de faire. Il en avait beaucoup parlé et y attachait une énorme importance. J'ignore s'il avait demandé un expert, mais si c'était le cas...

— Je vois, fis-je, pensif.

— L'expert aurait identifié les faux en un clin d'œil, et le colonel Protheroe se serait souvenu qu'il avait montré son argenterie au Pr Stone. D'ailleurs le tour de passe-passe a peut-être eu lieu à ce moment-là. Quelle habileté... et ensuite... gare à la bombe ! comme on disait autrefois...

— Je vois, répétai-je. Nous devons en avoir le cœur net.

Je retournai au téléphone et demandai Anne Protheroe, à Old Hall.

— Pardonnez-moi, mais l'inspecteur est-il déjà arrivé ? Ah ! Il est en route. Puis-je vous demander si les biens du colonel Protheroe ont fait l'objet d'une expertise... Je vous demande pardon ?

Sa réponse fut claire et immédiate. Je la remerciai, raccrochai et retournai auprès de miss Marple.

— C'est bien simple, le colonel avait demandé un expert de Londres pour lundi, c'est-à-dire demain. Étant donné les circonstances, le rendez-vous a été ajourné.

— Et voilà le mobile, souffla miss Marple.

— Mais le mobile n'est pas tout. Vous oubliez qu'au moment du coup de feu, le Pr Stone était en train d'enjamber la barrière pour rejoindre les deux autres.

— En effet, dit miss Marple, ce qui le met hors de cause.

24

Je rentrai au presbytère et trouvai Hawes dans mon bureau. Il marchait nerveusement de long en large et sursauta lorsque je poussai la porte.

— Veuillez m'excuser, dit-il en s'épongeant le front. Je suis à bout de nerfs depuis quelque temps.

— Écoutez, mon ami, vous devriez changer d'air sinon vous allez tomber malade pour de bon, et que ferez-vous ?

— Il n'est pas question que j'abandonne mon poste, ça, jamais !

— Comme vous y allez ! Je ne vous parle pas d'abandonner votre poste, mais vous êtes malade, Haydock vous le dirait...

— Haydock, Haydock... Et alors ? Un médecin de campagne qui n'y connaît rien.

— Qu'avez-vous à lui reprocher ? Il a toujours été considéré comme un homme très capable dans sa profession.

— Oh ! c'est bien possible, mais moi, je ne l'aime pas. Et puis ce n'est pas pour vous parler de lui que je suis venu vous voir ; je suis venu vous demander si vous voudriez bien faire le sermon à ma place, ce soir. Je ne m'en sens pas la force...

— Dans ce cas... Je puis même dire l'office.

— Il n'en est pas question ! Je dirai l'office. Ça ira. Mais c'est l'idée de monter en chaire et de tous ces yeux rivés sur moi...

Il ferma les paupières et déglutit avec peine.

Je devinais que quelque chose ne tournait pas rond chez lui et il dut lire dans mes pensées, car il rouvrit les yeux :

– Je n'ai rien de grave, à part ces horribles migraines qui me tourmentent. Puis-je vous demander un verre d'eau, s'il vous plaît ?

– Bien sûr.

J'allai moi-même lui remplir un verre au robinet. Chez nous, il est parfaitement inutile de sonner Mary pour ce genre de service.

Je lui tendis le verre et il me remercia, puis il sortit de sa poche une petite boîte en carton dans laquelle il préleva une capsule enveloppée de papier de riz ; il en avala le contenu avec une gorgée d'eau.

– C'est une poudre contre la migraine, m'expliqua-t-il.

L'idée qu'il s'adonnait à quelque drogue me traversa l'esprit. Là se cachait peut-être l'explication des bizarreries de son caractère.

– J'espère que vous en usez avec modération..., lui dis-je.

– Rassurez-vous, le Dr Haydock m'a prévenu, mais c'est un médicament extraordinaire et qui vous procure un soulagement immédiat.

Il me parut en effet aussitôt se calmer et se ressaisir.

– Vous vous occuperez donc du sermon, ce soir ? me redemanda-t-il en se levant. C'est très aimable à vous.

– Ne vous inquiétez pas, et j'insiste pour célébrer l'office. Restez chez vous et reposez-vous. Allons, allons, pas de discussion !

Il me remercia encore et ajouta en regardant par la fenêtre :

– Il paraît que vous étiez à Old Hall aujourd'hui...

– En effet.

– Puis-je savoir si... si on vous avait fait appeler ? (Comme je le regardais, surpris, il rougit :) Excusez-moi d'insister mais... mais j'ai cru qu'il y avait du nouveau et que Mrs Protheroe vous avait réclamé.

– Nous devions prendre les dispositions pour l'enterrement et évoquer divers points de détail, dis-je, délibérément évasif.

– Ah ! c'était donc pour cela ?... (Je n'ajoutai rien et il se remit à s'agiter :) Mr Redding est venu me voir, hier soir, ajouta-t-il, et je me demande bien pourquoi.

– Il ne vous a rien dit ?

– Il avait pensé à me faire une petite visite car, m'a-t-il expliqué, il arrive qu'on se sente seul, le soir, mais c'était la première fois qu'il venait...

– Il passe pour être de bonne compagnie, fis-je avec un sourire.

– Que me voulait-il ? Je n'aime pas cela. (Sa voix monta soudain dans les aigus.) Il m'a dit qu'il reviendrait mais qu'est-ce que cela signifie ? Cela cache quelque chose !

– Qu'allez-vous imaginer ? !

– Je n'aime pas cela, répéta Hawes, têtu. Je n'ai jamais cherché à lui nuire, pas plus que je n'ai mis en doute son innocence, et j'ai pris son parti quand il s'est dénoncé. J'admets avoir soupçonné Archer, mais jamais Redding. Archer n'est qu'un ivrogne sans foi ni loi, une canaille.

– Vous êtes dur, dis-je. Après tout, que savons-nous de lui ?

– C'est un braconnier qui ne sort de prison que pour y retourner. C'est un être sans aucun scrupule.

– Croyez-vous vraiment qu'il ait assassiné le colonel Protheroe ?

Ce n'était pas la première fois que je notais que Hawes est incapable de répondre par oui ou par non ; il me renvoya ma question :

– Voyez-vous une autre solution ?

– Aucune preuve n'a été retenue contre lui, que je sache.

– Vous oubliez ses menaces ! cria Hawes.

– En voilà assez avec les menaces d'Archer ! Quelles preuves avez-vous qu'il en ait proféré ?

– Il attendait son heure pour se venger du colonel. Il s'est soûlé et il l'a assassiné.

– Pure supposition !

– Vous êtes bien obligé d'admettre que c'est tout à fait probable ?

– Absolument pas !

– Sinon probable, du moins possible ?

– Peut-être.

– Pourquoi refusez-vous d'envisager que c'est probable, me demanda-t-il, l'œil torve.

– Parce que Archer n'est pas de ceux qui tueraient un homme avec un revolver. Il n'a que faire des revolvers.

Ma réponse le prit de court et il parut un instant suffoqué :

– Croyez-vous vraiment que ce soit une objection valable ?

– Pour moi, c'est la preuve évidente qu'Archer n'est pas l'assassin.

Hawes resta coi devant ma certitude inébranlable. Il me remercia encore une fois avant de partir.

Je le raccompagnai jusqu'à la porte et aperçus dans l'entrée quatre missives qui n'étaient pas sans ressemblance. L'écriture en était indubitablement féminine, et elles portaient toutes la mention « par porteur, urgent ». Une seule différence me sauta aux yeux : l'une des quatre était notablement plus sale que les autres. J'éprouvai la curieuse impression que je voyais non pas double mais quadruple.

Mary apparut à la porte de la cuisine et me trouva occupé à les contempler d'un air hébété.

– Elles ont été apportées après le déjeuner, dit-elle. Toutes, sauf une, qui était dans la boîte aux lettres.

Je la remerciai d'un signe de tête, ramassai les lettres et me dirigeai vers mon bureau.

La première disait ceci :

Cher Mr Clement, j'ai appris quelque chose sur la mort de ce pauvre colonel Protheroe et je pense que vous devez en être informé. J'aimerais connaître votre avis sur un point : dois-je ou non prévenir la police ? Depuis la mort de mon cher époux, j'ai toujours répugné à toute forme de publicité. Peut-être pourriez-vous passer chez moi un moment dans l'après-midi. Bien à vous, Martha Price Ridley.

J'ouvris la deuxième :

Cher Mr Clement, je suis si troublée... si tourmentée, dirai-je, que je ne sais que faire. J'ai entendu rapporter quelque chose qui a peut-être son importance mais l'idée d'avoir affaire à la police me fait horreur. Je suis bouleversée et en plein désarroi. Puis-je me permettre de vous demander, cher pasteur, de me faire une petite visite pour dissiper mes doutes et résoudre mes problèmes, comme vous avez toujours si merveilleusement su le faire jusqu'ici ? Pardonnez-moi de vous déranger. Bien à vous, Caroline Wetherby.

J'aurais pu réciter par cœur la troisième lettre avant de l'ouvrir :

Cher Mr Clement, j'ai entendu parler d'un fait digne d'attention et je pense que vous devez en être le premier informé. Aurez-vous le temps de faire un saut chez moi cet après-midi ? Je vous attendrai.

Amanda Hartnell était l'auteur de cette épître militante et sans fioriture.

J'ouvris la quatrième lettre. J'avais eu la chance, jusque-là, de n'être importuné que très rarement par des lettres anonymes. À mes yeux, la lettre anonyme est l'arme la plus vile et la plus odieuse qui soit, et celle-ci ne faisait pas exception à la règle. Son auteur voulait passer pour un illettré, mais on pouvait deviner à plus d'un signe qu'il était loin d'en être un.

Cher pasteur, y a pas de raison que vous soyez pas mis au courant de ce qui se passe vu qu'on a vu votre dame sortir en catimini de chez Mr Redding. Y a pas besoin de vous faire un dessin. On dirait que ça marche pour eux. Je me suis dit comme ça qu'il fallait que vous soyez mis au parfum. Un ami.

233

J'étouffai une exclamation de dégoût et jetai le feuillet chiffonné dans l'âtre vide.

– De quoi vous débarrassez-vous avec ce mépris ? me demanda Griselda qui entrait tout juste dans la pièce.

– D'une ordure.

Sortant une boîte d'allumettes de ma poche, je me penchai pour mettre le feu à la boule de papier mais Griselda fut plus prompte que moi. Elle se baissa, saisit la lettre froissée et la déplia avant que je n'aie pu l'en empêcher.

Elle la lut et me la rendit, se détournant avec un frisson de dégoût. Je frottai l'allumette et regardai brûler la lettre.

Griselda était allée se planter devant la fenêtre et contemplait le jardin au-dehors.

– Len, fit-elle sans se retourner.

– Oui, ma chérie ?

– J'ai quelque chose à vous dire, Len. Laissez-moi parler, s'il vous plaît. Quand Lawrence Redding est venu s'installer au village, j'ai prétendu que je le connaissais à peine et vous l'avez cru, mais c'était faux : je le connaissais très bien. En fait, j'étais... plutôt amoureuse de lui avant de vous rencontrer. Je n'étais pas la seule dans ce cas, je crois. J'ai été toquée de lui pendant une période de ma vie, mais je ne lui ai jamais écrit de lettres compromettantes, et je n'ai jamais fait de bêtises comme cela arrive dans les romans, simplement j'avais... j'avais un gros, très gros béguin.

– Pourquoi ne me l'aviez-vous jamais dit ?

– Oh ! Parce que... Je ne sais pas... vous êtes si idiot, parfois... Sous prétexte de notre différence d'âge, vous croyez que je pourrais tomber amoureuse d'un autre

234

homme. J'avais peur de vous voir devenir assommant à cause de mon amitié pour Lawrence...

– Vous êtes très douée pour jouer les cachottières.

Je pensais à ce qu'elle m'avait dit une semaine plus tôt, dans cette même pièce, et au ton naturel et innocent qu'elle avait pris pour me le dire.

– Vous avez raison. J'ai toujours fait des cachotteries et je reconnais que j'y prends plaisir, expliqua-t-elle avec dans la voix une nuance de plaisir puéril. Mais je vous ai dit la vérité : j'ignorais tout de sa liaison avec Anne et je ne comprenais pas la raison de son indifférence vis-à-vis de moi... C'est à peine s'il paraissait remarquer ma présence ! Je n'y étais pas habituée... Vous me comprenez, Len, n'est-ce pas ? ajouta-t-elle d'une voix angoissée après un bref silence.

– Oui, Griselda, dis-je. Je vous comprends.

Mais qu'avais-je compris au juste ?

25

Je me libérai à grand-peine de l'impression pénible que m'avait laissée la lettre anonyme – la boue vous atteint toujours –, puis je pris les trois lettres de ces dames, jetai un coup d'œil à ma montre et sortis.

J'étais curieux de savoir ce qu'elles avaient bien pu apprendre simultanément, car il y avait fort à parier qu'il s'agissait d'une seule et même nouvelle. Or, je n'allais pas tarder à déchanter sur la solidité de mes connaissances en matière de psychologie.

Je mentirais si je vous disais que mon chemin passait devant le poste de police, mais c'est là que me conduisirent mes pas. Je voulais vérifier que l'inspecteur Flem avait quitté Old Hall.

Non seulement il en était revenu mais encore miss Cram l'avait accompagné. Je trouvai notre blonde Gladys assise dans son bureau et semblant prendre les choses du bon côté. Elle niait farouchement avoir jamais transporté la fameuse valise dans les bois.

– Tout ça parce qu'une de ces vieilles chipies n'a rien d'autre à faire que de regarder par sa fenêtre toute la nuit... D'ailleurs, elle n'en est pas à sa première bourde, rappelez-vous qu'elle a cru me voir au bout du chemin, le jour du meurtre ; et si elle a pu se tromper en plein jour, je ne vois pas comment elle aurait pu me reconnaître en pleine nuit.

» Sont-elles méchantes, ces vieilles toupies, de vous traiter comme ça ! Tout leur est bon... Quand je pense que je dormais dans mon lit comme un ange. Vous devriez avoir honte, tous autant que vous êtes.

– Et si la propriétaire du *Sanglier bleu* identifie la valise comme étant la vôtre, miss Cram ?

– Eh bien, elle aura tort ! Cette valise n'a pas d'étiquette et tout le monde a la même. Le Pr Stone, un vulgaire voleur ! on aura tout vu... avec tous les diplômes qu'il a...

– Vous refusez de nous donner d'autre explication ?

– Pas du tout ! mais je dis que vous vous êtes trompés, vous et votre fouineuse de miss Marple, un point c'est tout. Je n'ai rien à ajouter et je ne parlerai qu'en présence de mon avocat. Sur ce, je vous quitte... Sauf si vous comptez m'arrêter.

Sans mot dire, l'inspecteur se leva pour lui ouvrir la porte, et miss Cram sortit, très digne.

– Elle ne veut pas en démordre, me dit Flem en se rasseyant à son bureau. Miss Marple a peut-être mal vu, certes. Pas un jury ne voudra gober que l'on peut reconnaître quelqu'un à cette distance en pleine nuit, même par clair de lune. La vieille chouette a certainement mal vu.

– Peut-être, mais j'en doute. Elle a presque toujours raison, et c'est pourquoi tout le monde s'en méfie.

– C'est aussi l'avis de Hurst, grimaça l'inspecteur. Mon Dieu ! ces villages !

– Et les objets en argent, inspecteur ?

– Ça va, ça va. L'un des lots est faux, bien sûr, mais l'expert de Much Benham fait autorité sur les objets anciens en argent. Je lui ai téléphoné et lui ai envoyé une voiture. Nous saurons bientôt à quoi nous en tenir : ou le vol a eu lieu ou il allait avoir lieu ; ça ne fait pas grande différence... du moins pour la police. Mais le vol n'est rien en comparaison d'un meurtre. Stone et sa secrétaire n'ont rien à voir là-dedans. Avec un peu de chance, elle nous apprendra quelque chose sur ce type... c'est pourquoi je la laisse filer sans faire d'histoire.

– Peut-être..., commençai-je.

– Dommage que ça ait capoté, avec Redding ; ce n'est pas si souvent que vous tombez sur un type qui se constitue prisonnier.

– Je vous crois volontiers, dis-je avec un petit sourire.

– Ce sont toujours les femmes qui font des histoires,

énonça l'inspecteur d'un ton sentencieux. (Il soupira et je fus surpris de l'entendre ajouter après un silence :) Et puis, il y a Archer.

– Vous l'avez donc soupçonné ?

– Et le premier, encore ! Et sans avoir besoin de lettres anonymes.

– Des lettres anonymes ! Vous en avez donc reçu ?

– Rien de très original ; nous en recevons des dizaines par jour, et on nous a craché le morceau, pour Archer. Comme si la police était aveugle ! Archer était le suspect numéro un mais le problème, c'est qu'il a un alibi. Ça ne veut rien dire, je sais, mais on ne peut tout de même pas faire comme s'il n'en avait pas.

– Comment : « ça ne veut rien dire » ?

– Eh bien, il aurait passé l'après-midi avec deux acolytes, mais leur témoignage ne vaut pas grand-chose. Des types de leur acabit seraient prêts à jurer n'importe quoi. On ne peut pas leur faire confiance et on est bien placé pour le savoir ; mais les gens ne le savent pas, eux, et le jury est composé de gens, et c'est bien dommage ! Les jurés ne savent rien et, neuf fois sur dix, ils sont prêts à gober tout ce qui se dit à la barre des témoins, quel que soit le témoin. Archer jurera sur ses grands dieux qu'il n'a pas tué Protheroe.

– Ce n'est pas comme Mr Redding, dis-je avec un sourire.

– Malheureusement non, soupira l'inspecteur dépité.

– N'est-il pas naturel de tenir à la vie ? fis-je d'un ton rêveur.

– Vous seriez épaté par le nombre de meurtriers qui

s'en sont tirés grâce à la sensiblerie des jurés, ajouta Flem d'un air sombre.

– Mais vous croyez à la culpabilité d'Archer ?

J'avais remarqué depuis le début que l'inspecteur Flem affectait de n'avoir aucune opinion personnelle sur le meurtre. Tout ce qui l'intéressait, c'était la difficulté ou la facilité à obtenir une condamnation.

– Ce qu'il me faudrait, c'est une certitude, reconnut-il. Des empreintes digitales, des traces de pas, le témoignage de quelqu'un qui l'aurait vu dans le coin à l'heure du crime... Je ne peux pas prendre le risque de l'arrêter sans preuve solide. On l'a vu rôder une ou deux fois autour de chez Mr Redding, mais il prétend que c'était pour voir sa mère. Elle est bonne pomme, allez !

» Non, tout compte fait, je continue à penser à qui vous savez... Une petite preuve du chantage me suffirait... mais dans cette histoire, allez mettre la main sur une preuve quelconque ! Rien que de la théorie, toujours de la théorie ! Si une autre de ces dames avait habité juste en face de chez vous, Mr Clement, elle aurait vu tout ce qu'il y avait à voir.

Cette pointe me rappela mes visites et je pris congé. Je n'avais jamais vu l'inspecteur de si bonne humeur.

Je commençai par miss Hartnell. Il faut croire qu'elle me guettait derrière ses rideaux, car j'eus à peine le temps de sonner qu'elle m'ouvrit la porte et me tira à l'intérieur.

– C'est si gentil à vous... Venez, nous serons plus à l'aise.

Nous entrâmes dans une pièce à peine plus grande qu'un clapier et miss Hartnell en referma la porte sur nous. Elle me fit asseoir d'un air mystérieux sur l'un des trois sièges qui meublaient son salon, et je pus voir qu'elle prenait plaisir à cette situation.

– Je ne vais pas tourner autour du pot, dit-elle pleine d'entrain. (Puis elle reprit d'un ton de circonstance :) Ce n'est pas moi qui vous apprendrai que tout se sait, ici.

– Pour mon malheur, dis-je.

– Hélas ! Moi aussi, j'ai horreur des ragots, mais c'est la vie. J'ai cru de mon devoir d'aller informer la police que j'avais rendu visite à Mrs Lestrange, l'après-midi du meurtre, et que j'avais trouvé porte close. Je fais mon devoir sans attendre de remerciements, mais les gens sont bien ingrats... Pas plus tard qu'hier, cette Mrs Baker...

– Oui, oui, dis-je pour abréger, c'est bien triste. Mais où en étiez-vous ?

– Les pauvres ne savent pas reconnaître leurs amis. J'ai toujours un mot gentil quand je vais les voir mais n'en suis guère remerciée.

– Ainsi vous avez parlé de votre visite chez Mrs Lestrange à l'inspecteur ?

– Oui... et si vous croyez qu'il m'a dit merci... Quand il voudra des renseignements, il viendra me les demander, voilà ce qu'il m'a dit. Ce ne sont pas ses termes exacts mais c'est du pareil au même. De nos jours, les policiers ne sont plus comme autrefois.

– Sans doute, mais que vouliez-vous me dire ?

– On ne m'y prendra pas deux fois et je ne suis pas près de retourner voir cet inspecteur. Après tout, un pasteur est un homme du monde, du moins, je l'espère.

J'espérais, quant à moi, que cette remarque acide ne m'était pas destinée.

– Si je puis vous aider en quoi que ce soit...

– Je n'ai fait que mon devoir, répéta-t-elle d'un air pincé. Cela ne me plaît guère mais le devoir, c'est le devoir. (J'attendis la suite.) Mrs Lestrange aurait déclaré qu'elle était restée chez elle tout l'après-midi, poursuivit miss Hartnell en rougissant, et ne m'aurait pas répondu car elle n'en avait pas envie. Est-ce que ce sont des façons ? Faire son devoir pour être traitée de la sorte...

– Elle a été malade, soufflai-je.

– Malade ? Ce sont des sornettes. Vous ne comprenez pas, Mr Clement. Malade ? Elle ? Trop malade pour se rendre à l'audience, ça oui ! Et avec un certificat médical du Dr Haydock, encore ! Elle le mène par le bout du nez, tout le monde le sait. Mais qu'est-ce que je disais... ?

Je ne le savais plus moi-même. Bien malin qui pouvait discerner où s'arrêtait le récit et où commençaient les imprécations.

– J'y suis ! Je vous parlais de ma visite chez elle, cet après-midi-là. Elle prétend qu'elle était là mais ce sont des balivernes ; elle n'y était pas. Je le sais !

– Vous semblez très sûre de vous...

Miss Hartnell devint écarlate. N'était son sans-gêne, on eût pu croire à de la timidité.

– J'ai frappé et sonné deux ou trois fois. J'ai même pensé que la sonnette était cassée.

Elle n'osait pas me regarder en face en disant cela, et j'en éprouvais un secret plaisir. C'est la même entreprise qui a bâti toutes les maisons de St. Mary Mead, et les sonnettes ont toujours très bien fonctionné ; miss

Hartnell le savait aussi bien que moi mais elle cherchait à sauver les apparences.

– Je ne tenais pas à déposer ma carte dans sa boîte aux lettres, c'eût été grossier. J'ai mes petits défauts mais pas celui-là... (Elle m'assena cette stupéfiante affirmation sans sourciller et continua, imperturbable :) J'ai donc fait le tour de la maison pour frapper aux carreaux. J'ai même regardé par les fenêtres, mais je n'ai pas vu un chat.

Le scène s'imposa à mon esprit. Miss Hartnell avait profité de ce que la maison était vide pour lâcher la bride à sa curiosité ; elle en avait fait tout le tour en épiant par les fenêtres et c'est sur moi qu'elle avait jeté son dévolu pour raconter sa fable, voyant dans le pasteur un auditeur plus indulgent que l'inspecteur Flem. Ne sommes-nous pas, nous, hommes d'Église, censés accorder le bénéfice du doute à nos ouailles ?

Je ne fis aucun commentaire et me contentai de lui demander à quelle heure elle était allée chez Mrs Lestrange.

– Il n'était pas loin de six heures, je crois. J'étais chez moi à 6 h 10. Mrs Protheroe est passée vers six heures et demie, après avoir quitté le Pr Stone et Mr Redding. Et dire que pendant que nous parlions d'oignons de fleurs, ce pauvre colonel gisait, mort. Pauvre de nous !

– Hélas ! dis-je, en me levant. Le vie n'est pas rose. C'est tout ce que vous aviez à me dire ?

– Ce n'est peut-être pas sans importance.

– Peut-être, en effet.

Et je pris congé de mon hôtesse dépitée. Je ne voulais pas en entendre davantage.

Je me rendis ensuite chez miss Wetherby qui me reçut, toute en émoi.

– Cher pasteur, c'est trop aimable ! Avez-vous pris votre thé ? Vous n'en voulez pas une tasse ? Vraiment ? Un coussin pour votre dos, peut-être ? Et vous êtes venu si vite ! Toujours prêt à vous mettre en quatre pour les autres.

Je dus subir encore plusieurs banalités du même genre et mille circonlocutions avant qu'elle n'en vînt au fait.

– Je dois d'abord vous dire que je tiens ceci de source sûre.

À St. Mary Mead, la source sûre est toujours la bonne de la voisine.

– Et vous ne pouvez la dévoiler, sans doute ?

– J'ai fait une promesse, cher Mr Clement. Et pour moi, c'est sacré, ajouta-t-elle d'un ton solennel. Disons que c'est mon petit doigt qui me l'a dit.

C'est complètement idiot ! songeai-je. Je rêvai un instant de dire tout haut ma pensée pour voir comment miss Wetherby prendrait la chose.

– Eh bien, mon petit doigt m'a dit qu'il avait vu une certaine dame dont nous tairons le nom.

– Ah, ah ! votre petit doigt ? fis-je.

Stupéfait, je vis miss Wetherby éclater de rire et me donner une petite tape sur le bras :

– Hé là ! cher pasteur, vous êtes un polisson... (Elle reprit son sérieux et poursuivit :) Une certaine dame, donc... Et où allait cette dame, à votre avis ? Elle a pris le chemin du presbytère mais, avant de s'y engager, elle a scruté les alentours, comme pour s'assurer que personne de sa connaissance ne la voyait.

– Et la mystérieuse personne qui s'est confessée à votre petit doigt ? demandai-je.

– Elle était en visite chez le poissonnier, à l'étage.

Je savais déjà que les bonnes ne sortaient jamais se promener au grand air si elles pouvaient l'éviter... Et je savais désormais où elles passaient leurs loisirs.

– C'était juste avant six heures, me souffla énigmatiquement miss Wetherby.

– De quel jour ?

– Mais le jour du meurtre, bien sûr ! sursauta-t-elle. Ne vous l'avais-je pas dit ?

– C'est ce que j'avais cru comprendre. Et quel est le nom de cette dame ?

– Il commence par un L, répondit-elle d'un air entendu.

M'avisant que je n'en saurais pas davantage, je me levai et miss Wetherby m'étreignit les mains :

– Vous ne laisserez pas la police m'interroger, n'est-ce pas ? dit-elle d'une voix pathétique. Je déteste la publicité, et je ne veux pas me retrouver debout à la barre.

– Il arrive qu'on permette aux témoins de s'asseoir, dis-je avant de me retirer.

Il me restait encore à voir Mrs Price Ridley.

– J'espère que vous comprenez qu'il est hors de question pour moi d'être mêlée à un procès, m'annonça-t-elle sans tergiverser après m'avoir tendu une main sèche. Par ailleurs, ayant été le témoin d'une situation nécessitant quelque éclaircissement, j'ai cru bon d'en informer les autorités.

– Est-ce au sujet de Mrs Lestrange ?

– Et pourquoi, s'il vous plaît ? fit Mrs Price Ridley d'un ton cassant. (J'encaissai le coup sans rien dire.) Les faits sont clairs, continua-t-elle. Ma petite bonne, Clara, était sortie prendre l'air, au portail, pendant un instant. Je n'ignore pas qu'en réalité c'est pour aguicher le commis du poissonnier. Ce godelureau s'imagine qu'il est en âge de flirter avec toutes les filles, à dix-sept ans ! Clara était donc au portail quand elle a entendu quelqu'un éternuer.

– Oui, dis-je en attendant la suite.

– C'est tout. Elle a entendu quelqu'un éternuer, et ne venez pas me dire que c'est l'âge qui me joue des tours, car c'est Clara qui l'a entendu de ses oreilles, et elle n'a que dix-neuf ans.

– Je ne vois pas ce qu'il y a d'étrange à entendre quelqu'un éternuer...

– Elle a entendu un éternuement le jour du meurtre, alors qu'il n'y avait personne au presbytère, condescendit à m'expliquer Mrs Price Ridley. Le meurtrier était probablement caché derrière la haie et attendait son heure. La seule chose à faire, c'est de mettre la main sur un homme qui souffre d'un rhume de cerveau.

– Ou d'un rhume des foins, suggérai-je. Et je crains que cette énigme n'ait déjà sa solution, chère madame. Mary se remet à peine d'un gros rhume de cerveau et ses reniflements nous mettaient les nerfs en pelote. C'est elle que votre bonne aura entendue éternuer.

– C'était un éternuement d'homme, coupa Mrs Price

Ridley d'un ton sans réplique. Et d'ailleurs, comment pourrait-on entendre votre bonne éternuer dans sa cuisine depuis mon portail ?

– Vous ne l'auriez pas entendu davantage si elle avait été dans le bureau, ou du moins, permettez-moi d'en douter.

– L'homme a pu rester caché derrière la haie, et quand Clara est rentrée, il en a profité pour emprunter la porte de devant.

– Peut-être, dis-je.

J'essayais de ne pas me montrer trop cassant – en vain, car Mrs Price Ridley me jeta un coup d'œil furibond.

– Je sais qu'on ne m'écoute pas, j'en ai l'habitude, mais je vous précise tout de même qu'une raquette de tennis abandonnée dans l'herbe sans sa presse risque d'être parfaitement et définitivement inutilisable, or, ce sont des objets qui valent cher, de nos jours. (Je fus désarçonné par cette attaque sournoise.) Peut-être n'est-ce pas votre avis, dit Mrs Price Ridley.

– Oh ! mais si, mais si !

– Tant mieux ! C'est tout ce que j'avais à vous dire. Après tout, cette affaire ne me regarde pas.

Elle s'abandonna contre son dossier et ferma les yeux comme si elle était lasse de cette vie. Je la remerciai et pris congé.

Avant de partir, je me risquai à demander des éclaircissements à la bonne.

– J'ai entendu quelqu'un éternuer, monsieur, me répéta-t-elle, et ce n'était pas un éternuement ordinaire, je vous jure.

Rien de ce qui touche un crime ne saurait être ordinaire. La détonation n'était pas une détonation ordinaire, l'éternuement n'était pas un éternuement ordinaire... L'inconnu avait sans doute éternué comme seuls les assassins savent le faire. Je demandai à Clara l'heure qu'il était quand elle était sortie prendre l'air, mais elle ne put le préciser ; c'était entre le quart et la demie de six heures, pensait-elle. « Avant que sa maîtresse ne reçoive cet horrible coup de téléphone », en tout cas. Je voulus encore savoir si elle avait entendu un coup de feu, par hasard. Oui, elle avait entendu « une énorme explosion » dit-elle, ce qui ruina d'un coup la confiance que je lui accordais.

J'étais presque à ma porte quand je décidai d'aller rendre visite à un ami.

Un coup d'œil à ma montre m'apprit que j'avais tout juste le temps avant l'office du soir. Je descendis jusque chez Haydock qui vint à ma rencontre sur le seuil.

Il n'avait pas quitté son air hagard et contrarié ; à croire que cette affaire lui avait fait prendre dix ans en quelques jours.

– Vous avez bien fait de venir, me dit-il. Vous avez d'autres nouvelles ?

Je lui racontai l'épisode concernant Stone.

– Un bandit de haute volée ! fit-il. Voilà qui éclaircit bien des choses. Il avait pioché son sujet mais il a dérapé de temps en temps, je le sais ; et Protheroe l'avait démasqué, lui aussi. Vous vous souvenez de leur dispute ? Et la fille ? Elle est mouillée, elle aussi ?

– Rien n'est encore prouvé. Je jurerais qu'elle n'y est pour rien. C'est une sotte, ajoutai-je.

– Je ne dirai pas ça ; je la crois même plutôt futée, et

c'est un beau brin de fille qui respire la santé. Si nous n'avions que des patientes comme elle, nous ne serions pas près de faire fortune !

Je lui fis part de mes inquiétudes au sujet de Hawes et lui confiai que j'eusse souhaité le voir changer d'air et se reposer. Il prit l'air évasif et sa réponse sonna faux.

– Oui, me répondit-il. Cela vaudrait mieux, en effet. Ah ! pauvre Hawes...

– J'avais cru que vous n'aviez aucune sympathie pour lui.

– Et vous avez raison, mais ce ne serait pas le premier dans ce cas pour lequel j'éprouverais de la peine. (Il ajouta après un bref silence :) J'en ai même ressenti pour ce pauvre diable de Protheroe... il n'avait que des ennemis... Sûr de lui et rigide comme il était... Il faut reconnaître que ce n'est pas le genre de cocktail que l'on préfère, mais il avait toujours été comme ça, même lorsqu'il était jeune homme.

– J'ignorais que vous le connaissiez.

– J'avais un cabinet tout près de chez lui quand je vivais dans le comté de Westmoreland, il y a presque vingt ans.

Je soupirai. Vingt ans plus tôt, Griselda avait cinq ans. Le temps est une bien étrange chose.

– C'est pour cela que vous êtes venu me voir, Clement ?

Je tressaillis et croisai son regard franc qui me scrutait.

Je ne savais pas, en venant, si je lui parlerais ou non, mais Haydock était pour moi un véritable et un merveilleux ami, et ce que j'avais à lui dire pourrait peut-être lui être utile. C'est pourquoi je décidai brusquement de lui répéter en substance ce que m'avaient dit miss Hartnell et miss Wetherby.

Il resta un long moment silencieux.

– Je reconnais que j'ai tout fait pour protéger Mrs Lestrange, Clement. C'est une amie de longue date, mais ce n'est pas la seule raison. Ce certificat médical n'était pas de complaisance comme vous l'avez cru. (Il s'interrompit un instant avant de reprendre d'un ton grave :) Je vous le dis entre nous, Clement. Mrs Lestrange est condamnée.

– Comment ?

– Elle va mourir, je lui donne encore un mois. Vous comprenez pourquoi je tiens à lui éviter d'être importunée par la police ? Lorsqu'on l'a vue dans la rue, ce soir-là, c'est à mon cabinet qu'elle venait.

– Mais rien ne permettait de penser que...

– Je n'ai rien dit car je ne voulais pas qu'on jase. Mon cabinet est fermé entre six et sept heures, tout le monde le sait, mais je vous l'affirme, elle était ici.

– Pourtant elle n'y était plus lorsqu'on est venu vous chercher, après la découverte du corps dans mon bureau.

– Non, elle était partie... à un rendez-vous, dit-il, troublé.

– Mais où ? Chez elle ?

– Je vous jure que je ne le sais pas, Clement. Je le croyais, mais...

– Et si on condamnait un innocent ? dis-je.

– On ne condamnera personne pour le meurtre du colonel Protheroe, vous pouvez me croire.

Je m'y refusais, en dépit de son ton sans réplique.

– On ne condamnera personne, répéta-t-il.

– Et Archer...

– Il n'aurait pas eu assez de jugeote pour essuyer ses empreintes sur le revolver, dit-il avec un geste d'impatience.

– C'est possible, dis-je sans conviction.

Puis je me rappelai le petit cristal brunâtre que je promenais dans ma poche. Je le lui tendis pour savoir ce que c'était.

– Hum ! On dirait un cristal d'acide picrique, dit-il après une hésitation. Où l'avez-vous trouvé ?

– Cela, répliquai-je, c'est le secret de Sherlock Holmes.

Il sourit.

– Et à quoi sert l'acide picrique ? lui demandai-je.

– C'est un explosif.

– Je le savais, mais n'a-t-il pas une autre utilisation ?

– Il est utilisé en médecine, en solution pour les brûlures. C'est très efficace.

Je tendis la main et il me rendit le morceau de cristal presque à contrecœur.

– C'est peut-être sans importance, dis-je, mais je l'ai trouvé dans un lieu plutôt inhabituel.

– Et vous voulez le garder pour vous ?

C'était puéril, mais je m'abstins de le lui révéler. Puisqu'il avait ses secrets, eh bien, j'aurais les miens. J'étais un peu vexé qu'il ne m'eût pas fait totalement confiance.

26

Ce soir-là, je montai en chaire avec un curieux sentiment.

Pour une fois, l'église était bondée et je me doutais que ce n'était pas le prêche de Hawes qui avait attiré la foule, car ses sermons sont aussi dogmatiques qu'assommants ; la nouvelle que j'officiais à sa place ne risquait pas d'attirer grand monde non plus car mes propres sermons sont aussi érudits qu'assommants. Quant à faire salle comble grâce à la simple ferveur des paroissiens, je ne me faisais guère d'illusions.

Il fallait en conclure qu'on était venu voir qui était là, dans l'espoir d'échanger quelques ragots sur le parvis, après l'office.

Haydock était venu, par extraordinaire, ainsi que Lawrence Redding. Stupéfait, je découvris le visage livide et crispé de Hawes à côté de lui. Anne Protheroe, qui assistait régulièrement à l'office du dimanche soir, était là, elle aussi, alors que son absence ne m'eût guère étonné en l'occurrence. La présence de Lettice, en revanche, avait de quoi me surprendre. Je l'avais toujours vue à l'office du dimanche matin car le colonel Protheroe l'exigeait, mais c'était la première fois qu'elle paraissait au service du soir.

Gladys Cram était là, éclatante de jeunesse et de santé, à côté de l'inévitable quarteron de vieilles filles ratatinées, et je crus deviner que le masque blanc qui s'était glissé en retard au dernier rang n'était autre que Mrs Lestrange.

Est-il besoin de préciser que Mrs Price Ridley, miss Hartnell et miss Wetherby étaient venues en force. Tout St. Mary Mead était là, ou presque. Je n'avais jamais vu une telle affluence.

Le phénomène de la foule est des plus curieux. L'atmosphère était électrique et je le sentais. D'habitude, je prépare soigneusement mes sermons à l'avance, mais je garde une conscience aiguë de leurs faiblesses.

Ce soir-là, je ne pouvais faire autrement que d'improviser, et devant cet océan de visages levés vers moi, une brusque folie s'empara de tout mon être. Je renonçai soudain à ma fonction de ministre de Dieu pour devenir un acteur. Mon public était là et j'allais le transporter, l'émouvoir jusqu'aux tréfonds.

Après coup, je ne fus pas très fier de moi. Il me déplaît de faire vibrer la corde sensible pour toucher l'âme des fidèles mais, ce soir-là, je me pris véritablement pour un prêcheur inspiré.

Je suis venu exhorter au repentir non pas les justes mais les pécheurs, énonçai-je lentement par deux fois, et l'écho vibrant de ma propre voix n'avait rien à voir avec l'accent habituel de celle de Leonard Clement.

Assis au premier rang, Griselda et Dennis me regardèrent, ébahis.

Je laissai planer un silence avant de m'emballer.

L'assemblée tout entière était animée d'une émotion contenue et prête à s'enflammer. J'en profitai, exhortai les pécheurs au repentir, m'abandonnai au mouvement d'une émotion frénétique, brandis un doigt accusateur et répétai plusieurs fois :

– C'est à chacun de vous que je m'adresse !

Et de tous les points de l'église montèrent tour à tour de douloureux soupirs.

L'émotion d'une foule est de ces phénomènes à la fois inconnus et terribles.

Je conclus par ces mots, magnifiques et poignants, les plus déchirants peut-être, contenus dans la Bible : *Cette nuit, il te sera demandé compte de ton âme.*

Pendant un instant étrange, je m'étais senti comme possédé.

Sur le chemin du retour, j'étais rentré en moi-même et avais retrouvé mes pauvres limites. Très pâle, Griselda glissa son bras sous le mien.

– Vous étiez terrible, ce soir, Len... Je n'aime pas cela. Vous n'aviez jamais fait un pareil sermon.

– Et cela ne se reproduira pas, répondis-je un peu plus tard comme je me laissais tomber, épuisé, sur le sofa.

– Que vous est-il arrivé ?

– J'ai été pris d'un coup de folie.

– Ah ! vous ne visiez rien de précis ?

– Que voulez-vous dire ?

– Je me demandais... Non, rien. Vous êtes si déroutant, Len. Je ne vous reconnais pas.

Nous dûmes nous contenter d'un repas froid, Mary étant de sortie.

– Il y a un message pour vous dans l'entrée, dit Griselda. Va le chercher, Dennis, s'il te plaît.

Dennis, qui n'avait pas desserré les dents, obéit.

Je grommelai en prenant le billet ; la mention, « Par porteur, urgent » s'étalait dans le coin en haut, à gauche.

– Il ne reste plus que miss Marple...

Je ne m'étais pas trompé.

Cher Mr Clement, j'aimerais beaucoup vous parler d'une ou deux petites choses qui me trottent dans la tête. Ne devons-nous pas tous nous employer à résoudre ensemble cette malheureuse énigme ? Je viendrai vers neuf heures et demie, si vous me le permettez, et frapperai à la fenêtre de votre bureau. Cette chère Griselda aurait-elle la gentillesse de venir tenir compagnie à mon neveu, avec Mr Dennis, bien sûr, s'il le veut bien ? Sans un signe de votre part, je les attendrai ici et viendrai moi-même à l'heure dite. Bien à vous, Jane Marple.

Je tendis le billet à Griselda.

– Oh ! Allons-y ! s'écria-t-elle, ravie. Un ou deux petits verres de liqueur maison ! Que demander de plus un dimanche soir, après le déprimant repas froid de Mary ?

– Parlez pour vous, maugréa Dennis sans enthousiasme. Vous pourrez disserter à perte de vue sur l'art et la littérature, pendant que je resterai assis à vous écouter, comme un idiot.

– Mais cela te fait du bien, dit sereinement Griselda, et c'est là ta vraie place. Et puis Raymond West n'est pas si intelligent qu'il le croit...

– Pas plus que la plupart d'entre nous, dis-je.

De quoi miss Marple pouvait-elle bien vouloir me parler ? Elle était de loin la plus perspicace de toutes mes paroissiennes, car non seulement elle voyait et entendait tout, mais encore elle savait en tirer les conclusions qui s'imposaient.

Si je devais me lancer dans une carrière d'escroc, c'est de miss Marple que je me méfierais.

Ce que Griselda baptisa « la récréation du neveu »

débuta à neuf heures passées et, en attendant notre voisine, je m'amusai à récapituler chronologiquement les faits en rapport avec le meurtre. La ponctualité n'est pas mon fort mais j'aime la simplicité et la méthode.

À neuf heures et demie précises, un petit coup frappé au carreau attira mon attention et je me levai pour faire entrer ma visiteuse.

Un châle en shetland, qui lui enveloppait la tête et les épaules, lui donnait l'air âgée et fragile. Elle se confondit en réflexions émues.

– C'est si gentil à vous, et à Griselda aussi... Mon neveu a beaucoup d'admiration pour elle... « Un vrai petit Greuze »... voilà comment il l'appelle. Puis-je m'asseoir ici ? Ce n'est pas votre siège ? Oh ! merci. Non, non, je n'ai pas besoin d'un tabouret pour mes pieds.

Je pliai son châle sur une chaise et revins m'asseoir en face d'elle. Nous échangeâmes un regard silencieux et elle m'adressa un petit sourire en guise d'excuse.

– Sans doute vous demandez-vous pourquoi... je suis si passionnée par cette affaire. Vous estimez peut-être qu'une femme ne devrait pas... mais laissez-moi m'expliquer. (Elle s'interrompit un instant et ses joues s'empourprèrent.) Vous ne pouvez pas vivre seule, comme moi, dans un coin perdu, retirée du monde, sans une marotte – et si le tricot, les scouts, les bonnes œuvres et le fusain ne vous suffisent pas... Moi, j'ai toujours été passionnée par la nature humaine, si riche, si fascinante... et dans un petit village où il ne se passe pas grand-chose, vous pouvez même devenir très compétent dans votre domaine d'élection. Vous commencez par classer votre monde comme si vous aviez affaire à des oiseaux ou à des fleurs, par groupes, par genres et par espèces. Au début, vous commettez des erreurs, puis de moins en moins au fil du temps ; et vient le jour où vous passez à la pratique et résolvez de petits problèmes sans importance, mais qui échappent à votre compréhension tant que vous n'avez pas trouvé de solution logique. Ce fut le cas du bocal de crevettes qui a tant amusé Griselda, ou des gouttes contre la toux auxquelles on avait substitué un autre produit, ou du parapluie de la femme du boucher. Ce dernier cas restait une énigme tant que l'on se refusait à admettre que le marchand de légumes s'était montré grossier avec la femme du pharmacien. Je n'aime rien tant que suivre un raisonnement logique et en vérifier la justesse.

– Vous ne vous trompez pas souvent, d'ailleurs, dis-je avec un sourire.

– Et j'avoue que j'en tire quelque fierté... Mais je me suis toujours demandé si je serais aussi perspicace le jour où j'aurais à résoudre une véritable énigme. Logiquement, cela ne devrait pas poser de difficultés. Car, après tout, un modèle réduit de voiture est en tout point semblable à l'original en grandeur nature.

– Je vois... ce serait une simple question d'échelle, en somme. Sur le plan théorique, je l'admets, mais dans la pratique...

– Il n'y a pas de raison que cela soit différent. Les... les motivations, comme on dit à l'école, sont les mêmes : l'argent, les inclinations réciproques entre... euh... personnes de... de sexe opposé, sans compter les bizarreries du caractère, bien sûr, si fréquentes, n'est-ce pas ? En fait, presque tous les gens sont bizarres lorsque vous les connaissez plus intimement ; les gens normaux se conduisent bizarrement en certaines occasions et les gens anormaux ont parfois un comportement tout à fait normal et banal. En fait, la seule façon de procéder est d'établir des comparaisons avec des cas déjà étudiés dans le passé. Vous seriez frappé par le petit nombre de types que l'on rencontre dans la vie.

– Vous me faites peur. J'ai l'impression d'être observé au microscope.

– Je n'irais jamais exposer mes théories au colonel Melchett, il est si autoritaire ! Pas plus qu'à ce pauvre inspecteur Flem. Il me fait penser à une vendeuse novice qui veut à tout prix vous faire acheter des chaussures vernies pour la bonne raison qu'elle a votre pointure en magasin, sans même s'aviser que vous avez jeté votre dévolu sur du cuir marron. (C'est tout le portrait de Flem, pensai-je.) Je suis sûre que vous en savez autant que lui sur le meurtre, poursuivit miss Marple. Si nous pouvions joindre nos efforts...

– Peut-être... Chacun d'entre nous, je crois, se prend en secret pour Sherlock Holmes, lui répondis-je avant de lui relater les trois convocations que j'avais reçues l'après-midi même.

Je lui parlai ensuite de la découverte, par Anne Protheroe, de la toile au visage lacéré, du comportement de miss Cram au poste de police, et enfin de l'analyse, par Haydock, du cristal d'acide picrique que j'avais trouvé dans les bois.

– Comme c'est moi qui l'ai déniché, dis-je pour conclure, j'aimerais qu'il se révèle un indice important, mais j'ai peur qu'il n'ait rien à voir avec le meurtre.

– J'espérais tirer profit de plusieurs romans policiers américains que j'ai empruntés à la bibliothèque récemment... mais il n'y était pas question d'acide picrique. En revanche, j'ai lu il y a longtemps l'histoire d'un homme qui avait été empoisonné par un mélange d'acide picrique et de lanoline appliqué comme un onguent.

– Malheureusement, nous n'avons pas affaire à un empoisonnement, dis-je, en lui tendant l'emploi du temps que j'avais dressé un peu plus tôt. Je me suis efforcé de récapituler les faits aussi clairement que possible.

Emploi du temps établi par Leonard Clement :

Jeudi, 21

12 h 30 : Le colonel Protheroe déplace notre rendez-vous de 18 heures à 18 h 15. Tout le village a pu l'entendre.

12 h 45 : Le revolver est vu à sa place habituelle. (Mais un doute subsiste car Mrs Archer avait tout d'abord déclaré qu'elle ne se souvenait pas de l'avoir vu.)

17 h 30 (environ) : Le colonel Protheroe et son épouse quittent Old Hall en voiture pour se rendre au village.

17 h 30 : Un appel maquillé me parvient du pavillon nord de Old Hall.

18 h 15 (ou un instant avant) : Le colonel Protheroe arrive au presbytère et Mary le fait attendre dans mon bureau.

18 h 20 : Mrs Protheroe arrive au presbytère par l'allée de derrière et traverse le jardin pour gagner la fenêtre de mon bureau, mais elle ne voit pas son mari.

18 h 29 : Mrs Price Ridley reçoit un appel en provenance de chez Lawrence Redding (d'après le central).

18 h 30-18 h 35 : Détonation, si l'heure du coup de téléphone est exacte. Les témoignages de Lawrence Redding, d'Anne Protheroe et du Pr Stone concordent pour dire que la détonation a eu lieu plus tôt, mais Mrs Price Ridley a probablement raison.

18 h 45 : Lawrence Redding arrive au presbytère et découvre le cadavre du colonel dans mon bureau.

18 h 48 : Je croise Lawrence Redding dans la rue.

18 h 49 : Je découvre le cadavre du colonel dans mon bureau.

18 h 55 : Haydock examine le corps du colonel.

Note : *Les deux seules personnes sans alibi pour 18 h 30-18 h 35 sont miss Cram et Mrs Lestrange. Miss Cram était aux fouilles, dit-elle, mais nul ne peut le confirmer ; en l'absence d'un indice la reliant au meurtre, il semble toutefois raisonnable de la mettre hors de cause. Mrs Lestrange a quitté le cabinet du Dr Haydock après 18 heures pour aller à un rendez-vous. Où était ce rendez-vous et avec qui ? Pas avec le colonel Protheroe, puisque ce dernier m'attendait au presbytère où nous devions nous retrouver. Mrs Lestrange était dans les parages à l'heure du crime, mais on voit mal quel aurait pu être son mobile. Elle ne gagne rien à cette mort et la théorie du chantage avancée par l'inspecteur Flem est irrecevable à mes yeux. Mrs Lestrange ne saurait se compromettre de la sorte. En outre, on ne la voit pas allant s'emparer du revolver de Lawrence Redding.*

– C'est lumineux, dit miss Marple. Il n'y a rien à dire. Les hommes ont l'art de dresser des tableaux.

– Êtes-vous d'accord avec ma chronologie ?

– Parfaitement ! Elle est très rigoureuse.

– Qui soupçonnez-vous, miss Marple ? me décidai-je enfin à lui demander. Vous avez compté jusqu'à sept suspects.

– Oui, oui, fit-elle d'un ton détaché. Chacun a son suspect, c'est bien normal. (Mais elle ne me demanda pas qui était le mien.) Ce qu'il faut, c'est donner une explication valable pour tous les faits qui se sont produits. Si votre théorie concorde avec tous les faits... eh bien, vous pouvez parier qu'elle est bonne, mais ne croyez pas que ce soit toujours facile ! S'il n'y avait pas le message...

– Le message ? demandai-je, ébahi.

– Nous en avons déjà parlé, si vous vous souvenez. Il me chiffonne depuis le début. Il y a un détail qui ne colle pas.

– Tout est clair, maintenant : il a été rédigé à 18 h 35 et une autre main – celle du meurtrier – nous a égarés en ajoutant 18 h 20 en haut de la page. Je ne vois pas ce qu'il y a de trouble là-dedans.

– Même dans ce cas...

– Mais je ne vois pas...

– Écoutez... (Miss Marple se pencha brusquement en avant et poursuivit d'un ton animé :) Mrs Protheroe est passée devant chez moi, comme je vous l'ai dit, puis elle a traversé le jardin du presbytère et s'est rendue jusqu'à la fenêtre de votre bureau ; elle a regardé à l'intérieur mais n'a pas vu son mari.

– Car il était assis à ma table de travail en train d'écrire son message...

– C'est bien ce qui ne va pas ! Il était 18 h 20. Vous m'accorderez qu'il aurait dû patienter jusqu'à six heures et demie pour vous écrire qu'il n'attendrait pas plus longtemps. Pourquoi était-il donc assis à votre bureau à 18 h 20 ?

– Cette question ne m'avait jamais effleuré, dis-je, pensif.

– Reprenons tout depuis le début, cher Mr Clement. Mrs Protheroe s'avance jusqu'à la fenêtre de votre bureau et pense qu'il est vide ; on peut la croire car, dans le cas contraire, elle n'aurait pas commis l'imprudence de se rendre à l'atelier pour y retrouver Mr Redding. Peut-être est-ce le silence dans votre bureau qui lui a laissé penser qu'il était vide... Nous avons ainsi le choix entre trois solutions.

– Vous voulez dire que...

– Premièrement, le colonel Protheroe était déjà mort... mais ce n'est pas très vraisemblable, à mon sens. Il n'était pas arrivé depuis plus de cinq minutes et Mrs Protheroe et moi aurions entendu la détonation s'il y en avait eu une ; et puis cela n'explique pas ce qu'il faisait assis à votre bureau. Deuxièmement, le colonel Protheroe était assis à votre bureau et écrivait un message à votre intention, mais alors la teneur en eût été tout autre. Il était trop tôt pour qu'il vous dise qu'il n'attendrait pas davantage. Troisièmement...

– Oui ? dis-je.

– Troisièmement, Mrs Protheroe a raison et votre bureau était vide.

– Vous voulez dire qu'après y avoir été conduit par Mary, il en est ressorti pour y revenir plus tard ?

– C'est cela.

– Mais je ne comprends pas...

Miss Marple écarta les bras, perplexe.

261

– Cela nous entraînerait à reconsidérer toute l'affaire, murmurai-je.

– Il faut bien souvent s'y résoudre... Vous ne croyez pas ?

Sans répondre, je repassai dans mon esprit les trois solutions énoncées par miss Marple.

– Je dois rentrer, dit-elle en se levant avec un petit soupir. Je suis ravie d'avoir pu bavarder un moment avec vous... mais nous ne sommes guère avancés...

– À dire vrai, cette histoire me paraît de plus en plus confuse, dis-je en me levant à mon tour pour aller chercher son châle.

– Mais non, mais non ! J'ai une théorie qui explique à peu près tout, à condition d'admettre une coïncidence... et l'on peut tout de même s'autoriser au moins une coïncidence ; pas davantage, bien sûr, sous peine de ruiner la théorie en question.

– Vous avez donc une théorie ? m'exclamai-je en la regardant.

– Je reconnais qu'elle comporte un point faible... un fait sur lequel je bute encore. Ah ! si seulement ce message avait été différent.

Elle soupira en secouant la tête, se dirigea vers la fenêtre et, machinalement, tâta la terre d'une plante verte qui dépérissait sur une étagère.

– Il faut l'arroser plus souvent, cher Mr Clement. Pauvre plante, elle meurt de soif. Votre bonne devrait l'arroser tous les jours, car c'est elle qui s'en charge, sans doute ?

– Si l'on peut dire...

– Elle manque un peu d'expérience, suggéra miss Marple.

– C'est le moins que l'on puisse dire, mais Griselda ne veut pas entendre parler de lui faire apprendre quoi que ce soit. Sa théorie est que, si personne n'en veut, elle restera forcément chez nous ; malgré tout, Mary a donné son congé l'autre jour.

– Vous m'étonnez ! J'avais cru au contraire qu'elle vous aimait beaucoup, tous les deux.

– Cela ne m'avait pas frappé ! En tout cas, ce n'était pas nous qui l'avions contrariée, mais Lettice. Mary revenait de l'audience, toute retournée, et elle a trouvé Lettice ici... elles ont eu des mots.

Miss Marple allait sortir dans le jardin quand elle s'arrêta brusquement et changea de visage.

– Oh ! mon Dieu, murmura-t-elle comme pour elle-même. J'ai été stupide. C'était donc cela ! Mais oui...

– Je vous demande pardon ?

Elle tourna vers moi un visage contrarié :

– Rien, je viens d'avoir une idée. Il vaut mieux que je rentre ; j'ai besoin de réfléchir et de tout reprendre de zéro. J'ai été stupide... vraiment stupide.

– Permettez-moi d'en douter, dis-je galamment en l'accompagnant jusqu'à la grille. Puis-je savoir à quoi vous avez pensé ?

– Je préfère ne rien vous dire pour le moment. Peut-être me suis-je trompée, mais cela m'étonnerait. Nous voici à ma porte. Merci d'avoir fait le chemin jusqu'ici.

– Est-ce le message du colonel sur lequel vous butez ? demandai-je, comme elle refermait son portillon derrière elle.

Elle me regarda d'un air absent.

– Le message ? Oh ! c'était un message truqué, bien sûr, mais je n'ai jamais cru qu'il était du colonel. Bonne nuit, Mr Clement.

Je la regardai remonter l'allée d'un pas rapide jusqu'à sa porte.

Et restai planté là, de plus en plus perplexe.

27

Griselda et Dennis n'étaient pas encore rentrés. J'aurais pu en raccompagnant miss Marple jusque chez elle, les prendre pour revenir au presbytère avec eux, mais nous avions été si absorbés par notre affaire que nous avions oublié le monde entier autour de nous.

J'étais planté dans l'entrée, à me demander si je retournerais les chercher ou non, quand un coup de sonnette retentit à la porte. J'y allai.

Je trouvai une lettre dans notre boîte aux lettres et pensai que c'était le porteur qui avait sonné.

C'est alors qu'il y eut un deuxième coup de sonnette ; je fourrai la lettre dans ma poche et ouvris la porte.

C'était le colonel Melchett.

– Bonsoir, Clement, dit-il, je reviens de la ville en voiture, et j'ai eu l'idée de passer boire un verre chez vous.

– Vous avez bien fait, allons dans mon bureau, répondis-je en le précédant.

Il enleva son manteau de cuir et je me mis en quête

de deux verres ainsi que de whisky et de soda. Debout devant la cheminée, jambes écartées, Melchett caressait machinalement sa petite moustache bien taillée.

– J'en ai de belles à vous apprendre, Clement ! Vous n'allez pas le croire, mais laissons cela pour le moment. Et ici, du nouveau ? Ces dames sont toujours sur la brèche ?

– Elles font ce qu'elles peuvent. L'une d'elles a même trouvé la solution.

– C'est cette chère miss Marple, je parie ?

– Vous avez deviné.

– Ça croit toujours tout savoir, dit-il en sirotant son whisky-soda d'un air gourmand.

– Ma question vous paraîtra peut-être inutile, mais a-t-on interrogé le commis du poissonnier ? Il a peut-être vu le meurtrier sortir par la porte du presbytère.

– Vous pensez bien que Flem l'a interrogé, mais le garçon déclare n'avoir vu personne. D'ailleurs, cela ne m'étonne pas ; le meurtrier s'est bien gardé d'attirer l'attention et ce ne sont pas les cachettes qui manquent dans les parages ; il aura attendu le moment propice pour s'esquiver pendant que le commis du poissonnier était au presbytère, chez Haydock ou chez Mrs Price Ridley.

– Vous avez raison.

– En revanche, si ce gredin d'Archer est dans le coup, et si le jeune Fred Jackson l'a vu rôder dans le coin, je serais surpris qu'il le dénonce, car ils sont cousins.

– Vous croyez sérieusement qu'Archer... ?

– Vous savez bien que le vieux Protheroe s'était acharné contre lui, et l'autre devait lui garder un chien

265

de sa chienne. Le colonel n'était pas connu pour sa magnanimité.

– Il était inflexible, au contraire.

– Moi, je suis d'avis de vivre et de laisser vivre. Nul n'est censé ignorer la loi, je le sais bien, mais on ne fait de mal à personne si on laisse à un homme le bénéfice du doute, ce que Protheroe n'aurait jamais fait.

– Et il en était fier. Au fait, qu'avez-vous appris de nouveau ? demandai-je après un silence.

– Quelque chose d'incroyable ! Le fameux message inachevé de Protheroe...

– Oui ?

– Il a été examiné par un expert qui devait établir si oui ou non la mention de 18 h 20 avait été rajoutée par une main étrangère. L'expert disposait bien sûr de spécimens de l'écriture de Protheroe, eh bien, figurez-vous que ce message n'a jamais été écrit par le colonel !

– On aurait donc imité son écriture ?

– Oui. La mention de 18 h 20 aurait peut-être été écrite par une autre personne, mais rien n'est sûr ; l'entête est d'une encre différente mais la lettre est un faux. Protheroe ne l'a jamais écrite.

– Les experts sont formels ?

– Autant qu'ils peuvent l'être ! Vous les connaissez, hein ? Mais c'est suffisant...

– Incroyable ! m'exclamai-je, quand soudain un souvenir m'assaillit.

Mrs Protheroe ne m'avait-elle pas dit que ce n'était pas l'écriture de son mari ? Je n'y avais pas prêté attention sur le moment. J'en fis part à Melchett, qui s'étonna.

– J'ai pensé que c'était une de ces idioties que disent

parfois les femmes, expliquai-je. Pour moi, il n'y avait aucun doute, c'était le colonel Protheroe qui avait rédigé ce message. (Nous échangeâmes un coup d'œil.) C'est curieux, ajoutai-je encore, pensif. Miss Marple me disait justement ce soir que c'était un faux.

– Sacrée bonne femme ! À croire que c'est elle qui a commis le crime !

La sonnerie du téléphone nous interrompit et son insistance me parut revêtir une signification sinistre.

J'allai décrocher.

– Ici le presbytère. Qui est à l'appareil ?

Une voix aiguë, proche de l'hystérie, me parvint.

– J'ai quelque chose à avouer ! Mon Dieu, j'ai quelque chose à avouer ! entendis-je.

– Allô ? Allô ? répétai-je. Nous avons été coupés. Qui me demandait ?

L'opératrice me répondit d'une voix apathique qu'elle n'en savait rien et ajouta qu'elle était désolée de m'avoir dérangé. Je raccrochai et me tournai vers Melchett :

– Vous disiez que vous deviendriez fou si jamais un troisième larron s'avisait de s'accuser du meurtre ?

– Et alors ?

– Il y avait là quelqu'un qui voulait avouer, mais la communication a été coupée.

– Je vais leur dire deux mots, moi ! hurla Melchett en se ruant sur le téléphone.

– Vous aurez peut-être plus de succès que moi. Je vous laisse, je dois sortir ; je crois savoir qui a appelé.

28

Je descendis au village en toute hâte. Il était onze heures du soir, et à cette heure-là, un dimanche, on ne croise guère de paroissiens à St. Mary Mead. Mais en passant, je vis de la lumière au premier étage d'une maison : Hawes était encore debout ; je m'arrêtai et enfonçai le bouton de sonnette.

Après ce qui me parut une éternité, la maîtresse du logis, Mrs Sadler, tira laborieusement deux verrous, manipula une chaîne et tourna la clef dans la serrure, avant de me jeter un coup d'œil soupçonneux.

– Oh ! mais c'est notre pasteur ! s'exclama-t-elle.

– Bonsoir, madame. Je voudrais voir Mr Hawes. Il y a encore de la lumière dans sa chambre ; est-il là ?

– Pour sûr ! Il n'a pas quitté son appartement depuis que je lui ai monté son dîner... personne n'est venu le déranger et il est resté là, bien tranquille.

Je passai devant Mrs Sadler et grimpai prestement à l'étage où Hawes occupait un salon et une chambre à coucher.

J'entrai dans la première pièce et trouvai Hawes profondément endormi dans un fauteuil. Une boîte de médicaments vide et un verre d'eau à moitié plein traînaient à côté de lui.

Une boule de papier noircie de pattes de mouche avait roulé près de son pied gauche ; je la ramassai et la défroissai. C'était une lettre qui m'était destinée.

Mon cher Mr Clement..., disait-elle.

Je la lus de bout en bout, la fourrai dans ma poche

en poussant une exclamation, et revins à Hawes pour l'examiner.

Ensuite, saisissant le téléphone près de son coude, je réclamai le presbytère. Melchett s'évertuait toujours à retrouver l'origine du précédent appel car on m'informa que la ligne était occupée. Pouvait-on me rappeler ? demandai-je avant de raccrocher.

Je cherchai dans ma poche le message de Hawes pour le relire et tombai sur le courrier que j'avais trouvé dans ma boîte aux lettres, un peu plus tôt, et que je n'avais pas encore ouvert.

J'eus un coup au cœur : c'était l'écriture de la lettre anonyme que j'avais reçue au début de l'après-midi.

Je déchirai l'enveloppe et dus m'y reprendre à deux fois pour la lire. Je ne comprenais pas un traître mot.

J'en étais à ma troisième tentative quand le téléphone sonna. Je tendis machinalement la main vers le récepteur :

– Allô ?

– Allô !

– Melchett ?

– Oui. Où êtes-vous passé ? J'ai retrouvé l'origine de l'appel. C'est le numéro de...

– Je sais...

– Dieu de Dieu ! Vous êtes là-bas ?

– Oui !

– Il a avoué ?

– J'ai sa lettre entre les mains.

– Vous tenez le meurtrier ?

Je subis alors la tentation la plus forte de ma vie. Je regardai tour à tour Hawes, la lettre froissée, les inepties

anonymes que je tenais à la main, la boîte de médicaments vide sur laquelle s'étalait le nom de notre pharmacien : Cherubim, et une conversation anodine me
revint à l'esprit.

– Je ne sais pas, dis-je avec un effort surhumain. Vous
devriez venir.

Je lui donnai l'adresse et m'assis sur une chaise en face
de Hawes, histoire de mettre de l'ordre dans mes
pensées.

Je n'avais pas beaucoup de temps.

Melchett ne tarderait pas à arriver. Je relus la lettre
anonyme pour la troisième fois, puis je fermai les yeux
et réfléchis...

29

Je perdis la notion du temps mais il ne dut pas s'écouler plus de quelques minutes. Au bout de ce qui me
parut une éternité, j'entendis la porte s'ouvrir et, tournant la tête, vis entrer Melchett.

La vue de Hawes endormi dans un fauteuil lui arracha
une question.

– Qu'est-ce que cela signifie, Clement ?

Je lui tendis une des deux lettres que je tenais encore
à la main et il la lut à mi-voix.

Mon cher Clement,
Je dois vous annoncer une chose très désagréable.
Aussi je préfère vous l'écrire. Nous pourrons en reparler,

ultérieurement. C'est au sujet des récents détournements de fonds. J'ai le regret de vous informer que j'ai identifié le coupable, sans nul doute possible. Aussi douloureux qu'il soit pour moi d'accuser un prêtre, membre de notre église, je me dois d'accomplir mon devoir. Il faut faire un exemple et...

Melchett me jeta un regard interrogateur car la ligne se perdait ensuite en un gribouillage illisible, là où le froid de la mort avait commencé à glacer la main de son auteur.

– C'était donc ça ! soupira Melchett en contemplant Hawes. Le seul qu'on n'ait jamais soupçonné... Poussé aux aveux par le remords.

– Je le trouvais bizarre, ces derniers temps.

En quelques pas Melchett fut auprès du dormeur. Il poussa un cri et saisit Hawes par l'épaule pour le secouer, d'abord en douceur, puis avec de plus en plus de vigueur.

– Il n'est pas endormi ! Il est drogué ! Qu'est-ce que ça signifie ? (Son regard se posa sur la boîte de médicaments vide, et il la ramassa.) Est-ce qu'il a...

– Je le crains, dis-je. Il en a pris devant moi, l'autre jour et m'a dit qu'on l'avait déjà mis en garde contre tout abus. C'était sa seule porte de sortie. Peut-être est-ce mieux ainsi. Ce n'est pas à nous de le juger.

Mais Melchett était avant tout le chef de la police du comté et il restait insensible aux arguments qui me touchaient. Il tenait son meurtrier et entendait qu'il fût pendu.

Il se rua sur le téléphone, malmenant le support du

271

récepteur pour obtenir le central. Le silence tomba tandis qu'il attendait, l'oreille collée à l'écouteur et les yeux rivés sur la silhouette affaissée dans un fauteuil, qu'on lui passât le Dr Haydock.

– Allô ! Allô ! Je suis bien chez le Dr Haydock ? C'est pour une urgence dans High Street, chez Mr Hawes. Il peut venir ? Comment ? Quel numéro êtes-vous ? Oh ! excusez-moi. (Il raccrocha, exaspéré.) Faux numéro ! Faux numéro ! Toujours des faux numéros ! Quand c'est une question de vie ou de mort. Allô ! Vous m'avez donné un faux numéro... Oui... c'est urgent, donnez-moi le 3, 9,... 9 et non pas 2 ! (Il se remit à piaffer d'impatience mais on lui passa bientôt son correspondant.) Allô ? Haydock ? Melchett, à l'appareil. Venez d'urgence au 19 High Street, s'il vous plaît. Hawes a absorbé une forte dose d'une saloperie quelconque. C'est urgent, vous m'avez compris ? Il y va de sa vie.

Il raccrocha, se mit à faire les cent pas et me prit à partie :

– Pourquoi diable n'avez-vous pas appelé le médecin tout de suite, Clement ? Où aviez-vous la tête ? (Melchett était incapable de concevoir que l'on pût avoir des idées différentes des siennes sur la conduite à tenir ; je me gardai de lui répondre et il poursuivit :) Où était cette lettre ?

– Elle avait dû lui glisser des mains...

– C'est incroyable !... Miss Marple avait raison : le premier message trouvé près du corps de Protheroe n'était pas le bon. Je me demande ce qui lui a mis la puce à l'oreille. Et pourquoi diable cet imbécile de Hawes n'a-t-il pas détruit celui-ci puisqu'il s'est donné la peine de

272

le subtiliser pour le remplacer par un autre ? On ne conserve pas pareille pièce à conviction...

– Inconséquente et changeante nature humaine...

– Tant mieux pour nous, sinon bien malin qui pourrait coincer les meurtriers. Mais ils commettent toujours une erreur... Vous n'avez pas bonne mine, Clement. Vous êtes tourneboulé, c'est ça ?

– Oui, et puis je vous l'ai dit, Hawes n'était pas dans son assiette ces derniers temps, mais de là à penser...

– Hé oui ! Ah ! voilà la voiture. (Il alla ouvrir la fenêtre et se pencha au-dehors.) C'est Haydock.

Quelques secondes plus tard, le médecin pénétrait dans la pièce.

Melchett lui exposa la situation en quelques mots succincts.

Haydock n'est pas homme à faire étalage de ses sentiments et c'est à peine s'il fronça les sourcils. Il s'approcha de Hawes, lui tâta le pouls et lui souleva une paupière pour examiner l'œil.

– Vous voudriez que je le sauve pour le pendre, fit-il en se tournant vers Melchett. Il est plutôt mal en point, croyez-moi, et je ne peux pas prévoir le résultat.

– Faites tout ce qui est en votre pouvoir.

– J'essaierai.

Il s'affaira autour de sa mallette et prépara une injection, puis il piqua Hawes au bras et se releva.

– Il faut l'emmener d'urgence à l'hôpital de Much Benham. Aidez-moi à le transporter dans ma voiture.

» Vous ne pourrez pas le faire pendre, Melchett, dit encore Haydock en se glissant au volant.

– Vous pensez qu'il ne s'en sortira pas ?

– Je n'en sais rien, mais s'il s'en sort... eh bien, voilà : ce pauvre diable n'était pas responsable de ses actes et je pourrai le prouver.

– De quoi parlait-il ? me demanda Melchett tandis que nous remontions l'escalier.

Je lui expliquai que Hawes souffrait d'une encéphalite léthargique.

– La maladie du sommeil, hein ? Ce ne sont pas les bonnes raisons qui manquent pour excuser nos vilaines actions, de nos jours, vous ne trouvez pas ?

– Il faut compter avec les découvertes scientifiques.

– Au diable les découvertes scientifiques ! Pardonnez-moi, Clement, mais toutes ces salades sont assommantes. Moi, je ne vais pas chercher midi à quatorze heures. Bon ! Il ne nous reste plus qu'à jeter un coup d'œil chez Hawes.

C'est alors que, médusés, nous vîmes entrer miss Marple.

Elle était écarlate et passablement agitée mais s'avisa néanmoins de notre stupeur.

– Je vous demande bien pardon d'arriver ainsi, dit-elle. Bonsoir, colonel Melchett. Pardonnez-moi, mais quand j'ai compris que Mr Hawes était souffrant, j'ai préféré faire un saut... Si je pouvais lui être d'une aide quelconque...

Elle s'interrompit. Le colonel Melchett ne fit aucun effort pour cacher son mépris.

– C'est très aimable à vous, mais vous n'auriez pas dû vous donner cette peine, fit-il, cinglant. Peut-on savoir comment vous avez appris la nouvelle ?

J'étais curieux de le savoir, moi aussi.

– Par téléphone, expliqua miss Marple. Ils ne sont guère consciencieux, n'est-ce pas ? Tous ces faux numéros... C'est chez moi qu'ils ont appelé d'abord en croyant vous passer le Dr Haydock. Mon numéro est le 32.

– Tout s'explique ! m'écriai-je.

L'omniscience de miss Marple se justifie toujours de la façon la plus logique.

– C'est pourquoi j'ai cru nécessaire...

– C'est très aimable à vous, répéta Melchett de son ton cassant, mais c'était inutile. Haydock a emmené Hawes à l'hôpital.

– À l'hôpital ? Ah ! Tant mieux. Je préfère cela. Il y sera en sécurité, au moins. « C'était inutile », dites-vous... Dois-je comprendre qu'il n'y a plus d'espoir pour lui, qu'il ne se remettra pas ?

– Rien n'est sûr, hélas ! dis-je.

Le regard de miss Marple tomba sur la boîte de médicaments.

– Il a forcé la dose ? demanda-t-elle.

Melchett restait renfrogné et peut-être en eussé-je fait autant dans d'autres circonstances, mais la justesse des hypothèses et des raisonnements de miss Marple m'en empêchait, même si sa brusque apparition et sa curiosité avaient de quoi me heurter.

– Jetez donc un coup d'œil à ceci, dis-je en lui tendant la lettre inachevée de Protheroe.

Son visage ne trahit pas la moindre surprise tandis qu'elle la lisait.

– Aviez-vous deviné quelque chose de ce genre ? lui demandai-je.

– À peu près, mais un détail me chiffonne : puis-je

savoir ce qui vous a amené ici, ce soir, Mr Clement ? Je ne m'attendais pas à vous trouver chez Mr Hawes avec le colonel Melchett.

– C'est un appel téléphonique, expliquai-je. Je croyais avoir reconnu sa voix.

Miss Marple prit l'air pensif.

– Ah ! Je vois ! Un appel providentiel en quelque sorte... Et vous êtes arrivé juste à temps.

– Juste à temps pour quoi ? demandai-je d'un ton aigre.

Miss Marple parut surprise.

– Pour sauver la vie de Mr Hawes, voyons ! s'exclama-t-elle.

– Ne serait-il pas préférable qu'il ne s'en remît pas ? Pour lui et pour tout le monde ? La vérité a éclaté et...

Je m'interrompis, soudain troublé par les mimiques de miss Marple.

– C'est en tout cas ce qu'on a voulu vous faire croire. Et vous l'avez cru, comme vous avez cru que cette solution était préférable pour tout le monde. Tout concorde... la lettre, les médicaments, le désarroi de ce pauvre Mr Hawes et son aveu. Tout s'emboîte à merveille... Mais tout est faux. (Nous la regardâmes, interloqués.) C'est pourquoi je préfère savoir Mr Hawes en sécurité, à l'hôpital, où personne ne risque de lui faire du mal. S'il s'en tire, il vous la dira, la vérité.

– La vérité ?

– Oui, Mr Clement, il vous dira qu'il n'a pas tué le colonel Protheroe.

– Mais le coup de téléphone, la lettre, les médicaments... tout cela n'est que trop parlant.

– C'est ce qu'il a voulu vous faire croire. Oh ! il est très habile. Garder la lettre et l'utiliser de cette façon... oui, c'était très habile, en effet.

– Qui ça, « il » ?

– Le meurtrier, dit miss Marple. Mr Lawrence Redding, ajouta-t-elle d'un petit ton tranquille.

30

Médusés, nous la fixions en pensant qu'elle était devenue folle, tant son accusation nous semblait absurde.

Le colonel Melchett retrouva sa langue le premier :

– Cela ne tient pas debout, miss Marple, dit-il avec une amabilité teintée de condescendance. Lawrence Redding a été lavé de tout soupçon.

– On peut dire qu'il a bien manœuvré dans ce but, dit miss Marple.

– Au contraire, rétorqua sèchement le colonel Melchett. Vous oubliez qu'il s'est accusé du meurtre.

– Je ne l'oublie pas et je m'y suis laissé prendre comme les autres. Vous vous souvenez de mon étonnement, Mr Clement, lorsque j'ai appris que Mr Redding s'était rendu à la police ? Cet aveu bouleversa mes conclusions et me fit croire à son innocence, alors que, dans un premier temps, j'étais sûre qu'il était coupable.

– Vous le soupçonniez ?

– Je sais bien que, dans les romans, l'assassin est toujours celui auquel on s'attend le moins, mais cette règle ne s'applique jamais dans la vie réelle, au contraire ; c'est bien souvent la solution la plus évidente qui se révèle exacte. Mon amitié pour Mrs Protheroe ne m'avait pas empêchée de constater qu'elle était bel et bien sous la coupe de Mr Redding, et prête à tout pour ses beaux yeux. Lui, de son côté, n'avait que faire de s'enfuir avec une femme sans fortune ; il fallait que le colonel Protheroe disparaisse... et il s'est chargé de le faire disparaître. Il est de cette race de séducteurs totalement dénués de sens moral.

Le colonel Melchett, qui émettait depuis quelque temps déjà des reniflements impatients, finit par exploser :

– Cessez de dire n'importe quoi ! Redding a un alibi jusqu'à sept heures moins le quart, et Haydock affirme que Protheroe ne peut pas avoir été tué passé cette heure-là. Mais sans doute vous lui en remontreriez, n'est-ce pas ? Peut-être ment-il, lui aussi ? Ou que sais-je encore ?

– Le Dr Haydock est très compétent et il dit vrai. Du reste, c'est Mrs Protheroe qui a tué son mari et non pas Mr Redding.

Miss Marple n'avait pas fini de nous surprendre. Elle ajusta son fichu en dentelle, écarta le châle douillet qui enveloppait ses épaules et entreprit de nous exposer son aimable vision de vieille fille, énonçant les choses les plus épouvantables du ton le plus anodin.

– J'ai cru préférable de me taire jusqu'ici, car même si elle s'impose à vous, une idée personnelle ne constitue pas pour autant une preuve. Et, tant que votre hypothèse ne concorde pas avec tous les faits, comme je l'expliquais à ce cher Mr Clement un peu plus tôt dans la soirée, vous ne pouvez vous permettre de porter la moindre accusation. Et précisément, il me manquait une pièce du puzzle... C'est en quittant le bureau du pasteur que j'ai remarqué un petit palmier en pot près de la fenêtre et... et... tout est devenu lumineux.

– Elle est complètement toquée, me chuchota Melchett à l'oreille.

Miss Marple nous enveloppa d'un regard serein et continua de sa voix douce :

– J'étais navrée de penser ce que je pensais, croyez-moi, car je les aimais bien tous les deux, mais vous savez ce que c'est... Aussi, lorsqu'ils se sont livrés, l'un après l'autre, je vous avoue que je me suis d'abord sentie très soulagée ; on pouvait dire que je m'étais bien trompée ! C'est là que j'ai commencé à recenser la liste de tous ceux qui avaient quelque raison de souhaiter la disparition du colonel.

– Les sept suspects ? demandai-je dans un murmure.

– Mais oui, fit miss Marple en me souriant. Archer tout d'abord : c'était peu vraisemblable mais, sous l'effet de l'alcool, on ne sait jamais. Et votre bonne, Mary, qui avait fréquenté Archer pendant longtemps et qui a un fichu caractère ; elle avait un mobile et aurait pu profiter de l'occasion... N'était-elle pas seule au presbytère, cet après-midi-là ? Il aurait suffi que la vieille Mrs Archer leur glisse en douce le revolver de Mr Redding. Lettice, bien sûr, voulant à la fois conquérir sa liberté et disposer de l'argent qui lui servirait à faire ce que bon lui semble. Les jeunes filles, belles, éthérées et sans scrupules, ne manquent pas, croyez-moi, mais les hommes se refusent à l'admettre.

Je pris la remarque pour moi tandis qu'elle poursuivait :

– Sans parler de la raquette de tennis que la petite Clara de Mrs Price Ridley avait vue traîner dans l'herbe, à la grille du presbytère. Mr Dennis était donc rentré plus tôt qu'il ne l'avait dit de sa partie de tennis. À seize ans, les jeunes gens sont si ombrageux ! Mais le fait est qu'il était rentré plus tôt, que ce soit pour les beaux yeux de Lettice ou pour vous faire plaisir, Mr Clement. Restent enfin ce pauvre Mr Hawes et vous, cher pasteur, non pas ensemble, bien sûr, mais « si ce n'est toi c'est donc ton frère », comme l'on dit...

– Moi ! m'exclamai-je, anéanti.

– Je vous demande pardon – et je n'y ai d'ailleurs jamais cru –, mais il y avait eu ces petites sommes mystérieusement disparues... Ce ne pouvait être que le pasteur ou le vicaire. Or, Mrs Price Ridley faisait courir le bruit que c'était vous le voleur, vu que vous étiez opposé à l'ouverture d'une enquête sur ce sujet. Mais moi, j'avais deviné que c'était Mr Hawes... Il me rappelait le pauvre organiste, vous savez ? D'un autre côté, on n'est jamais sûr...

– Question de nature humaine, conclus-je d'un ton sévère.

– N'est-ce pas ? Et la dernière était cette chère Griselda.

– Mrs Clement n'avait rien à voir là-dedans, coupa Melchett. Elle est revenue de Londres par le train de 18 h 50.

– C'est en effet ce qu'elle a dit, rétorqua miss Marple, mais il faut toujours tout vérifier. Le train de 18 h 50 avait une demi-heure de retard, ce soir-là. Or, j'ai vu Griselda prendre le chemin de Old Hall à cinq heures et quart précises, c'est donc qu'elle était rentrée par le train précédent. D'ailleurs on l'avait vue, mais vous êtes bien placé pour le savoir, ajouta-t-elle à mon adresse, avec un regard interrogateur.

Quelque chose dans ses yeux m'obligea à sortir de ma poche la deuxième lettre anonyme que j'avais ouverte un peu plus tôt. Elle racontait en détail que Griselda avait été vue sortant de chez Lawrence Redding par la porte de derrière, à six heures et demie, le jour du drame.

Je ne devais jamais parler à quiconque du soupçon qui m'avait assailli un peu plus tôt, telle une vision de cauchemar : ayant eu vent de la liaison passée entre Lawrence et Griselda, Protheroe aurait voulu m'en informer et ma femme, désespérée, aurait réduit le colonel au silence après avoir dérobé le revolver. Vision de cauchemar, certes, mais j'avoue que j'y avais cru pendant un bref instant.

Miss Marple avait peut-être deviné quelque chose. Rien ne lui échappe, aussi n'en eussé-je pas été étonné.

– Tout le village était au courant, dit-elle en me rendant la lettre avec un hochement de tête. Et cela pouvait prêter à équivoque, n'est-ce pas ? Surtout après que Mrs Archer avait juré, à l'audience, que le revolver était encore chez Mr Redding à midi, le même jour. (Elle fit une courte pause et poursuivit sur un ton d'excuse :) Mais je m'écarte de notre sujet. Je crois qu'il est de mon devoir de vous exposer ma théorie personnelle. Si vous n'y accordez pas foi... eh bien, j'aurai néanmoins fait mon devoir. Mais si, par malheur, mon silence a coûté la vie à Mr Hawes... (Elle s'interrompit de nouveau mais, quand elle reprit, sa voix avait perdu sa nuance d'excuse et s'était affermie.) Voici donc mon explication des faits : c'est le jeudi après-midi que le crime a été organisé dans ses moindres détails. Lawrence Redding est d'abord passé au presbytère bien qu'il sût le pasteur absent. Il avait son revolver sur lui et l'a caché dans le pot de fleur, sur une étagère près de la fenêtre. Comme le pasteur rentrait, Lawrence a justifié sa présence par la nécessité où il s'était senti de venir lui annoncer qu'il quittait St. Mary Mead. À cinq heures et demie, il a téléphoné au pasteur du pavillon nord de Old Hall, en contrefaisant sa voix. Je vous rappelle qu'il fait un excellent acteur amateur...

» Mrs Protheroe et son mari se mettent ensuite en route pour le village ; Mrs Protheroe n'a pas de sac à main, ce qui est pour le moins curieux de la part d'une femme, mais ce dont personne ne paraît s'aviser. Il n'est pas 18 h 20 quand elle passe devant chez moi et s'arrête pour bavarder un instant ; elle veut me donner l'occasion de remarquer qu'elle ne porte pas d'arme sur elle et qu'elle est comme d'habitude. Ils savent tous deux que je suis fine observatrice. Ensuite elle disparaît à l'angle du presbytère, comme pour entrer par la porte-fenêtre. Le pauvre colonel est assis au bureau, occupé à rédiger un message pour Mr Clement. N'oublions pas qu'il est dur d'oreille. Mrs Protheroe n'a qu'à prendre le revolver dans le pot de fleur où elle sait le trouver, à s'approcher de son mari par-derrière et à le tuer à bout portant ;

ensuite elle jette l'arme par terre et ressort aussitôt pour se rendre à l'atelier au fond du jardin. Chacun pourrait jurer en conscience qu'elle n'a pas eu le temps d'accomplir son forfait.

– Et le coup de feu ? objecta le colonel Melchett. Vous auriez dû entendre le coup de feu !

– Je sais qu'il existe un dispositif appelé un silencieux. Je l'ai lu dans certains romans policiers. Et si par hasard c'était là le fameux éternuement que Clara, la bonne de Mrs Price Ridley, a entendu ? Mais peu importe. Mr Redding va retrouver Mrs Protheroe dans l'atelier. Ils s'y enferment et ne tardent pas à comprendre, la nature humaine étant ce qu'elle est, que j'attends de les voir ressortir !

Miss Marple n'avait jamais été plus aimable qu'en cet instant où elle avouait avec humour sa petite faiblesse.

– Lorsqu'ils ressortent, ils sont gais et détendus, et c'est là qu'ils commettent une erreur : s'ils viennent de se faire leurs adieux, comme ils l'ont prétendu ensuite, il n'y a pas de quoi arborer une mine réjouie.

» Mais voilà ! Ils n'osent pas montrer leur trouble, et c'est là que le bât blesse. Ils consacrent les dix minutes qui suivent à se forger ce qu'on appelle un alibi, n'est-ce pas ? Mr Redding sonne au presbytère et en ressort au dernier moment. Il vous voit arriver de loin dans le chemin et a tout prévu. Il prend le revolver et le silencieux, laisse le message sur lequel il rajoute l'heure d'une encre et d'une écriture différentes. Lorsqu'on s'apercevra de la supercherie, on croira à une tentative grossière pour compromettre Mrs Protheroe.

» Comme il laisse sa lettre sur le sous-main, il

découvre celle du colonel Protheroe... c'est une aubaine pour lui ! Malin, il ne doute pas que cette lettre pourra lui être bien utile et il la subtilise. Sachant que la pendulette a toujours un quart d'heure d'avance, il la met à l'heure de son message, toujours pour faire porter les soupçons sur Mrs Protheroe, et il ne lui reste qu'à se sauver. Lorsqu'il vous croise, il joue à merveille le rôle d'un homme à l'esprit troublé, or quelle aurait été l'attitude d'un meurtrier venant d'accomplir son forfait ? Il aurait cherché à paraître naturel, bien sûr ! Ce n'est donc pas ce que fait Mr Redding. Il jette son silencieux et se rend au poste de police, muni de son revolver ; là il y va d'une autoaccusation grotesque que tout le monde est prêt à gober.

L'exposé de miss Marple était fascinant. Elle parlait avec tant d'assurance que le colonel Melchett et moi-même ne doutâmes pas un instant que les choses s'étaient bien passées ainsi.

– Et la détonation dans les bois ? demandai-je. Est-ce là cette fameuse coïncidence que vous évoquiez tout à l'heure ?

– Pas du tout ! Cela n'avait rien d'une coïncidence, croyez-moi ! Il fallait bien qu'un coup de feu fût tiré pour étouffer les soupçons qui pesaient sur Mrs Protheroe. Je n'ai pas encore découvert comment Mr Redding s'y est pris, mais j'ai entendu dire que l'acide picrique explose sous l'effet d'un choc violent ; or, vous avez rencontré Mr Redding chargé d'une grosse pierre, non loin des taillis où vous avez déniché un fragment de verre, cher pasteur. Les hommes s'y entendent pour construire des dispositifs ! Une fusée à retardement ou une mèche lente

284

aurait pu brûler pendant vingt minutes et provoquer une explosion aux alentours de six heures et demie, quand Mrs Protheroe et Mr Redding étaient bien visibles, dans le village. Et qu'aurait-on retrouvé après coup ? Une pierre ! C'est tout. Mais il a jugé bon de la faire disparaître... et c'est à cela qu'il s'employait le jour où vous l'avez surpris dans les bois.

– Vous avez raison, m'écriai-je en revoyant le mouvement de surprise de Lawrence m'apercevant soudain. Cela m'avait paru naturel, mais maintenant que vous le dites...

– Oui, acquiesça miss Marple comme si elle avait lu dans mes pensées. Il n'aura guère apprécié de vous trouver là, à cet instant précis. Il s'en est dépêtré avec habileté en prétendant qu'il me destinait cette pierre pour mon jardin japonais, seulement figurez-vous que ce n'était pas du tout le genre de pierre qui convient à mon jardin japonais ! C'est d'ailleurs ce qui m'a mise sur la voie ! ajouta-t-elle sans aucune modestie.

Le colonel Melchett ne s'était pas levé de sa chaise et paraissait en transe. Un ou deux reniflements le firent revenir sur terre et il se moucha bruyamment :

– Crénom de nom ! s'exclama-t-il.

Il n'en dit pas davantage. Comme moi, il était frappé par la logique des conclusions de miss Marple, mais il refusait encore de se rendre à ses vues.

Il s'empara de la lettre froissée et aboya :

– D'accord ! Et l'appel de notre ami Hawes, dans l'affaire ?

– La providence, colonel, la providence ! J'y vois la conséquence du sermon de notre pasteur. Il était remarquable, vraiment, Mr Clement, et il aura touché l'âme de Mr Hawes au point de lui donner le courage d'avouer qu'il avait détourné les fonds de l'église.

– Qu'est-ce encore que...

– Mais oui et, grâce à Dieu, c'est ce qui l'a sauvé, car j'espère et je crois qu'il sera sauvé. Le Dr Haydock est un si bon médecin ! Mr Redding a pris le risque de subtiliser cette lettre et l'a mise en lieu sûr, puis il s'est efforcé de deviner qui elle visait et en a déduit qu'il s'agissait de Mr Hawes. J'ai cru comprendre qu'il était venu passer la soirée avec le vicaire hier, et je le soupçonne d'en avoir profité pour échanger un comprimé de la boîte de Mr Hawes contre un autre qu'il avait apporté avec lui, et d'avoir glissé la lettre dans la poche de la robe de chambre du pauvre homme ; celui-ci avalerait la dose mortelle sans se douter de rien et l'on découvrirait la lettre dans ses affaires, après sa mort ; on conclurait qu'il avait tué le colonel Protheroe et s'était supprimé, rongé par le remords. Mr Hawes a dû tomber sur la lettre ce soir, juste après avoir absorbé le comprimé fatal. Vu son état d'esprit, il aura vu là un signe du ciel et, avec le sermon de notre pasteur, il n'en aura pas fallu davantage pour qu'il veuille confesser son pauvre crime.

– Crénom de nom ! répéta le colonel Melchett. Je n'ai jamais rien entendu de pareil. Cela ne tient pas debout ! (Ses protestations sonnaient faux et il s'en aperçut car il demanda :) Et quelle explication avez-vous pour le coup de téléphone à Mrs Price Ridley émanant de chez Lawrence Redding ?

– Voilà notre fameuse coïncidence. C'est cette chère Griselda qui a appelé, avec Mr Dennis, je crois. Les bruits que faisait courir Mrs Price Ridley sur notre cher pasteur lui étaient parvenus aux oreilles et tous deux avaient imaginé ce stratagème, bien puéril, je vous l'accorde, pour y mettre un terme. La coïncidence tient à ce que l'appel a été passé au moment même où l'on entendit le coup de feu dans les bois, ce qui laissait penser, faussement, que les deux événements étaient liés.

Tous ceux qui avaient évoqué ce coup de feu n'avaient-ils pas dit qu'il était singulier ? Ils étaient dans le vrai, mais s'étaient montrés incapables d'expliquer en quoi.

– Votre histoire est très plausible, miss Marple, commença Melchett après s'être éclairci la voix, mais je vous ferai remarquer que vous n'avez pas l'ombre d'une preuve de ce que vous avancez.

– Je ne l'ignore pas, dit la vieille demoiselle, mais j'ose espérer que vous me croyez.

Après un silence, le colonel lâcha, un peu à contrecœur :

– Oui, sapristi ! Il faut bien que les choses se soient passées ainsi ! Mais vous n'avez pas la moindre preuve ! Pas la moindre...

Miss Marple toussota et risqua :

– Voilà pourquoi j'ai pensé que... dans ces conditions... nous pourrions peut-être...

– Que voulez-vous dire ?

– ... tendre un petit piège.

31

– Un piège ? Quelle sorte de piège ? fîmes-nous, interloqués.

Miss Marple avait son plan, qu'elle nous exposa timidement :

– Nous pourrions prévenir Mr Redding par téléphone.

– Dans le style : « On sait tout vous avez intérêt à disparaître ! » Plutôt usé, comme truc, miss Marple, objecta le colonel, bonhomme. Il a fait ses preuves, je n'en doute pas, mais Redding est trop malin pour tomber dans le panneau.

– Il faut jouer au plus fin, vous avez raison. Mais, si je puis me permettre, je pense qu'il devrait recevoir un avertissement émanant de quelqu'un d'original, avec des idées bien à lui ; le Dr Haydock, par exemple, semble avoir sur le meurtre une opinion toute personnelle. Il pourrait signifier à Mr Redding que Mrs Sadler ou l'un de ses enfants l'a surpris tandis qu'il remplaçait les médicaments dans la boîte de Mr Hawes... S'il n'a rien à voir à l'affaire, un tel avertissement ne lui fera ni chaud ni froid, sinon...

– Sinon ?...

– ... il risque de se trahir.

– ... et nous n'aurons plus qu'à ferrer le poisson. Possible... et très ingénieux, miss Marple. Reste à savoir si Haydock sera d'accord. Il est vrai que ses théories...

Miss Marple l'interrompit d'un ton vif :

– ... sont des théories ! La pratique, c'est autre chose...

Mais n'est-ce pas lui qui est de retour ? Nous allons pouvoir lui poser la question.

Haydock était fatigué et hagard, et ne fut pas peu surpris de nous trouver en compagnie de miss Marple.

– Il a bien failli y passer, dit-il. Il a frôlé la mort mais il s'en remettra. La tâche d'un médecin n'est-elle pas de tirer ses patients d'affaire ? C'est ce que j'ai fait, néanmoins je me demande s'il n'aurait pas mieux valu...

– Ce que nous avons à vous dire va peut-être vous faire changer d'avis, le coupa Melchett avant d'exposer brièvement la théorie de miss Marple et sa proposition finale.

Il nous fut alors donné de vérifier *de visu* ce que miss Marple appelait la différence entre pratique et théorie, et nous assistâmes à un véritable retournement. Haydock aurait voulu voir Lawrence Redding monter à l'échafaud, non pas tant à cause de la mort du colonel Protheroe que de la tentative d'assassinat contre ce pauvre Hawes.

– Le bandit ! s'écria Haydock. Le bandit ! Pauvre vieux Hawes ! Quand je pense que sa mère et sa sœur auraient pu être hantées leur vie durant par l'angoisse d'un meurtre odieux commis par un fils et un frère ! Ah ! le lâche ! l'infâme ! (Pour ce qui est de laisser exploser une rage primitive, il n'y a rien de tel qu'un homme aux principes humanitaires bien ancrés, une fois lancé !) Si ce que vous dites est vrai, je suis votre homme. Un type comme ça ne mérite pas de vivre ! Faire ça à un pauvre diable sans défense comme Hawes !

Haydock resterait toujours le champion des faibles et des opprimés. Il peaufinait avec Melchett le dispositif pour piéger Redding quand miss Marple se leva ; j'insistai pour la raccompagner par les rues désertes.

– C'est très aimable à vous, Mr Clement. Mon Dieu ! Minuit passé, déjà ! Pourvu que Raymond soit allé se coucher sans m'attendre !

– Il n'aurait pas dû vous laisser venir seule, dis-je.

– Je suis sortie sans le prévenir.

Le souvenir de la subtile analyse du crime que nous avait servie Raymond West me fit sourire.

– Si vos hypothèses sont avérées, comme je le prévois, vous aurez marqué un point.

– Lorsque j'avais seize ans, me confia-t-elle avec un sourire indulgent, ma grand-tante Fanny avait coutume de répéter un mot que je jugeais parfaitement idiot.

– Et quel est ce mot ?

– « Les jeunes croient par principe que les vieux sont des imbéciles mais les vieux savent par expérience que les imbéciles, ce sont les jeunes. »

32

Il n'y a pas grand-chose à ajouter. Le piège de miss Marple fonctionna à merveille. Lawrence Redding était bel et bien coupable, et le petit artifice par lequel on lui fit croire qu'on l'avait vu substituer les médicaments dans la boîte de Hawes le poussa à se trahir. Voilà bien l'aiguillon de la mauvaise conscience.

Il ne sut tout d'abord quel parti prendre, et sa première impulsion fut de décamper. Mais alors, que faire de sa complice ? Il fallait la prévenir ! Attendrait-il le matin ? Non ! Il s'aventura à Old Hall la nuit même, deux des plus fins limiers du colonel Melchett sur ses talons. Il réveilla Anne en jetant des petits cailloux contre les carreaux de sa chambre à coucher, et lui intima l'ordre de le rejoindre sur-le-champ. Il faut croire qu'ils préféraient être dehors que dedans où Lettice risquait de s'éveiller à son tour. Les deux policiers purent saisir toute la conversation sans ambiguïté. Miss Marple avait vu juste.

Il serait inutile de rapporter ici le procès de Lawrence Redding et d'Anne Protheroe que tout le monde a gardé en mémoire ; je me bornerai donc à préciser que tout le mérite en revint à l'inspecteur Flem, dont le zèle et la sagacité avaient permis l'arrestation des criminels. La part que miss Marple prit dans cette affaire ne fut même pas évoquée ; du reste, elle eût été horrifiée que l'on pût y faire allusion.

Lettice me rendit visite juste avant le procès. Elle apparut à la porte-fenêtre de mon bureau, dans les brumes comme à l'accoutumée. Elle devait me révéler qu'elle avait toujours été convaincue de la complicité de sa belle-mère. Elle n'avait allégué la perte de son béret jaune que pour mieux fouiller mon bureau, où elle espérait déceler un indice que la police aurait laissé passer.

– Ils n'étaient pas, comme moi, animés par la haine, m'expliqua-t-elle de sa voix rêveuse. La haine peut parfois être d'un grand secours.

Bredouille et dépitée, elle avait caché une des boucles d'oreilles d'Anne sous mon bureau.

– Et alors ? puisque je savais que c'était elle !... La fin justifie les moyens...

Lettice était décidément imperméable au sens moral, songeai-je avec un soupir.

– Qu'allez-vous faire ? lui demandai-je.

– Quand tout sera réglé, je partirai pour l'étranger. (Elle eut une brève hésitation avant de poursuivre :) ... avec ma mère.

Je la dévisageai, interdit.

– L'idée ne vous avait donc pas effleuré... C'est Mrs Lestrange. Elle n'en a plus pour longtemps à vivre. Elle ne s'est installée à St. Mary Mead sous un faux nom que pour me revoir – et grâce au Dr Haydock, un vieil ami à elle. Il l'a beaucoup aimée dans le passé, et il n'a jamais cessé de l'aimer, d'une certaine façon. Les hommes ont toujours été fous d'elle. Elle est encore tellement séduisante, même dans son état ! Quoi qu'il en soit, le Dr Haydock n'a pas ménagé ses efforts pour l'aider. C'est la peur des ragots qui lui a fait taire son vrai nom. Elle est allée trouver mon père pour lui dire qu'elle allait mourir et qu'elle désirait plus que tout au monde me revoir. Mon père s'est conduit comme un goujat : elle n'avait plus aucun droit sur moi, et d'ailleurs je la croyais morte... Voilà ce qu'il lui a jeté au visage... Comme si j'avais jamais avalé ce bobard ! Mon père n'a jamais rien compris à rien.

» Mais ma mère n'a pas renoncé. Elle n'était allée le voir que par politesse. Après cette odieuse sortie, elle m'a fait parvenir un message et je me suis arrangée pour quitter la partie de tennis plus tôt que prévu et la rejoindre dans le petit chemin. Nous avons tout juste eu le temps de nous fixer un nouveau rendez-vous, et nous nous sommes quittées un peu avant six heures et demie. Ensuite, j'ai vécu dans l'angoisse qu'on ne la soupçonne d'avoir tué mon père, à cause des griefs qu'elle nourrissait contre lui. C'est moi qui ai mis en pièces le vieux portrait d'elle qui traînait au grenier ; je craignais que la police ne vienne fouiner à Old Hall et ne la reconnaisse. Le Dr Haydock aussi avait peur pour elle, et je parierais qu'il l'a crue coupable à un moment donné. Ma mère est d'un caractère entier et agit sans penser aux conséquences de ses actes. (Elle s'interrompit un instant avant de poursuivre :) N'est-ce pas étrange ? Nous sommes toujours restées attachées l'une à l'autre, tandis que mon père était un étranger pour moi... Ma mère a pourtant... À quoi bon ? Je vais partir pour l'étranger avec elle, conclut-elle en se levant.

– Dieu vous garde toutes deux, dis-je en lui serrant la main. Le jour viendra où vous trouverez le bonheur, Lettice.

– Je l'espère, fit-elle avec un sourire contraint. Il n'a guère été au rendez-vous, jusqu'ici. Tant pis ! Au revoir, Mr Clement. Vous avez toujours été chics avec moi, Griselda et vous.

Griselda ! Ma chère Griselda !

Elle me rit au nez quand je lui avouai que la fameuse lettre anonyme m'avait réellement secoué. Puis elle se lança dans une petite leçon de morale très solennelle :

– Désormais, je me montrerai raisonnable et vivrai dans la crainte de Dieu... comme une pécheresse repentie. (Je ne parvenais pas à me figurer Griselda sous les traits d'une pécheresse repentie.) Une influence bénéfique va bientôt transformer ma vie, Len, et la vôtre, par la même occasion. Ce sera une fontaine de jouvence pour vous, et vous serez bien obligé de renoncer à m'appeler votre « chère enfant » si vous en avez un, bien à vous. Ma décision est prise, Len, je serai épouse et mère, comme on dit dans les romans ; je compte même devenir une maîtresse de maison accomplie. J'ai fait l'acquisition de deux manuels capitaux, l'un sur l'art et la manière de tenir sa maison, l'autre sur l'amour maternel, et s'ils restent sans effet sur moi, c'est que mon cas est désespéré ! Ils sont du plus haut comique – non pas à dessein, bien sûr, surtout celui qui traite de l'éducation des enfants.

– N'auriez-vous rien trouvé sur l'art et la manière de traiter son mari ? demandai-je avec une appréhension subite en l'attirant dans mes bras.

– Qu'ai-je besoin d'un tel livre ? Ne suis-je pas une bonne épouse aimante ? Que vous faut-il encore ?

– Rien, vous avez raison.

– Dites-moi que vous m'aimez à la folie, Len. Dites-le-moi une fois, juste une fois !

– Je vous adore, Griselda ! Je vous idolâtre ! Je suis sauvagement, désespérément et anticléricalement fou de vous !

J'entendis ma femme soupirer de plaisir, puis elle s'écarta brusquement de moi :

– Flûte ! Miss Marple est là. Je vous interdis de lui dire un mot ! Je ne veux pas voir tout le village défiler avec des coussins pour me reposer les jambes. Dites-lui que je suis allée faire une partie de golf pour la lancer sur une fausse piste, d'ailleurs c'est à moitié vrai car j'ai oublié mon pull-over jaune sur le green.

Miss Marple s'arrêta dans l'embrasure de la porte-fenêtre et demanda Griselda en s'excusant.

– Elle est allée jouer au golf.

– Ce n'est peut-être pas très recommandé... dans son état, dit-elle tandis qu'une lueur d'inquiétude passait dans son regard.

Puis elle rougit d'une façon charmante et démodée, comme une jeune fille, et, pour cacher sa confusion, elle enchaîna aussitôt sur l'affaire Protheroe et le « Pr Stone » – en réalité un fameux cambrioleur qui dissimulait sa véritable identité sous des noms d'emprunt. Miss Cram s'était trouvée lavée de toute accusation et avait fini par convenir qu'elle avait bel et bien transporté la valise dans les bois, mais en toute bonne foi, son patron lui ayant fait part de ses craintes de voir ses théories ruinées par la rivalité de ses confrères archéologues. Cette bécasse avait avalé la couleuvre... Elle attend, paraît-il, de jeter son dévolu sur un célibataire d'un certain âge, en quête d'une secrétaire.

Tandis que nous parlions, je ne cessais de me demander comment miss Marple avait pu deviner notre petit secret ; elle me donna bientôt la solution.

– Griselda ne doit pas se fatiguer, murmura-t-elle. (Et elle ajouta après une courte pause :) J'étais à la librairie hier, à Much Benham...

Pauvre petite Griselda ! C'est l'ouvrage capital sur l'amour maternel qui l'avait trahie !

– Si vous commettiez un meurtre, déclarai-je à brûle-pourpoint, je ne suis pas sûr que l'on vous démasquerait.

– Ah ! Vraiment, quelle idée ! s'écria-t-elle, choquée. J'espère que je n'en serai jamais réduite à de telles extrémités.

– La nature humaine étant ce qu'elle est..., murmurai-je.

La vieille demoiselle accusa le coup et prit l'aimable parti d'en rire.

– Vous êtes un polisson, Mr Clement, dit-elle en se levant. Mais je comprends que vous soyez de bonne humeur. Bien des choses à Griselda..., ajouta-t-elle comme elle franchissait le seuil. Avec moi, son petit secret sera bien gardé, elle peut en être sûre...

Adorable miss Marple !

Jeux de glaces

1

Mrs Van Rydock s'écarta du miroir et soupira :

– Enfin, murmura-t-elle, il faudra bien que ça aille comme ça. Qu'est-ce que tu en penses, Jane ?

Miss Marple promena sur la création de Lavanelli un regard critique avant de répondre :

– À mon avis, c'est une très belle robe.

– Oh ! la robe, il n'y a rien à lui reprocher, reprit Mrs Van Rydock en soupirant de nouveau. Aidez-moi à l'enlever, Stéphanie.

La femme de chambre, une fille sans âge à cheveux gris, fit adroitement glisser la robe le long des bras levés de Mrs Van Rydock.

Elle avait gardé des formes sveltes, mais la gaine que l'on devinait sous la combinaison de satin pêche n'y était pas étrangère. Au premier abord, son visage, tonifié par de constants massages, apparaissait presque juvénile sous une couche de crème et de fards. Ses cheveux, toujours permanentés, tiraient sur le bleu hortensia plutôt que sur le gris. Il était impossible, en regardant Mrs Van Rydock, d'imaginer ce qu'elle pouvait être au naturel. Tout ce que permettait l'argent était à son service, complété par les régimes, les massages et les exercices auxquels elle se livrait inlassablement.

– Crois-tu, Jane, que beaucoup de gens devineraient que nous sommes du même âge, toi et moi ?

Ruth Van Rydock regardait son amie avec une certaine malice.

Miss Marple se montra sincère et rassurante.

– Je n'ai pas cette illusion ! Moi, vois-tu, je crois que je parais au moins aussi vieille que je le suis.

Avec des cheveux tout blancs, un visage très doux couvert de rides, des joues roses, des yeux candides couleur pervenche, miss Marple était une délicieuse vieille dame. Jamais personne n'aurait pensé à parler de Mrs Van Rydock comme d'une délicieuse vieille dame.

– C'est vrai, ma pauvre Jane ! dit Mrs Van Rydock. (Et elle ajouta avec un éclat de rire inattendu :) Moi aussi, d'ailleurs, mais pas de la même façon. En parlant de moi, les gens disent : « C'est épatant ce qu'elle garde sa ligne, cette vieille bique ! » Ils savent fort bien que je suis une vieille bique. Et je ne le sais que trop, moi aussi !

Elle se laissa tomber sur un fauteuil recouvert de satin.

– Merci, Stéphanie, je n'ai plus besoin de vous.

La femme de chambre sortit, emportant sur son bras la robe délicatement pliée. Et Mrs Van Rydock reprit :

– Ma brave Stéphanie ! Ça fait plus de trente ans qu'elle est avec moi. C'est le seul être au monde qui sache de quoi j'ai réellement l'air... (Puis changeant de ton :) Écoute, Jane, dit-elle, j'ai à te parler.

Miss Marple se tourna vers son amie ; sa figure avait pris une expression attentive. Dans cette luxueuse chambre de palace, elle était un peu déplacée avec sa robe noire sans forme et son énorme cabas.

– Je suis inquiète au sujet de Carrie-Louise.

– Carrie-Louise ?

Miss Marple avait répété ce nom d'un ton rêveur. Il la ramenait bien loin dans le passé.

Le pensionnat de Florence... Elle-même, jeune anglaise, toute blanche et toute rose, née dans l'ombre d'une cathédrale, et les deux petites Martin, Américaines et follement amusantes avec leur façon de parler si drôle, leurs manières directes, leur vitalité, Ruth, grande, ardente, toujours « partie pour la gloire », Caroline-Louise, menue, distinguée, rêveuse...

– Quand l'as-tu vue pour la dernière fois, Jane ?

– Oh ! il y a bien longtemps. Vingt-cinq ans peut-être. Naturellement, nous nous écrivons toujours à Noël.

Quelle chose curieuse que l'amitié ! Cette Jane Marple, toute jeune alors, et ces deux Américaines... Leurs routes avaient divergé presque tout de suite et, pourtant, la vieille affection avait survécu. Des lettres de temps en temps et des vœux à Noël. Et c'était Ruth, qui habitait l'Amérique, que Jane retrouvait le plus souvent, alors qu'elle ne voyait presque jamais Carrie-Louise qui s'était fixée en Angleterre.

– Pourquoi es-tu inquiète, Ruth ? demanda miss Marple.

– De nous deux, quand nous étions jeunes, c'est Carrie-Louise qui avait le plus d'idéal, déclara Ruth Van Rydock au lieu de répondre à la question de son amie. C'était la mode, dans ce temps-là, de vivre pour un idéal. Toutes les jeunes filles avaient le leur. C'était « comme

301

il faut ». Toi, Jane, tu voulais aller soigner les lépreux. Moi, je voulais me faire religieuse. On en revient, de toutes ces chimères. Mais, Carrie-Louise, vois-tu... (Son visage s'assombrit.) Je crois que c'est vraiment ça qui me tourmente au sujet de Carrie-Louise... Elle a épousé successivement trois phénomènes.

– Mais, Ruth..., commença miss Marple.

– Je sais, je sais, dit-elle avec impatience, Gulbrandsen, son premier mari, avait beau être un phénomène, il ne manquait pas de sens pratique. Quand il l'a épousée, il avait cinquante ans, ses fils étaient déjà grands et il a fait une énorme fortune.

Miss Marple hocha la tête, l'air pensif. Le nom de Gulbrandsen était connu dans le monde entier. Cet homme d'affaires prestigieux, et d'une honnêteté parfaite, avait échafaudé une fortune tellement colossale que, seule la philanthropie lui avait fourni le moyen de la dépenser. La Fondation Gulbrandsen, les Bourses de Recherches Gulbrandsen, les Hospices Gulbrandsen, et l'œuvre la plus connue de toutes, l'immense collège créé pour les fils d'ouvriers, conservaient à ce nom toute sa signification.

– Je n'ai jamais été si contente pour ma sœur que le jour où elle a épousé Johnnie Restarick, après la mort de Gulbrandsen. Non que j'aie jamais pris au sérieux ses décors de théâtre, ou son prétendu travail de mise en scène. C'est pour son argent qu'il l'a épousée... Oh ! peut-être pas uniquement bien sûr. Mais, en tout cas, il ne l'aurait pas choisie si elle n'en avait pas eu. Ensuite, cette abominable femme, cette Yougoslave, lui a mis le grappin dessus. Elle l'a littéralement enlevé. Si Carrie-

Louise avait eu un rien de bon sens et l'avait simplement attendu, il serait revenu.

– Est-ce qu'elle en a beaucoup souffert ? demanda miss Marple.

– C'est ça le plus drôle : figure-toi que je ne le crois pas. Elle a été absolument adorable dans toute cette affaire... Il est vrai que c'est dans sa nature. Elle est adorable. Elle ne pensait qu'à divorcer pour qu'il puisse épouser cette créature. Elle a offert de prendre chez elle les deux garçons qu'il avait de son premier mariage parce qu'ils auraient ainsi une vie plus régulière. De sorte que le pauvre Johnnie... il a bien fallu qu'il l'épouse, sa bonne femme. Elle lui a fait une vie d'enfer pendant six mois et, après ça, dans un accès de fureur, elle l'a entraîné dans un précipice avec sa voiture. On raconte que c'est un accident, mais moi, je suis persuadée que c'était exprès.

Mrs Van Rydock se tut, prit un miroir, passa en revue les moindres détails de son visage et, saisissant une pince à épiler, arracha, d'un de ses sourcils, un poil plus long que les autres.

– Et ensuite Carrie-Louise n'a rien eu de plus pressé que d'épouser cet autre numéro, Lewis Serrocold. Encore un phénomène ! Encore un idéaliste !... Oh ! je ne dis pas qu'il n'aime pas Carrie-Louise. Mais il a cette même manie de vouloir rendre tout le monde heureux. Comme si c'était possible.

– C'est bien difficile, en effet, dit miss Marple.

– La jeunesse délinquante ! C'est sa marotte ! Il a complètement chamboulé leur propriété pour mettre ses théories à exécution. C'est maintenant une maison d'éducation pour jeunes détraqués. Rien n'y manque ; il y a des psychiatres, des psychanalystes, des psychologues et tout et tout. Lewis et Carrie-Louise sont là, entourés de ces garçons, qui ne sont pas tous normaux ; la maison est pleine de spécialistes de toutes sortes, médecins, professeurs, plus enthousiastes les uns que les autres. La moitié d'entre eux est radicalement folle et toute la clique est déboussolée. Et ma petite Carrie-Louise vit au milieu de tout ça.

Ruth se tut de nouveau et leva des yeux malheureux vers miss Marple. Celle-ci semblait perplexe.

– Tu ne m'as pas encore expliqué, Ruth, ce que tu redoutes pour ta sœur.

– Je te l'ai dit, je n'en sais rien, et c'est là ce qui me tourmente le plus. Je viens d'aller à Stonygates, je n'y ai fait qu'une apparition mais, tout le temps, j'ai eu l'impression de quelque chose d'anormal... dans l'atmosphère... dans la maison. Et je sais que ce n'est pas une idée. Je suis très sensible à l'ambiance. Je l'ai toujours été... Jane, dit-elle d'un ton plus pressant, je voudrais que tu ailles là-bas tout de suite et que tu te rendes compte exactement de ce qui se passe.

– Moi ? s'écria miss Marple. Pourquoi moi ?

– Parce que tu as un flair incomparable pour ce genre de chose et cela depuis toujours. Tu es aimable et tu as l'air inoffensif, ce qui n'empêche que, malgré ces apparences, tu ne t'étonnes de rien et tu es toujours prête à envisager le pire.

– Mais, ma chère Ruth, comment veux-tu que je débarque comme ça chez Carrie-Louise ? demanda miss Marple d'un ton tranquille.

– J'ai tout combiné. Ne sois pas furieuse contre moi. J'ai déjà préparé le terrain. J'ai écrit à Carrie-Louise pour lui parler de toi. Comme je m'y attendais, elle t'invite. Sa lettre doit t'attendre chez toi.

Avant de prendre le train pour rentrer à St. Mary Mead, miss Marple tint à se faire donner quelques renseignements.

– Ce que je désire savoir, ma petite Ruth, ce sont des faits... et une idée approximative des gens que je vais trouver à Stonygates.

– D'accord. Tu sais l'histoire du mariage de Carrie-Louise avec Gulbrandsen. Ils n'ont pas eu d'enfants et elle en a été très affectée. Gulbrandsen était veuf et père de trois grands fils. Ils ont fini par adopter une petite fille. Ils l'ont appelée Pippa... un amour de gosse. Elle avait juste deux ans quand ils l'ont prise.

– D'où venait-elle ? Connaissaient-ils sa famille ?

– Ça, franchement, je n'en sais plus rien... Si même je l'ai jamais su. Se sont-ils adressés à une œuvre d'adoption ? Était-ce une enfant dont sa famille ne voulait pas et dont Gulbrandsen avait entendu parler ?... Quoi qu'il en soit, à peine cette petite était-elle chez eux que Carrie-Louise s'est aperçue qu'elle allait enfin avoir un bébé. D'après ce que m'ont dit certains médecins, il paraît que cette coïncidence est assez fréquente. Avant l'adoption, elle aurait été folle de joie, mais, aimant Pippa comme elle s'était mise à l'aimer, elle s'est sentie, pour ainsi dire, coupable envers elle. De plus, Mildred, quand elle est née, était une enfant affreuse. Elle ressemblait à Gulbrandsen, qui était costaud et bon, mais nettement laid. Carrie-Louise avait tellement peur de faire une différence entre sa fille adoptive et l'autre qu'elle a, je crois, plutôt gâté Pippa, tout en se montrant sévère avec Mildred. J'ai même l'impression que, par moments, Mildred en éprouvait de la rancune. Mais, à vrai dire, je ne les voyais pas beaucoup. Les enfants ont grandi, Pippa est devenue ravissante et Mildred ne s'est pas arrangée. Lorsque Eric Gulbrandsen est mort, Mildred avait quinze ans et Pippa dix-huit. Par la suite, Pippa a épousé un marquis italien et Mildred un certain chanoine Strete, un homme très bien, mais qui était sans cesse enrhumé du cerveau. Il avait dix ou quinze ans de plus qu'elle. Je crois qu'ils ont été très heureux.

– Il est mort l'année dernière et Mildred est revenue vivre à Stonygates avec sa mère. Mais je vais trop vite. J'ai sauté un ou deux mariages. J'y reviens, Pippa a donc épousé un Italien. Au bout d'un an, elle est morte en donnant le jour à une fille : Gina. Un vrai drame. Tout le monde en a été bouleversé. Carrie-Louise faisait constamment la navette entre l'Angleterre et l'Italie et c'est à Rome qu'elle a rencontré Johnnie Restarick et qu'elle l'a épousé. Le marquis s'est remarié, lui aussi, et s'est montré tout disposé à laisser sa petite fille en Angleterre pour que sa richissime aïeule l'élève. Ils se sont donc tous installés à Stonygates : Johnnie Restarick et Carrie-Louise, les deux fils de Johnnie, Alexis et Stephen, la petite Gina et Mildred qui, peu après, a épousé son chanoine. Puis, il y a eu toute cette histoire avec la Yougoslave, le divorce... Les deux garçons ont continué à venir à Stonygates pour leurs vacances. Ils aimaient beaucoup Carrie-Louise. Et ensuite, ma sœur a épousé Lewis.

Mrs Van Rydock s'arrêta pour reprendre haleine, puis demanda :

– Tu n'as jamais rencontré Lewis ?

– Non. J'ai vu Carrie-Louise pour la dernière fois en 1928. Elle m'a très gentiment invitée à Covent Garden.

– Je vois. Eh bien, Lewis était en tout point le mari qui pouvait lui convenir. Expert-comptable particulièrement apprécié, il était riche, à peu près du même âge qu'elle. Avec ça une réputation parfaite... Seulement, c'était un phénomène. Il était littéralement obsédé par le problème du sauvetage des jeunes délinquants...

Ruth Van Rydock poussa un soupir en voyant miss Marple regarder sa montre.

– C'est l'heure de ton train ?... Et je n'en suis pas seulement à la moitié ! Enfin, je pense que tu verras bien par toi-même.

– Je le pense aussi, dit miss Marple.

Ouverte à tous les vents, la gare de Market-Kimble était vaste et déserte. C'est à peine si on y voyait un ou deux voyageurs et quelques employés. Miss Marple regardait autour d'elle, un peu incertaine, lorsqu'un jeune homme l'aborda.

– Miss Marple ? demanda-t-il.

Sa voix avait une intonation dramatique inattendue. On aurait cru que le nom qu'il venait de prononcer était le premier mot de son rôle dans une comédie d'amateurs.

– Je suis venu vous chercher... de Stonygates.

Miss Marple le gratifia d'un sourire reconnaissant. Ce n'était qu'une vieille dame charmante et sans défense, mais ses yeux bleus, s'il les avait remarqués, auraient pu sembler à son interlocuteur étrangement pénétrants. L'apparence du jeune homme s'accordait mal avec sa voix. Il était beaucoup moins frappant. On aurait presque pu le qualifier d'insignifiant. Un tic nerveux lui faisait sans cesse cligner les paupières.

– Je vous remercie, dit miss Marple, je n'ai que cette valise.

Elle remarqua que le garçon se gardait bien de prendre lui-même la valise. Il fit claquer ses doigts pour appeler un porteur qui passait en poussant un chariot chargé de bagages.

– Prenez cette valise, je vous prie, dit-il. (Et il ajouta :) C'est pour Stonygates.

– Ça va ! cria le porteur avec bonne humeur. J'en ai pas pour longtemps !

Miss Marple eut l'impression que le jeune homme n'était pas très satisfait. C'était un peu comme si on n'avait pas attaché plus d'importance à Buckingham Palace qu'à un kiosque à musique.

– Oh ! ces cheminots ! s'écria-t-il. Ils deviennent de plus en plus impossibles !

En guidant miss Marple vers la sortie, il se présenta :

– Je m'appelle Edgar Lawson. Mrs Serrocold m'a prié de venir au-devant de vous. Je suis l'assistant de Mr Serrocold.

Miss Marple perçut dans ces paroles une insinuation subtile : un homme occupé avait laissé fort aimablement des affaires importantes, par galanterie pour la femme de son employeur. Il y avait dans sa façon de s'exprimer une nuance théâtrale qui sonnait un peu faux.

Miss Marple commença à se demander qui était vraiment Edgar Lawson.

Ils sortirent de la gare et Lawson dirigea la vieille demoiselle vers une Ford V8 démodée.

– Voulez-vous vous asseoir devant, à côté de moi, ou préférez-vous la banquette du fond ? demanda-t-il.

Mais, au même moment, une Rolls étincelante entra en ronronnant dans la cour de la gare et vint s'arrêter devant la Ford. Une très jolie jeune femme en descendit et s'approcha d'eux. Le fait qu'elle portait un pantalon de velours côtelé douteux et une simple chemisette de toile au col déboutonné, mettait en relief, non seulement sa beauté, mais aussi son luxe.

– Ah ! vous voilà, Edgar. J'ai cru que je n'arriverais jamais à temps ! Je vois que vous avez trouvé miss Marple. Je viens la chercher.

Le sourire éblouissant qu'elle adressa à miss Marple découvrit des dents blanches comme des perles dans un visage méridional bronzé par le soleil.

– Je suis Gina, la petite-fille de Carrie-Louise, déclara-t-elle. Comment s'est passé votre voyage ? Abominable, je pense ? Vous avez un sac ravissant. J'adore les sacs en ficelle. Donnez-le-moi, avec votre manteau. Je tiendrai tout. Vous monterez plus facilement.

Edgar avait rougi. Il protesta :

– Écoutez Gina. Je suis venu au-devant de miss Marple... Tout était prévu...

Gina tourna vers lui son beau sourire insouciant.

– Je sais bien, Edgar. Mais, tout d'un coup, je me suis dit que ce serait plus gentil si je venais aussi. Je vais prendre miss Marple dans ma voiture. Attendez un moment, comme ça vous pourrez ramener ses bagages.

Elle claqua la portière qui se trouvait du côté de miss Marple, sauta derrière le volant et démarra.

En se retournant, miss Marple remarqua l'expression du visage de Lawson.

– Ma chère enfant, dit-elle, je ne crois pas que vous ayez fait grand plaisir à Mr Lawson.

Gina éclata de rire.

– Il est trop bête aussi, avec ses manières pompeuses. On dirait vraiment qu'il a de l'importance !

– N'en a-t-il aucune ? demanda miss Marple.

– Edgar !

Il y avait dans le rire méprisant de Gina une note de cruauté inconsciente. Elle ajouta :

– En tout cas, il est cinglé !

– Cinglé ?

– Il n'y a que des cinglés à Stonygates. Je ne parle pas de Lewis, de grand-maman, de moi, des garçons... ni de miss Bellever, bien sûr. Mais tous les autres !... Je me demande, par moments, si je ne deviens pas un peu cinglée, moi aussi, à force de vivre là.

Elles avaient quitté les abords de la gare et la voiture prenait de la vitesse sur la route déserte. Gina jeta un petit coup d'œil de côté à sa compagne.

– Êtes-vous déjà venue à Stonygates ? demanda-t-elle.

– Non. Jamais. Vous devez vous douter que j'en ai beaucoup entendu parler.

– La maison est affreuse, déclara Gina en riant. Une monstruosité dans le genre gothique. Ce que Stephen appelle « la meilleure époque bains-douches-reine-

Victoria ». Mais elle est tout de même cocasse. Seulement, là-dedans, tout est terriblement sérieux. On tombe sur des psychiatres à tous les coins. Lewis est dans le bain jusqu'au cou. Il doit aller la semaine prochaine à Aberdeen, pour une affaire qui passe en correctionnelle. Il s'agit d'un garçon qui a déjà eu cinq condamnations.

– Ce jeune homme qui est venu me chercher à la gare, Mr Lawson, il aide Mr Serrocold, d'après ce qu'il m'a dit. C'est son secrétaire ?

– Edgar ? Il n'est pas capable d'être secrétaire. En réalité, c'est un malade. Il s'installait dans les hôtels et tapait les clients en se faisant passer pour un héros de la guerre, un pilote de chasse, et, après, on ne le revoyait plus. Pour moi, c'est un vaurien. Mais Lewis le soumet, comme les autres, à certaines méthodes. On leur donne à tous l'impression qu'ils font partie de la famille, on leur confie des tâches à accomplir pour développer leur sens de la responsabilité. Je pense qu'un de ces jours, l'un d'entre eux nous assassinera.

Gina acheva sa phrase dans un grand éclat de rire, auquel miss Marple ne se joignit pas.

Comme Gina l'avait dit, Stonygates était un édifice gothique de l'époque victorienne. Une espèce de temple de la ploutocratie. La philanthropie y avait ajouté des ailes et des dépendances de toutes sortes qui, sans jurer absolument avec l'ensemble, lui avaient ôté toute cohésion et toute signification.

– Est-ce assez hideux ? dit Gina avec une nuance d'attendrissement, en montrant cette maison où elle avait grandi. Grand-maman est sur la terrasse. Je vais vous arrêter ici, vous serez plus vite auprès d'elle.

Miss Marple longea la terrasse pour rejoindre sa vieille amie. De loin, cette femme petite et mince paraissait étonnamment jeune en dépit de la canne sur laquelle elle s'appuyait et de sa démarche lente et visiblement pénible. On aurait cru voir une jeune fille imitant, avec un peu d'exagération, la démarche d'une vieille personne.

– Jane ! s'écria Mrs Serrocold.

– Ma chère Carrie-Louise !

En effet, c'était bien Carrie-Louise. Elle n'avait guère changé. Pourtant, elle n'usait d'aucun des artifices dont se parait sa sœur. Ses cheveux gris, jadis d'un blond cendré, avaient à peine changé de couleur. Son teint conservait la blancheur rosée qu'il avait toujours eue et ses yeux pétillaient de jeunesse.

– Je m'en veux, dit Carrie-Louise de sa voix très douce, d'avoir laissé passer tant d'années sans te voir. Jane, ma chérie, il y a des siècles que nous ne nous sommes retrouvées !

Bras dessus, bras dessous, les deux vieilles dames se dirigèrent vers la maison. Une personne d'un certain âge les attendait sur le seuil d'une porte latérale. Elle avait un nez arrogant sous des cheveux courts et portait un tailleur de tweed solide et bien coupé.

– C'est de la folie, Cara, de rester dehors aussi tard, dit-elle d'un ton agressif. Vous ne serez donc jamais raisonnable ?

– Ne me grondez pas, Jolly, implora Carrie-Louise.

Elle présenta miss Bellever à miss Marple.

– Miss Bellever est tout pour moi : infirmière, dragon, chien de garde, secrétaire, intendante et très fidèle amie.

Juliette Bellever renifla, le bout de son nez devint tout rose, ce qui était chez elle un signe d'émotion.

– Je fais ce que je peux, dit-elle d'un ton bourru, mais, ici, c'est une maison de fous. Il n'y a pas moyen d'organiser quoi que ce soit.

– Bien sûr que non, ma petite Jolly. Je me demande pourquoi vous essayez encore. Où installez-vous miss Marple ?

– Dans la chambre bleue. Voulez-vous que je l'y accompagne ?

– C'est ça, Jolly, s'il vous plaît. Ensuite vous la ramènerez pour le thé. C'est, je crois, dans la bibliothèque qu'on le sert aujourd'hui.

Lorsqu'elle redescendit, miss Marple trouva Carrie-Louise devant une des fenêtres de la bibliothèque.

– Quelle demeure imposante ! dit miss Marple. Je m'y sens tout à fait perdue. Avez-vous été obligés d'y apporter beaucoup de transformations pour l'installation de l'institution ?

– Oh ! oui, énormément. Il n'y a, en somme, que la partie centrale qui est restée ce qu'elle était : le grand hall, les pièces attenantes et celles qui sont au-dessus. Mais les deux ailes, est et ouest, ont été complètement refaites. On a élevé des cloisons pour installer des bureaux, les chambres des professeurs et tout le reste. Les garçons habitent dans le bâtiment de l'école. On le voit d'ici.

Miss Marple aperçut, à travers un rideau d'arbres, de grandes bâtisses en brique ; puis son regard s'arrêta sur un couple et elle sourit en disant :

– Comme Gina est jolie !

Le visage de Carrie-Louise s'éclaira.

– N'est-ce pas ? murmura-t-elle. Et c'est si bon de l'avoir de nouveau ici ! Je l'ai envoyée en Amérique, chez Ruth, au début de la guerre. Cette petite s'était figuré que ça l'intéresserait de travailler pour l'armée. Et puis, elle a rencontré ce jeune homme. Ils se sont mariés au bout d'une semaine.

Miss Marple contemplait les deux jeunes gens debout au bord du bassin.

– Ils forment un couple exceptionnel, dit-elle. Rien d'étonnant à ce qu'elle soit tombée amoureuse de lui.

Mrs Serrocold eut soudain l'air embarrassé.

– C'est-à-dire... Ce n'est pas celui-là son mari... C'est Stephen, le plus jeune fils de Johnnie Restarick. Il dirige notre section dramatique. Car nous avons un théâtre, nous donnons des représentations... pour encourager toutes les dispositions artistiques. Stephen est tellement enthousiaste ! On n'imagine pas la vie qu'il a donnée à tout cela.

– Je vois, dit lentement miss Marple.

Ses yeux étaient excellents et, même de loin, elle voyait fort bien le beau visage de Stephen Restarick. Il regardait Gina et parlait avec animation. Elle ne voyait pas la figure de Gina, mais il n'y avait pas à se tromper sur l'expression de celle du jeune homme.

– Ça ne me regarde pas, Carrie, dit miss Marple, mais je pense que tu te rends compte qu'il est amoureux d'elle.

Carrie-Louise parut troublée.

– Oh ! non... Oh ! non... J'espère bien que non.

– Carrie-Louise, tu as toujours été dans les nuages !
Ça ne fait pas l'ombre d'un doute.

Mrs Serrocold n'eut pas le temps de répondre. Lewis
entrait, venant du hall. Il tenait à la main des lettres
ouvertes.

Le mari de Carrie-Louise était un petit homme qui
n'avait rien d'imposant, mais dont la personnalité frap-
pait tout de suite. Ruth avait déclaré un jour qu'il ressemblait davantage à une dynamo qu'à un être humain.

Ses préoccupations immédiates l'absorbaient d'habitude si complètement qu'il n'accordait pas la moindre
attention ni aux objets ni aux personnes qui l'entouraient.

– Un coup dur, ma chérie. Ce garçon, Jack Flint, a
encore fait des siennes. Tu sais que nous avions découvert chez lui la passion des trains. Nous pensions,
Maverick et moi, que, si on lui procurait une place dans
les chemins de fer, il s'y tiendrait et ferait du bon travail.
Mais c'est toujours la même histoire. Il a recommencé à
voler... de petits larcins, dans le bureau des expéditions.
Il ne s'agit même pas d'articles qu'il pourrait garder pour
lui ou vendre. Ça prouve bien que c'est psychologique.

– Lewis, voici ma vieille amie, Jane Marple.

– Oh ! enchanté... Comment allez-vous ? bredouilla
Mr Serrocold d'un air absent. On va certainement le
poursuivre. Un gentil garçon, avec ça. Pas beaucoup de
plomb dans la cervelle, mais un très gentil garçon. Il faut
voir de quel taudis invraisemblable il sort. Je...

Il s'interrompit brusquement et la dynamo se trouva
branchée sur l'invitée.

– Miss Marple ! Je suis si content que vous soyez ici
pour un vrai séjour ! La présence d'une amie d'autrefois

va transformer l'existence de Carrie. Avec vous, elle pourra se rappeler mille souvenirs. La vie qu'elle mène ici est austère à bien des points de vue... Il y a tant de tristesse dans l'histoire de ces malheureux enfants. J'espère que vous allez rester très longtemps.

Miss Marple était sensible au charme de cet homme et se rendait compte de la séduction qu'il avait dû exercer sur son amie. Pour Lewis Serrocold, les causes passaient évidemment avant les individus. Certaines femmes s'en seraient irritées. Mais Carrie-Louise n'était pas de celles-là.

Lorsque Lewis eut trié ses autres lettres, il dit d'un ton distrait à sa femme :

– Le thé est prêt, ma chérie.

– Je croyais que nous le prenions ici, aujourd'hui.

– Non, dans le hall. Les autres nous attendent.

Carrie-Louise passa son bras sous celui de miss Marple et ils se dirigèrent vers le grand hall. Une femme d'un certain âge, un peu boulotte, trônait derrière la table à thé.

– Jane, voici Mildred, ma fille Mildred. Tu n'as pas dû la voir depuis qu'elle était une toute petite fille.

De toutes les personnes que miss Marple avait rencontrées jusqu'alors, Mildred Strete était celle qui s'harmonisait le mieux avec la maison. Elle avait l'air respectable et un peu ennuyeux qui sied à la veuve d'un chanoine. Une femme ordinaire, avec une grosse figure inexpressive et des yeux ternes. Miss Marple se souvint qu'elle avait été une petite fille affreuse.

– Et voici Wally Hudd, le mari de Gina.

Wally était un jeune colosse, coiffé en brosse, avec un

316

visage renfrogné. Il salua gauchement, tout en continuant à se bourrer de plum-cake.

Gina arriva bientôt avec Stephen Restarick et plusieurs autres personnes. Miss Marple était un peu ahurie
et c'est avec plaisir qu'après le thé elle monta s'étendre
un moment dans sa chambre.

Les convives étaient encore plus nombreux pour le
dîner que pour le thé. Il y avait d'abord le jeune
Dr Maverick, psychiatre ou psychologue (miss Marple ne
faisait pas très bien la différence), qui ne s'exprimait
guère que dans le jargon de sa spécialité et dont la
conversation était pratiquement inintelligible pour la
vieille demoiselle. Ensuite, deux jeunes gens à lunettes,
plus ou moins professeurs. Puis un M. Baumgarten,
« thérapeute », attaché à l'institution, et enfin trois adolescents, horriblement intimidés, les trois pensionnaires
dont c'était le tour, cette semaine-là, d'être les « invités
de la maison ».

Après dîner, Lewis Serrocold disparut pour aller discuter certains points de service avec le Dr Maverick,
dans le bureau de celui-ci. Le thérapeute et les moni-
teurs regagnèrent leur antre. Les trois « invités » retournèrent à l'institution. Gina et Stephen allèrent au
théâtre, afin de voir si on pouvait tirer parti d'une idée
qu'avait eue Gina pour un sketch. Mildred se mit à tri-
coter un objet indéfinissable et miss Bellever à raccom-
moder des chaussettes. Wally, immobile dans un fauteuil, avait les yeux perdus dans le vague. Carrie-Louise
et miss Marple bavardaient en évoquant le passé et leur
conversation semblait étrangement irréelle.

Seul, Edgar Lawson paraissait incapable de trouver un

coin à sa convenance. Il s'asseyait, puis se relevait aussitôt. Il finit par dire assez haut :

– Je me demande s'il faut que j'aille retrouver Mr Serrocold. Il pourrait avoir besoin de moi.

Carrie-Louise le rassura.

– Je ne le crois pas. Ce soir, il a quelques questions à examiner avec le Dr Maverick.

– Alors, je n'irai certainement pas. Il ne me viendrait jamais à l'esprit de m'imposer là où on ne désire pas ma présence. J'ai déjà perdu assez de temps aujourd'hui en allant à la gare. J'ignorais que Mrs Hudd avait l'intention d'y aller elle-même.

– Elle aurait dû vous prévenir, dit Carrie-Louise. Mais je crois qu'elle ne s'est décidée qu'à la dernière minute.

– Vous ne vous rendez pas compte, Mrs Serrocold, qu'elle s'est dérangée pour que j'aie l'air d'un imbécile... oui, d'un imbécile !

– Mais non, dit Carrie-Louise en souriant. Il ne faut pas vous faire des idées pareilles. Gina est impulsive, elle prend toujours ses décisions au dernier moment. Elle n'a sûrement pas eu l'intention de vous faire de la peine.

– Bien sûr que si ! Elle l'a fait exprès... pour m'humilier...

– Voyons, Edgar...

– Vous ne savez pas la moitié de ce qui se passe, Mrs Serrocold. Enfin, pour l'instant, je ne dirai rien de plus que « bonsoir » !

Edgar sortit en claquant la porte.

Miss Bellever pinça les lèvres.

– Jolies manières !

– Il est tellement sensible ! dit Carrie-Louise.

Mildred Strete posa ses aiguilles et déclara d'un ton aigre :

– C'est un garçon parfaitement odieux. Vous avez tort, mère, de tolérer cette attitude de sa part.

Wally Hudd ouvrit la bouche pour la première fois de la soirée.

– Il est cinglé, ce type-là. Il n'y a pas à chercher autre chose. Il est complètement cinglé !

Le lendemain matin, miss Marple s'arrangea pour échapper, sans en avoir l'air, à son hôtesse et se rendit au jardin. Elle savait, par expérience, que ceux qu'un souci tourmente trouvent du soulagement à se confier à des étrangers. C'est avec cette idée qu'elle alla se promener tout tranquillement entre deux pelouses, dans une allée bien en vue. Le résultat de son petit stratagème ne se fit pas attendre ; à peine cinq minutes s'étaient-elles écoulées qu'Edgar Lawson apparut, fort agité.

Elle l'accueillit gaiement.

– Bonjour, Mr Lawson. Figurez-vous que j'adore les jardins. Jardiner, c'est à peu près la seule activité qui reste permise à une vieille femme inutile comme moi, n'est-ce pas ? Et vous, aimez-vous cela ?... Mais j'imagine que vous n'y pensez même pas, responsable comme vous l'êtes pour tant de choses envers Mr Serrocold. Vous avez tant de travail, et du travail important ! Ce doit être très intéressant, d'ailleurs.

Il répondit avec animation, presque avec enthousiasme :

– Oh oui !... Oui... C'est très intéressant.

– Vous devez beaucoup aider Mr Serrocold ?

Le visage du jeune homme se rembrunit.

– Ça, je n'en sais rien. Je n'ai aucun moyen de m'en assurer. Il faudrait...

Miss Marple réfléchissait tout en l'observant. Elle avait devant elle un garçon pitoyable et malingre, vêtu d'une veste de sport correcte ; un de ces garçons qu'on ne remarque pas, ou qu'on oublie vite...

Ils étaient près d'un banc, miss Marple alla s'y asseoir. Edgar resta planté devant elle, les sourcils froncés.

– Je suis persuadée que Mr Serrocold s'en remet à vous pour bien des choses, dit miss Marple avec bonne humeur.

– Je n'en sais rien, répéta Edgar. Franchement, je n'en sais rien. (Il s'assit auprès d'elle, l'air absent.) Je me trouve dans une situation très délicate.

– Vraiment ?

Edgar regardait fixement devant lui.

– Tout ce que je vous raconte est strictement confidentiel, dit-il soudain.

– Cela va de soi.

– Si je jouissais de mes droits...

– Eh bien ?

– Après tout, je peux bien vous le dire... Ça n'ira pas plus loin, n'est-ce pas ?

– Bien sûr que non.

Elle remarqua qu'il n'avait pas attendu sa réponse pour continuer.

– Mon père... En réalité, mon père est un homme très important.

Cette fois, elle n'avait plus besoin de rien dire. Il lui suffisait d'écouter.

– Seul Mr Serrocold le sait. Vous comprenez, dans la situation qu'il occupe, ça pourrait être gênant pour mon père si l'histoire s'ébruitait.

Il se tourna vers elle avec un sourire, un sourire très triste et très digne.

– Voyez-vous... Je suis le fils de Winston Churchill.

– Oh !... Je comprends, dit miss Marple.

Edgar parlait toujours et ce qu'il disait rappelait, à s'y méprendre, une réplique de comédie.

– Il y avait des raisons sérieuses. Ma mère n'était pas libre. Son mari était dans un asile. Il ne pouvait être question ni de divorce, ni de mariage. À vrai dire, je ne les blâme pas... Du moins, je le crois... Mon père a toujours fait ce qu'il a pu ; discrètement, bien sûr. Et voici d'où sont venues les difficultés. Il a des ennemis... qui sont aussi contre moi. Ils ont réussi à nous séparer. Ils me surveillent. Où que j'aille, ils m'espionnent. Même ici, je ne suis pas en sûreté. Ils sont là, eux aussi, travaillant contre moi, s'arrangeant pour que les autres me détestent. Mr Serrocold dit que ce n'est pas vrai... Mais il ne sait pas... À moins que... J'ai cru parfois...

Il se tut et se leva.

– Vous comprenez certainement que tout cela est confidentiel ? Mais, si vous vous apercevez que quelqu'un me suit... ou plutôt, m'espionne, vous pourriez peut-être me dire qui c'est.

Et il s'éloigna... Perplexe, miss Marple le suivit du regard.

Quelqu'un s'approcha d'elle et l'arracha à ses réflexions.

– Cinglé ! Complètement cinglé.

Les mains enfoncées dans ses poches, les sourcils froncés, Walter Hudd avait les yeux fixés sur le jeune homme qui s'éloignait.

– Et ils le sont tous, dans cette drôle de boîte.

Miss Marple se taisait. Walter continua :

– Ce type-là... Edgar, qu'est-ce que vous en pensez ? Il raconte que son père est lord Montgomery. Ça ne me paraît pas probable. Monty ! D'après ce que je sais de lui, ça m'étonnerait.

– Ça m'étonnerait aussi, dit miss Marple.

– Il a raconté à Gina une tout autre histoire... Une blague comme quoi il était le véritable héritier du trône de Russie, le fils d'un grand-duc quelconque. Mais, bon sang ! ce type-là ne sait donc pas qui était son père ?

– Je pense que non. Et c'est de là, sans doute, que vient tout le mal, dit simplement miss Marple.

Walter se laissa tomber sur le banc à côté d'elle et répéta ce qu'il avait dit un instant auparavant :

– Ils sont tous cinglés.

– Vous ne vous trouvez pas bien à Stonygates ?

Il haussa les épaules.

– Moi ? Bien ? Je suis jeune, fort, je ne demande qu'à travailler, j'ai un peu d'argent, Gina aussi, d'après ce qu'elle m'a dit. Nous étions sur le point d'installer un poste d'essence, là-bas chez moi. Gina était d'accord. Nous vivions comme une paire de gosses heureux, fous l'un de l'autre. Gina a voulu venir en Angleterre pour voir sa grand-mère. Ça paraissait naturel, c'était son pays, et moi-même j'avais envie de connaître l'Angleterre dont on me rebattait les oreilles. Alors, nous sommes venus juste pour un séjour, c'est du moins ce que je croyais.

Mais ça a tourné tout autrement. Nous sommes pris maintenant dans cette affaire absurde. Pourquoi ne restons-nous pas ici ? Pourquoi ne nous y installons-nous pas ? On nous répète ça à longueur de journée. J'aurai ici des postes intéressants autant que j'en voudrai, je n'ai qu'à choisir ! Joli travail ! Je n'en veux pas !... Ça ne me plaît pas de donner des bonbons à ces galopins qui ne sont que des gangsters, et de les faire jouer à des jeux d'enfants. Ça n'a pas de sens ! Dans cette maison, j'ai l'impression d'être pris dans une toile d'araignée géante... Et Gina... Je ne comprends pas ce qui se passe en elle... Ce n'est plus la femme que j'ai épousée en Amérique. Je ne peux même plus lui dire un mot !

– Je conçois parfaitement votre point de vue, dit miss Marple avec douceur.

Wally la regarda vivement et se leva en s'excusant.

– Je suis confus de vous avoir parlé comme je viens de le faire.

Pour la première fois, miss Marple le vit sourire. Son sourire était charmant et transformait ce Walter Hudd, gauche et maussade, en un jeune homme à la fois touchant et beau.

– Il fallait que j'éclate. Seulement, c'est malheureux que je sois tombé sur vous.

– Mais pas du tout, mon garçon !

– Tenez, voici quelqu'un d'autre pour vous tenir compagnie, dit Walter. C'est une dame qui ne m'aime pas, aussi je m'en vais. À bientôt. Merci de m'avoir écouté.

Il s'éloigna à grands pas et miss Marple vit Mildred qui traversait la pelouse pour venir la rejoindre.

– Je vois que cet horrible jeune homme vous a prise pour victime, dit Mrs Strete d'une voix un peu essoufflée, en s'effondrant sur le banc. Quelle tragédie, le mariage de Gina ! Et tout cela parce qu'on a jugé à propos de l'expédier en Amérique. À l'époque, j'ai assez dit à ma mère que c'était ridicule ! Mais elle n'a jamais pu raisonner lorsqu'il s'agissait de Gina. Cette enfant a toujours été abominablement gâtée à tous les points de vue. D'abord, il n'y avait aucune nécessité de lui faire quitter l'Italie...

Elle sembla chercher par où elle allait continuer. Miss Marple dit doucement :

– Gina est délicieuse.

– Sa conduite est inqualifiable ! Ma mère est seule à ne pas remarquer la façon dont elle fait marcher Stephen Restarick. Je trouve cela ignoble. Je veux bien admettre qu'elle a fait un mariage déplorable, mais le mariage est le mariage et, du moment qu'on l'a accepté, on doit en supporter les exigences. Après tout, c'est elle qui l'a choisi, cet abominable garçon.

– Est-il tellement abominable ?

– Oh ! ma chère tante Jane ! Je trouve qu'il a l'air d'un gangster. Et si hargneux ! Si mal élevé ! C'est à peine s'il daigne ouvrir la bouche. Il est grossier, il a toujours l'air sale...

– Je crois surtout qu'il est malheureux, dit simplement miss Marple.

– Je ne vois pas vraiment pourquoi... À part l'attitude de Gina, bien sûr. Tout ce qu'on a pu imaginer pour lui être agréable, on l'a fait depuis qu'il est ici. Lewis lui a proposé je ne sais combien de moyens qui lui permettraient de se rendre utile, mais il aime mieux traîner en faisant la tête et ne pas travailler... D'ailleurs, la vie ici est intenable... intenable, il n'y a pas d'autre mot. Lewis ne pense qu'à ses jeunes délinquants, ces affreux gamins... Et mère ne pense qu'à Lewis. Tout ce que fait Lewis est parfait. Voyez l'état de ce jardin ; rien n'est taillé, des mauvaises herbes partout ! Et la maison !... Le service bâclé. Je sais bien que, de nos jours, il est difficile d'avoir du personnel, mais on peut y arriver quand même. Ce n'est pas comme si on manquait d'argent. Personne ne s'en soucie, voilà tout. Si c'était ma maison...

Elle n'en dit pas davantage.

– Je crains, déclara miss Marple, que nous ne soyons forcés d'admettre que les choses ont changé. Ces grandes demeures posent des problèmes insolubles. Dans un sens, ce doit être triste pour vous de revenir à Stonygates et de tout y trouver changé... vous préférez vraiment vivre ici plutôt que... enfin, plutôt que dans un endroit où vous seriez chez vous ?

Mildred Strete rougit.

– Mais je suis chez moi ici. C'est mon vrai foyer. C'était la maison de mon père. On ne peut rien changer à cela. J'ai le droit d'y être si ça me fait plaisir. Et ça me fait plaisir. Si seulement mère n'était pas tellement impossible ! Elle ne veut même pas s'acheter des vête-ments convenables. C'est un gros souci pour Jolly.

– J'allais vous parler de miss Bellever, justement.

– Sa présence nous donne une telle sécurité ! Elle adore mère. Il y a des années maintenant qu'elle est auprès d'elle... Elle est entrée à son service du temps de

John Restarick et je sais qu'elle s'est montrée parfaite pendant toute cette lamentable histoire. Je ne sais pas ce que mère ferait sans elle.

Mrs Strete en aurait certainement dit beaucoup plus long, mais Lewis Serrocold apparut et elle se contenta d'ajouter :

– Tiens, voici Lewis. Comme c'est singulier ! Il ne vient presque jamais dans le jardin.

Miss Marple, qui savait bien que sa tactique aurait du succès, estima, au contraire, que ça n'avait rien de singulier du tout.

Mr Serrocold s'avançait vers elle avec cet air de poursuivre un but unique qu'il avait en toutes circonstances. Miss Marple, seule, occupait sa pensée, et il ne voyait même pas Mildred.

– Je suis désolé, dit-il. Je voulais vous faire faire le tour de notre établissement et tout vous montrer. Carrie m'en avait prié, et, malheureusement, je suis obligé d'aller à Liverpool, à cause de ce garçon qui a volé des colis à la gare où il était employé. Je ne rentrerai qu'après-demain. Ce sera merveilleux si nous obtenons qu'on ne le poursuive pas.

Mildred se leva et s'éloigna en pinçant les lèvres. Serrocold ne s'aperçut même pas de son départ, il observait miss Marple à travers d'épaisses lunettes.

– Voyez-vous, le juge se trompe presque toujours. Une condamnation à la prison ne répondrait en rien à la situation... Le redressement par l'apprentissage, voilà ce qu'il faut. Mais un apprentissage constructif comme celui qu'on trouve ici.

– Mr Serrocold, dit résolument miss Marple, êtes-vous

vraiment tranquille sur le compte de ce jeune Lawson ? Est-il tout à fait normal ?

Une expression inquiète parut sur les traits de Serrocold.

– J'espère qu'il ne va pas faire une rechute. Que vous a-t-il dit ?

– Qu'il était le fils de Winston Churchill...

– Bien sûr, bien sûr... Les histoires habituelles. C'est un enfant naturel, comme vous l'avez sans doute deviné. Pauvre gars ! Il sort d'un milieu tout à fait modeste. Son cas m'a été recommandé par une œuvre de Londres. Il avait attaqué dans la rue un homme qui, prétendait-il, l'espionnait. C'est typique... Le Dr Maverick vous le dira. J'ai repris son histoire depuis le début. Sa mère appartenait à une famille pauvre, mais respectable, de Plymouth. Quant au père, un marin, elle ne savait même pas son nom... L'enfant a grandi dans des conditions pénibles. Il a échafaudé un roman, d'abord sur son père, ensuite sur lui-même. Il y a quelque temps, il se promenait en uniforme et arborait des décorations auxquelles il n'avait aucun droit. Tout cela est absolument typique. Mais Maverick estime que la prognose est encourageante, si nous parvenons à lui donner confiance en lui-même. Je lui ai laissé certaines responsabilités dans la maison ; j'ai essayé de lui faire comprendre que ce qui compte pour un homme, ce n'est pas sa naissance, mais ce qu'il est. Il faisait des progrès appréciables. J'étais si content ! Et maintenant, vous me dites...

Il hocha la tête.

– Mais, Mr Serrocold, est-ce qu'il ne risque pas de devenir dangereux ?

– Dangereux ? Je ne crois pas qu'on ait jamais constaté chez lui de tendances au suicide.

– Ce n'est pas au suicide que je pensais. Il m'a parlé d'ennemis, de persécutions. Excusez-moi, mais n'est-ce pas là un symptôme dangereux ?

– Je ne crois pas qu'il en soit arrivé à ce point, mais j'en parlerai à Maverick. Jusqu'ici, il nous avait donné de l'espoir... Beaucoup d'espoir...

Serrocold regarda sa montre.

– Il faut que je m'en aille, mais d'abord, je vais vous présenter le Dr Maverick qui vous fera visiter l'institution.

Ils traversèrent le jardin, passèrent par une porte à claire-voie et arrivèrent à la grille d'entrée de l'institution ; le bâtiment, en brique rouge, était massif et hideux.

Le Dr Maverick vint à leur rencontre. Serrocold les laissa ensemble, et la vieille demoiselle estima que ce médecin avait, lui-même, l'air positivement anormal.

– Miss... heu... oh ! pardon... miss Marple, je suis persuadé que vous allez trouver ce que l'on fait ici prodigieusement intéressant... Notamment, la façon magistrale dont nous abordons le problème. Mr Serrocold est un homme d'une intuition profonde... et qui voit très loin. Nous avons affaire à un problème médical, et c'est ce que nous devons arriver à faire comprendre à ceux qui appliquent la loi.

Après un silence, il reprit :

– Je voudrais, en premier lieu, vous montrer dans quel esprit nous abordons ce problème dès sa phase initiale. Regardez !

Miss Marple leva les yeux dans la direction qu'il lui indiquait et lut les mots que l'on avait gravés dans la pierre au-dessus de l'entrée :

VOUS TOUS QUI ENTREZ ICI,
REPRENEZ ESPOIR

– N'est-ce pas splendide ? N'est-ce pas exactement la note qui convient ? Il ne s'agit pas de les gronder, ces pauvres gosses, ni de les punir ! Le châtiment !... On ne pense qu'à cela, en général. Nous, au contraire, nous voulons leur donner le sentiment de leur valeur.

– À des garçons comme Edgar Lawson ? demanda miss Marple.

– Un cas intéressant. Vous lui avez parlé ?

– C'est lui qui m'a parlé, dit miss Marple, et elle ajouta avec une nuance de confusion : je me suis demandé si... peut-être... il n'était pas... un peu fou ?

Le Dr Maverick éclata de rire.

– Mais, chère mademoiselle, nous sommes tous un peu fous, dit-il en s'effaçant pour la laisser entrer. C'est là le secret de l'existence ! Nous sommes tous un peu fous.

Cette journée fut, dans l'ensemble, épuisante pour miss Marple. Elle en garda le sentiment que l'enthousiasme même peut être fatigant. Elle éprouvait un vague mécontentement de ses réactions. Elle n'arrivait pas à se faire une idée nette de ce qui se passait à Stonygates. Des images se superposaient dans son esprit. Elle était inquiète. Et c'est autour de la personnalité pitoyable et terne d'Edgar Lawson que se concentrait son inquiétude. Mais, elle avait beau chercher, elle ne voyait rien qui pût constituer une menace pour son amie. Elle voyait se heurter, dans la vie qu'on menait à Stonygates, les misères et les aspirations de chacun, mais encore une fois, autant qu'elle pouvait en juger, rien de tout cela ne semblait dangereux pour Carrie-Louise.

Le lendemain matin, Mrs Serrocold vint, en marchant péniblement, s'asseoir sur le banc du jardin à côté de son amie, et lui demanda à quoi elle pensait. Miss Marple répondit sans hésiter :

– À toi, Carrie-Louise.

– Et alors ?

– Réponds-moi sincèrement... Y a-t-il ici quelque chose qui te préoccupe ?

Mrs Serrocold parut surprise. Elle leva vers son amie des yeux bleus pleins de candeur.

– Moi ? Mais, Jane, qu'est-ce qui pourrait bien me préoccuper ?

– Je ne sais pas, Carrie, mais tu dois avoir, comme tout le monde, tes petits soucis. Tu vois bien ce que je veux dire.

Carrie-Louise hésita un moment.

– Mais, non, Jane, pas très bien. En fait je n'ai pas de soucis et c'est surtout à Jolly que je le dois. Chère Jolly, elle prend soin de moi comme si j'étais incapable de me tirer d'affaire. Pour moi, elle ferait n'importe quoi. Par moments, j'en ai honte. Jane, je crois véritablement que Jolly n'hésiterait pas à assassiner quelqu'un pour moi. C'est affreux de dire ça, n'est-ce pas ?

– Elle est certainement très dévouée, répondit miss Marple.

Le rire argentin de Mrs Serrocold retentit.

– Et les indignations qu'elle peut avoir ! À son idée, tous nos pauvres garçons ne sont que des criminels que nous dorlotons et qui ne valent pas la peine qu'on s'occupe d'eux. Elle est persuadée que cette propriété est humide et mauvaise pour mes rhumatismes, que je devrais aller en Égypte ou dans un autre climat sec et chaud.

– Tes rhumatismes te font beaucoup souffrir ?

– Ça s'est beaucoup aggravé depuis quelque temps. Je marche avec peine. J'ai d'horribles crampes dans les jambes... Bah ! que veux-tu ? Il faut bien avoir des misères avec l'âge, conclut Mrs Serrocold en regardant de nouveau son amie avec son délicieux sourire.

Miss Bellever parut à l'une des portes-fenêtres et vint en courant jusqu'au banc, où les deux vieilles dames étaient installées.

– Un télégramme, Cara. On vient de le téléphoner : « Arriverai cet après-midi. Christian Gulbrandsen. »

– Christian ! Je ne me doutais pas qu'il était en Angleterre.

– Vous voudrez sans doute lui donner l'appartement aux boiseries de chêne ?

– Oui. C'est ça, Jolly. Il n'aura pas d'escalier à monter et il aime bien les pièces qui donnent sur la terrasse.

Miss Bellever fit un signe d'acquiescement et retourna vers la maison.

– Christian est mon beau-fils, le fils aîné d'Éric. En réalité, il a deux ans de plus que moi. Il habite l'Amérique. C'est un des administrateurs de la Fondation, le principal, d'ailleurs. Comme c'est ennuyeux que Lewis soit absent ! Christian passe rarement plus d'une nuit ici. Il est très occupé.

Christian Gulbrandsen arriva dans le courant de la journée, un peu avant l'heure du thé. C'était un homme de haute taille, aux traits lourds, qui s'exprimait lentement et avec méthode. Il témoigna, en la retrouvant, la plus grande affection à Mrs Serrocold.

– Comment va ma petite Carrie-Louise ? demanda-t-il en souriant. Vous êtes toujours aussi jeune, chère amie !

Quelqu'un le tirait par la manche.

– Christian !

Il se retourna.

– Ah ! c'est Mildred. Comment vas-tu ?

– Pas bien du tout, depuis quelque temps.

– C'est ennuyeux ça... C'est très ennuyeux !

Christian Gulbrandsen et sa demi-sœur se ressemblaient beaucoup. Il y avait près de trente ans de différence entre eux et on les aurait facilement pris pour le père et la fille. Mildred paraissait heureuse de le voir. Elle bavardait, le teint animé. À plusieurs reprises ce jour-là il avait été question de « mon frère », de « mon frère Christian », de « mon frère Mr Gulbrandsen ».

– Et comment va la petite Gina ? demanda Gulbrandsen en se tournant vers la jeune femme. Alors, vous êtes encore ici, ton mari et toi ?

– Oui. Nous sommes tout à fait installés. N'est-ce pas, Wally ?

– Ça en a l'air, déclara Walter.

Il avait, comme d'habitude, l'air boudeur et hostile.

Un regard rapide de ses petits yeux avisés sembla suffire à Gulbrandsen pour apprécier le jeune homme.

– Et me voici de nouveau réuni avec toute la famille.

Il parlait gaiement, mais miss Marple eut l'impression que sa bonne humeur était voulue et ne correspondait pas à ce qu'il éprouvait. Il serrait les lèvres et on le sentait préoccupé.

Lorsqu'on le présenta à miss Marple, Gulbrandsen la considéra attentivement comme s'il voulait prendre la mesure de cette nouvelle venue, l'évaluer, en quelque sorte.

– Nous ne nous doutions pas que vous étiez en Angleterre, Christian, dit Mrs Serrocold.

– Naturellement. Je suis parti tout à fait à l'improviste.

– Je suis désolée que Lewis soit absent. Combien de temps pouvez-vous rester ?

– J'avais l'intention de repartir demain. Quand votre mari doit-il rentrer ?

– Demain. Dans l'après-midi ou dans la soirée.

– Je vais donc être obligé de passer deux nuits à Stonygates.

– Si seulement vous nous aviez prévenus...

– Ma petite Carrie-Louise, je me suis décidé au dernier moment...

– Vous allez rester pour voir Lewis ?

– Oui. Il est indispensable que je le voie.

Miss Bellever dit à miss Marple :

– Mr Gulbrandsen et Mr Serrocold sont l'un et l'autre administrateurs de l'institution. Les autres administrateurs sont l'évêque de Cromer et Mr Gilfoy.

Il y avait tout lieu de croire que c'était pour une question relative à l'institution que Christian Gulbrandsen venait à Stonygates. Miss Bellever et les autres en semblaient persuadés et, pourtant, miss Marple avait des doutes.

À plusieurs reprises, le vieux monsieur avait posé sur Carrie-Louise un regard attentif et perplexe qui intriguait l'amie vigilante de Mrs Serrocold. Puis, ce regard, passant aux autres, leur avait fait, sans en avoir l'air, subir un examen critique plutôt étrange.

Après le thé, miss Marple se retira discrètement et alla s'installer, avec son tricot, dans un des fauteuils de la bibliothèque. Quelle ne fut pas sa surprise lorsque Christian Gulbrandsen entra et vint s'asseoir à côté d'elle !

– Vous êtes, je crois, une très ancienne amie de notre chère Carrie-Louise ? demanda-t-il.

– Nous avons été en pension ensemble en Italie. Il y a de ça bien des années, Mr Gulbrandsen.

– Vraiment ? Et vous avez beaucoup d'affection pour elle ?

– Oui, beaucoup, dit miss Marple avec chaleur.

– Je crois que tout le monde l'aime. Oui, j'en suis convaincu. Et c'est naturel, car c'est une femme adorable et charmante. Depuis son mariage avec mon père, nous l'avons toujours tendrement aimée, mes frères et moi. Elle a été pour nous comme une sœur très chère et, pour mon père, une épouse parfaite. Elle avait complètement adopté ses idées et n'a jamais cessé de faire passer le bien des autres avant tout.

– C'est une idéaliste, dit miss Marple. Elle l'a toujours été.

– Une idéaliste ? Oui. Oui. C'est ça. Et, par conséquent, il peut se faire qu'elle ne se rende pas bien compte du mal qui existe dans le monde.

Le visage de Gulbrandsen était grave, miss Marple le considéra avec étonnement.

– Et sa santé ? reprit-il. Parlez-moi de sa santé.

Ce fut une nouvelle surprise pour miss Marple.

– Elle me paraît bonne... à part les rhumatismes... ou l'arthritisme.

– Des rhumatismes ? Ah ! oui. Et son cœur ? Son cœur est-il solide ?

– Oui. Autant que je puisse le savoir, répondit miss Marple, de plus en plus étonnée. Mais je ne l'ai retrouvée qu'hier après être restée de longues années sans la voir. Si vous voulez des précisions sur son état de santé, vous feriez mieux d'en parler à quelqu'un de la maison, à miss Bellever, par exemple.

– À miss Bellever... Oui. À miss Bellever ou à Mildred.

– Ou à Mildred, en effet.

Miss Marple était un peu embarrassée. Christian la regardait fixement.

– Il n'y a pas un très grand attachement entre la mère et la fille, à votre avis ?

– Non. Je ne le crois pas.

– Moi non plus. C'est dommage... sa seule enfant. Enfin, c'est comme ça. Mais vous croyez que miss Bellever lui est véritablement attachée ?

– Je le crois.

Christian fronça les sourcils. C'est plus à lui-même qu'à miss Marple qu'il parut s'adresser en disant :

– Il y a cette petite Gina... Elle est bien jeune. Je ne sais que faire. (Il se tut, puis reprit très simplement :) Il est parfois bien difficile de savoir comment agir pour le mieux. Je souhaite y réussir. Je désire particulièrement

335

éviter à Carrie-Louise, qui m'est si chère, toute souffrance et tout chagrin. Mais ce n'est pas facile... pas facile du tout.

À ce moment, Mrs Strete entra.

– Ah ! te voilà, Christian. Nous nous demandions où tu étais passé. Le Dr Maverick voudrait savoir si tu n'as rien à examiner avec lui.

– Maverick ? C'est ce jeune docteur qui est arrivé récemment ? Non, non. J'attendrai le retour de Lewis.

– Il est dans le cabinet de travail de Lewis. Dois-je le prévenir ?

– Non. Je vais lui dire un mot.

Gulbrandsen sortit vivement. Mildred Strete le suivit d'un regard ahuri puis se tourna vers miss Marple.

– Je me demande ce qui va de travers. Christian n'est pas comme d'habitude. Vous a-t-il dit quelque chose ?

– Il s'est seulement enquis de la santé de votre mère.

– De sa santé ? Pourquoi vous a-t-il parlé de ça ?

Le ton de Mildred était aigre et une rougeur peu seyante s'était répandue sur sa grosse figure.

– Je n'en sais vraiment rien.

– La santé de ma mère est parfaite, surprenante même pour une femme de son âge... Bien meilleure que la mienne, en tout cas. (Elle se tut un instant avant d'ajouter :) J'espère que vous le lui avez dit.

– Je ne pouvais vraiment rien lui répondre. Il me demandait quel était l'état de son cœur...

– De son cœur ?

– Oui.

– Mais mère n'a rien au cœur, absolument rien.

– Je suis ravie de vous l'entendre dire, ma chère amie.

– Qu'est-ce qui a bien pu mettre ces idées extraordinaires dans la tête de Christian ?

– Je n'en sais rien, dit miss Marple.

Le jour suivant parut s'écouler sans incident, mais miss Marple eut l'impression que l'atmosphère s'était tendue. Christian Gulbrandsen passa la matinée à visiter l'institution avec le Dr Maverick et à examiner avec lui les résultats des mesures qu'on y appliquait. Au début de l'après-midi, Gina l'emmena faire une promenade en auto et miss Marple remarqua qu'au retour il avait décidé miss Bellever à venir lui montrer quelque chose dans le jardin.

Miss Marple pouvait se dire qu'elle se laissait emporter par son imagination. Le seul incident troublant de la journée se produisit vers quatre heures. Elle avait plié son tricot et était partie dans le jardin faire un petit tour avant le thé. En contournant un massif de rhododendrons, elle se trouva nez à nez avec Edgar Lawson qui arpentait l'allée avec agitation. Il parlait tout seul et faillit la faire tomber.

– Je vous demande pardon, dit-il précipitamment, et elle fut frappée par son regard étrange et fixe.

– Vous ne vous sentez pas bien, Mr Lawson ?

– Bien ? Comment pourrais-je me sentir bien ? J'ai reçu un coup... Un coup terrible.

– Un coup ? Mais comment cela ?

Le jeune homme jeta autour de lui un coup d'œil si inquiet que miss Marple éprouva un certain malaise.

Il la regarda, perplexe.

– Est-ce que je vous le dis ?... Je me le demande... Oui, je me le demande... on m'a tant espionné...

Miss Marple n'hésita pas. Elle le prit résolument par le bras en disant :

– Venez dans cette allée. Vous pouvez voir qu'il n'y a là ni arbres ni buissons. Personne ne nous entendra.

– Oui. Vous avez raison.

Il poussa un profond soupir, baissa la tête et c'est presque en chuchotant qu'il dit :

– J'ai fait une découverte... Une découverte affreuse.

– Quel genre de découverte ?

Le jeune homme se mit à trembler des pieds à la tête, il pleurait presque.

– Avoir eu confiance... avoir cru en quelqu'un !... Et c'étaient des mensonges ! Rien que des mensonges ! Des mensonges inventés pour m'empêcher de découvrir la vérité. Je ne peux pas supporter cette idée. C'est trop de méchanceté. Voyez-vous, cet homme... Je n'avais confiance qu'en lui... Et, maintenant, je m'aperçois que, depuis longtemps, c'est lui qui était à la base de tout ! C'était lui l'ennemi, lui qui me faisait suivre et espionner ! Mais il ne s'en tirera pas comme ça. Je parlerai. Je lui dirai que je suis au courant de ses machinations.

– De qui s'agit-il ? demanda miss Marple.

Edgar Lawson se redressa de toute sa taille. Il aurait pu paraître digne et même émouvant, mais il n'était que ridicule.

– Je parle de mon père.

– Lord Montgomery ou Winston Churchill ?

Edgar Lawson lui jeta un regard dédaigneux.

– Ils m'ont fait croire ça pour m'empêcher de deviner la vérité. Mais je sais maintenant. J'ai un ami, un vrai : un ami qui ne me trompe pas. Il m'a fait comprendre à quel point j'ai été bafoué. Mon père sera bien forcé de compter avec moi. Je lui montrerai que je sais la vérité. Je lui jetterai ses mensonges à la face ! Nous verrons bien ce qu'il aura à répondre !

Soudain, Edgar partit à toutes jambes et disparut dans le parc.

Miss Marple reprit lentement le chemin de la maison. Une expression grave s'était répandue sur ses traits. « Nous sommes tous un peu fous, chère mademoiselle », avait déclaré le Dr Maverick.

Il lui semblait que, dans le cas d'Edgar, cette affirmation ne suffisait pas.

Lewis Serrocold rentra à 6 h 30.

Il arrêta sa voiture près de la grille et vint à pied jusqu'à la maison en traversant le parc. Par la fenêtre de sa chambre, miss Marple vit Christian Gulbrandsen aller à sa rencontre, et les deux hommes, après s'être serré la main, se mirent à marcher de long en large sur la terrasse.

Miss Marple avait eu soin d'apporter à Stonygates ses jumelles pour observer les oiseaux. Elle alla les chercher... Il lui semblait voir un vol de tarins autour d'un bouquet d'arbres qu'elle apercevait dans le lointain.

Comme elle ajustait ses jumelles, des détails plus proches entrèrent dans son champ visuel. Les deux hommes, tout d'abord. Elle remarqua qu'ils paraissaient fort émus l'un et l'autre. En se penchant un peu, elle perçut les bribes de leur conversation. Mais, si l'un d'entre eux avait levé la tête, il lui aurait paru évident que l'attention de cette observatrice passionnée des oiseaux était fixée sur un point sans aucun rapport avec eux.

– ... Comment épargner à Carrie-Louise cette révélation..., disait Gulbrandsen.

Lorsqu'ils repassèrent sous la fenêtre, c'était Serrocold qui parlait :

– ... Si on arrive à le lui laisser ignorer. Je suis d'avis que c'est à elle qu'il faut penser avant tout.

D'autres lambeaux de phrases parvinrent encore à l'oreille de l'écouteuse : « ... Très sérieux... », ... injustifié... », « ... une trop grosse responsabilité à prendre... », « nous devrions peut-être demander un autre avis... »

Finalement, elle entendit Christian Gulbrandsen déclarer :

– Il commence à faire frais. Rentrons.

Miss Marple quitta la fenêtre, fort perplexe. Ce qu'elle venait d'entendre était trop fragmentaire pour lui permettre de reconstituer un tout ; mais cela justifiait l'appréhension vague qu'elle sentait croître en elle et dont Ruth Van Rydock lui avait parlé pour l'avoir nettement éprouvée elle-même.

Quelle que fût la menace qui planait sur Stonygates, c'était bien Carrie-Louise qu'elle visait directement.

L'atmosphère fut pesante, ce soir-là, au dîner. Gulbrandsen, comme Lewis, était perdu dans ses pensées. Walter Hudd faisait plus que jamais la tête et, pour une fois, Gina et Stephen semblaient n'avoir pas grand-chose à se dire ou à dire aux autres convives. C'est le Dr Maverick qui entretint la conversation en soutenant une interminable discussion technique avec Baumgarten.

On passa dans le hall après le repas et Gulbrandsen

s'excusa presque aussitôt de ne pas rester en expliquant qu'il avait une lettre importante à écrire.

– Avez-vous tout ce qu'il vous faut dans votre chambre ? demanda Carrie-Louise.

– Oui, oui, absolument tout. Il ne me manquait qu'une machine à écrire et on me l'a apportée tout de suite. Miss Bellever s'est montrée attentive et prévenante autant qu'on peut l'être.

Il quitta le hall par la porte de gauche. Cette porte ouvrait sur un petit vestibule d'où partait l'escalier principal. Ce vestibule se prolongeait par un corridor aboutissant à un appartement composé d'une chambre et d'une salle de bains.

– Alors, Gina, on ne va pas au théâtre, ce soir ? demanda Carrie-Louise lorsque Christian fut sorti.

La jeune femme secoua la tête et alla s'asseoir près de la fenêtre qui donnait sur la cour d'arrivée.

Stephen, après lui avoir jeté un coup d'œil, se dirigea vers le piano à queue. Il s'assit et se mit à jouer, en sourdine, un petit air bizarre et mélancolique. Les deux thérapeutes et le Dr Maverick prirent congé et se retirèrent. Walter tourna l'interrupteur d'une lampe de bureau, un craquement immédiat se produisit et presque toutes les lumières du hall s'éteignirent.

Walter se mit à grogner.

– Ce sacré interrupteur est encore détraqué ! Je vais changer le plomb.

En le voyant s'éloigner, Carrie-Louise murmura :

– Wally est tellement adroit pour tous ces appareils électriques ! Vous vous rappelez comme il a bien réparé le grille-pain ?

– C'est tout ce qu'il est capable de faire, déclara Mildred Strete. (Et elle ajouta :) Mère, avez-vous pris votre fortifiant ?

Miss Bellever parut contrariée.

– J'avoue que je n'y pensais plus du tout, dit-elle.

Elle se précipita dans la salle à manger et en rapporta presque aussitôt un petit verre contenant un liquide rose. Carrie-Louise sourit et tendit docilement la main.

– Cette abominable drogue ! On ne me laissera donc jamais l'oublier ! dit-elle en faisant la grimace.

Mais Lewis intervint de façon assez inattendue :

– Tu ne devrais pas la prendre ce soir, ma chérie. Je ne suis pas sûr du tout qu'elle te réussisse.

Avec ce calme et cette autorité qu'on sentait toujours en lui, il prit le verre des mains de miss Bellever et le posa sur un grand bahut gallois en chêne sculpté.

Miss Bellever se récria :

– Vraiment, Mr Serrocold, je ne suis pas d'accord avec vous, cette fois-ci ! Mrs Serrocold va beaucoup mieux depuis...

Elle s'interrompit et se retourna, l'air mécontent.

La porte d'entrée venait de s'ouvrir si violemment qu'elle alla heurter le chambranle avec fracas. C'était Edgar Lawson qui arrivait dans le hall presque obscur, avec l'allure de la grande vedette faisant son entrée triomphale sur la scène.

Il alla se planter au milieu du parquet et prit une attitude dramatique. C'était un peu ridicule... pas tout à fait pourtant.

Il déclama sur un ton théâtral :

– Je vous ai donc découvert, ô mon ennemi !

342

C'est à Lewis Serrocold qu'il s'adressait. Celui-ci eut l'air légèrement surpris.

– Mais Edgar, qu'est-ce qui se passe, mon garçon ?

– Inutile ! Vous êtes démasqué ! Vous m'avez menti. Vous m'avez espionné. Vous vous êtes ligué avec mes ennemis contre moi...

– Allons, allons, mon cher enfant, du calme. Vous allez me raconter tout cela tranquillement dans mon cabinet.

Lewis le prit par le bras, lui fit traverser le hall et ils sortirent tous deux par la porte de droite. Serrocold la referma derrière lui. À peine l'avait-il fait qu'on entendit le bruit net de la clef qui tournait dans la serrure.

Miss Bellever échangea un regard avec miss Marple. Elles avaient la même idée : ce n'était pas Mr Serrocold qui l'avait tournée.

– À mon avis, dit âprement miss Bellever, ce jeune homme est en train de devenir fou. C'est très dangereux.

– Il avait dans sa poche quelque chose qu'il n'arrêtait pas de tâter, dit Gina.

Stephen s'arrêta de jouer et déclara :

– Dans un film, ce serait certainement un revolver.

Miss Marple s'éclaircit la voix et dit, comme en s'excusant :

– Mais, vous savez... c'était bien un revolver.

À travers la porte close du cabinet de travail de Lewis, on avait d'abord entendu un murmure de voix, puis les paroles étaient devenues intelligibles. Soudain, Edgar se mit à vociférer, tandis que Lewis continuait à parler sur un ton calme et raisonnable.

– Mensonges !... Mensonges !... Tout ça, ce sont des mensonges ! Vous êtes mon père, je suis votre fils ! Vous m'avez dépouillé. C'est à moi que cette maison devrait appartenir. Vous me haïssez ! Vous ne pensez qu'à vous débarrasser de moi !

On entendit le murmure apaisant de Lewis, puis, de nouveau, la voix du fou, dont le ton montait de plus en plus... Edgar hurlait des épithètes ordurières et ne se maîtrisait évidemment plus. On percevait, çà et là, quelques mots prononcés par Lewis.

– ... Du calme... Calmez-vous... Vous savez que rien de tout cela n'est exact.

Mais, loin d'apaiser le jeune homme, ces mots ne faisaient que l'exaspérer davantage.

Dans le hall, tous s'étaient tus et écoutaient, incapables de faire un mouvement, ce qui se passait derrière cette porte fermée.

– Je vous forcerai à m'écouter ! glapissait Edgar. Je vous la ferai perdre, cette arrogance que je vois sur votre figure ! J'aurai ma revanche, c'est moi qui vous le dis. Vous me paierez tout ce que vous m'avez fait souffrir !

La voix de Lewis s'éleva tout à coup, cassante et sèche. Elle avait perdu son impassibilité habituelle.

– Posez ce revolver !

– Edgar va tuer Lewis ! cria Gina. On ne peut donc rien faire ? Appelez la police ? N'importe quoi ?

Carrie-Louise, que cette scène ne semblait pas troubler, dit avec douceur :

– Ne t'inquiète pas, Gina. Edgar adore Lewis. Il se joue un drame à lui-même. C'est tout.

À travers la porte, le rire d'Edgar retentit, et miss Marple dut bien admettre que c'était le rire d'un dément.

– Oui, j'ai un revolver... et il est chargé ! Pas un mot ! Pas un geste ! Écoutez-moi jusqu'au bout. C'est vous qui avez ourdi ce complot contre moi et, maintenant, vous allez me le payer !

Il continua ainsi pendant quelques instants, comme un fou, d'une voix suraiguë.

Soudain, une détonation les fit sursauter. On aurait dit un coup de feu, mais Carrie-Louise déclara :

– Ce n'est rien... c'est dehors... dans le parc, je ne sais où.

Derrière la porte, Edgar divaguait toujours.

– Vous êtes assis là, à me regarder... à me regarder en faisant comme si ça vous était égal... Pourquoi ne vous mettez-vous pas à genoux pour me demander grâce ? Je vais tirer, je vous préviens. Je vais vous tuer ! Je suis votre fils, le fils méprisé que vous n'avez pas voulu reconnaître ! Vous voudriez que je sois caché... bien loin. Mort peut-être ? Vous m'avez fait suivre par vos espions, pourchasser par eux. Vous avez comploté contre moi... Vous, mon père !... Je ne suis qu'un bâtard, n'est-ce pas ? Rien qu'un bâtard ! Vous m'avez abreuvé de mensonges. Vous faisiez semblant d'être bon pour moi, et pendant ce temps... pendant ce temps... Vous n'êtes pas digne de vivre ! Je ne vous laisserai pas vivre...

Un flot d'obscénités suivit cette tirade.

Miss Bellever sortit brusquement de son impassibilité et bondit jusqu'à la porte. Elle se mit à frapper à grands coups de poing sur le panneau, mais la porte était massive et, voyant qu'il était impossible de l'ébranler, elle fit demi-tour et quitta le hall précipitamment.

Edgar, après s'être interrompu, pour reprendre haleine sans doute, s'était remis à vociférer :

– Tu vas mourir ! hurlait-il. Tu vas mourir maintenant !

Deux détonations retentirent coup sur coup, non pas dans le parc cette fois, mais bien nettement derrière la porte fermée.

Quelqu'un, et miss Marple eut l'impression que c'était Mildred, s'écria :

– Mon Dieu ! Qu'allons-nous faire ?

Dans le cabinet de Lewis, le bruit sourd d'une chute fut bientôt suivi d'un autre bruit, plus horrible encore que tout ce qu'on avait entendu jusque-là : celui d'un long et douloureux sanglot.

Quelqu'un passa devant miss Marple et se mit à secouer la porte : c'était Stephen Restarick.

– Ouvrez ! cria-t-il. Ouvrez !

Miss Bellever revint dans le hall. Elle était hors d'haleine et tenait un gros trousseau de clefs.

– Essayez d'ouvrir avec ça... dit-elle.

Au même instant, les lampes se rallumèrent et le hall, sortant du clair-obscur où il était plongé, reprit son aspect réel. Derrière la porte du bureau, les sanglots fous, désespérés, semblaient ne jamais devoir finir.

Walter Hudd, qui revenait dans le hall sans se presser, s'arrêta net :

– Et alors ? dit-il. Qu'est-ce qui se passe ici ?

Mildred répondit en pleurant :

– Ce misérable a tué Mr Serrocold !

– Oh ! Je t'en prie, Mildred !

C'était Carrie-Louise qui parlait. Elle se leva, s'appro-

346

cha de la porte du cabinet de travail et écarta gentiment Stephen.

– Laissez-moi lui parler, dit-elle. (Puis elle appela tout doucement :) Edgar... Edgar... Ouvrez-moi, voulez-vous ?

On entendit la clef s'enfoncer et tourner dans la serrure.

Quelqu'un ouvrit lentement la porte. Ce n'était pas Edgar, mais Lewis Serrocold. Il respirait bruyamment, comme s'il avait couru. Rien, à part cela, ne trahissait en lui la moindre émotion.

– Tout va bien, ma chérie, dit-il. Tout va parfaitement bien.

– Nous vous croyions mort, dit miss Bellever d'un ton bourru.

Lewis Serrocold fronça les sourcils.

– Mais non, je ne suis pas mort, dit-il avec une nuance d'âpreté dans la voix.

Dans le cabinet de travail, on voyait Edgar Lawson écroulé près du bureau. Il haletait et sanglotait tout à la fois. Son revolver était tombé sur le parquet à côté de lui.

– Mais nous avons entendu tirer, dit Mildred.

– Eh bien ! oui. Il a tiré deux fois.

– Et il vous a manqué ?

– Naturellement, il m'a manqué, dit Lewis avec humeur.

Miss Marple avait l'impression que ce n'était pas si naturel que ça. Les coups avaient dû être tirés à bout portant.

– Où est Maverick ? demanda Serrocold, visiblement irrité. C'est de Maverick que nous avons besoin.

– Je vais le chercher, dit miss Bellever. Est-ce que j'appelle aussi la police ?

– La police ? Certainement pas !

– Mais bien sûr que si ! s'écria Mildred Strete. Il faut appeler la police. Cet homme est dangereux !

– Quelle sottise ! Regardez-le ! Regardez-le ! Pauvre gars ! Est-ce qu'il a l'air dangereux ?

Edgar n'avait, certes, pas l'air dangereux à ce moment-là. Jeune et pitoyable, il n'était plus qu'une loque.

– Jamais je n'ai voulu faire une chose pareille ! gémissait-il. (Et il n'y avait plus dans sa voix la moindre affectation.) Je ne sais pas ce qui m'a pris... J'ai dû perdre la tête pour dire toutes ces horreurs ! Pardon, Mr Serrocold ! Je n'ai jamais eu l'intention...

Lewis lui tapota l'épaule.

– Ça va, mon pauvre garçon. Il n'y a rien de cassé.

– Mais j'aurais pu vous tuer...

Walter Hudd traversa la pièce et alla examiner le mur derrière la table.

– Les balles sont entrées là, dit-il.

Il regarda comment étaient placés le bureau et le fauteuil, puis ajouta :

– Il ne s'en est pas fallu de beaucoup !

Soudain, il aperçut le revolver sur le parquet.

– Où avez-vous pris ce revolver ? demanda-t-il.

– Un revolver ?

Edgar considéra l'arme avec des yeux hagards.

– Ça m'a tout l'air d'être le mien, dit Walter en ramassant le revolver. C'est bien ça ! Espèce de vermine ! Vous êtes allé le chercher dans ma chambre !

Lewis Serrocold s'interposa entre le lamentable Edgar et cet Américain à l'aspect menaçant.

– Nous aurons tout le temps d'éclaircir ça plus tard, dit-il. Ah ! voici Maverick... Examinons-le, je vous prie, docteur.

Maverick s'approcha d'Edgar avec l'expression satisfaite du spécialiste devant un cas intéressant.

– Ça suffit, Edgar ! dit-il avec autorité. Ça suffit, n'est-ce pas ?

– C'est un fou dangereux ! s'écria Mildred sur un ton acerbe. Il n'y a qu'un instant, il tirait des coups de revolver et proférait des insanités. Il a failli tuer mon beau-père.

Edgar poussa un gémissement et Maverick jeta à Mildred un regard chargé de reproches.

– Faites attention, Mrs Strete. Suivez-moi, Edgar. Le lit, un calmant, et nous reparlerons de tout ça demain matin.

Edgar se releva encore tout tremblant. Il enveloppa d'un regard incertain le jeune médecin et Mildred. Mais au même moment, miss Bellever fit irruption dans le hall, les lèvres serrées, la figure congestionnée.

– Je viens de téléphoner, déclara-t-elle d'un air sombre. La police sera ici dans quelques instants.

Edgar gémit de nouveau.

– Oh ! Jolly ! dit Carrie-Louise d'un ton navré.

Quant à Lewis Serrocold, il était furieux.

– Jolly, je vous avais dit que je ne voulais pas qu'on appelle la police. Il s'agit d'un cas pathologique.

– C'est possible, mais j'ai mon opinion, moi aussi, répondit miss Bellever. En tout cas, mon devoir était d'appeler la police. Mr Gulbrandsen est mort. On l'a tué d'un coup de revolver.

2

Quelques secondes s'écoulèrent avant qu'ils comprennent ce que miss Bellever venait de dire.

– Christian assassiné ! Vous n'allez pas me faire croire ça, déclara Carrie-Louise. C'est tout à fait impossible.

– Impossible ? Si vous ne me croyez pas, allez voir vous-même !

Miss Bellever, les lèvres pincées, s'adressait moins à Mrs Serrocold qu'à l'ensemble du groupe rassemblé dans le hall.

Lentement, sans conviction, Carrie-Louise fit un pas vers la porte. Lewis Serrocold la retint en posant la main sur son épaule.

– Non, ma chérie, j'y vais.

Il quitta la pièce. Le Dr Maverick regarda Edgar, hésita, puis finit par le suivre. Miss Bellever en fit autant.

Avec douceur, miss Marple fit asseoir son amie dans un fauteuil. Le visage de Carrie-Louise exprimait sa souffrance et son émotion.

– Christian assassiné ? dit-elle de nouveau.

Et on aurait cru entendre un enfant ahuri et malheureux.

Walter Hudd, toujours furieux, restait près de Lawson sans lâcher le revolver qu'il avait ramassé.

– Qui pouvait bien désirer la mort de Christian ? murmura Mrs Serrocold, anéantie.

Cette question n'appelait pas de réponse.

– Une bande de cinglés ! grommela Walter entre ses dents.

Comme s'il voulait la protéger, Stephen s'était rapproché de Gina, dont le visage épouvanté était, dans cette pièce, le seul élément lumineux et vivant.

Soudain, la porte d'entrée s'ouvrit, laissant pénétrer l'air froid du dehors. Un homme vêtu d'un gros pardessus parut sur le seuil. La jovialité de ses premières paroles eut quelque chose d'étrangement choquant.

– Bonsoir, tout le monde ! Qu'est-ce qu'on devient par ici ? Il y a un de ces brouillards sur la route !... J'ai dû rouler au pas.

Miss Marple sursauta et se demanda pendant un instant si elle voyait double. Le même homme ne pouvait évidemment pas, à la fois, se tenir à côté de Gina et entrer par la porte du perron. Elle se rendit vite compte qu'il ne s'agissait que d'une ressemblance et même, si on regardait avec attention, d'une ressemblance peu marquée. On voyait que ces deux hommes étaient frères. Leur air de famille était frappant, sans plus. Stephen Restarick était grand et osseux, le nouveau venu était mince. Son grand manteau à col d'astrakan épousait bien les formes d'un corps svelte. C'était un garçon magnifique et qui respirait l'aisance et l'euphorie que donne le succès.

Miss Marple remarqua qu'en entrant dans le hall, c'est Gina qu'il avait tout de suite cherchée du regard.

– Vous m'attendiez bien ? Vous avez reçu mon télégramme ? demanda-t-il en s'adressant à Carrie-Louise.

Il s'approcha d'elle. Presque machinalement, elle lui tendit la main. Il prit cette main et la baisa avec respect. C'était bien un affectueux hommage et non un geste de courtoisie affectée.

Elle murmura :

– Mais bien sûr, mon cher Alex. Bien sûr, seulement... Tant d'événements se sont produits...

– Des événements ?

– Christian Gulbrandsen !... Mon frère Christian Gulbrandsen !... On l'a trouvé dans sa chambre... tué d'un coup de revolver.

Dans les cris poussés par Mildred Strete, Alex crut discerner un désarroi un peu surfait.

– Mon Dieu ! S'agit-il d'un suicide ?

– Oh ! non, dit aussitôt Carrie-Louise. Ce n'est sûrement pas un suicide. De la part de Christian !... Oh ! non.

– Je suis certaine que l'oncle Christian ne se serait jamais suicidé, dit Gina.

Le regard interrogateur d'Alex allait de l'un à l'autre. Son frère Stephen y répondit par un signe affirmatif et Walter Hudd par un coup d'œil un peu rancunier. Miss Marple l'intriguait, mais personne ne prit la peine de lui expliquer la présence de cette vieille demoiselle, auréolée de cheveux blancs, qui avait l'air doucement ahurie.

– Quand est-ce arrivé ? demanda Alex.

– Juste avant que vous n'entriez, dit Gina. Il n'y a pas

plus de trois ou quatre minutes. Mais oui, certainement... et nous avons entendu le coup de feu... Mais
nous n'y avons pas attaché d'importance...

– Pas d'importance ? Comment ça ?

– Voyez-vous... à ce moment-là... il se passait bien des
choses, dit Gina en cherchant ses mots.

– Plutôt ! dit Walter avec conviction.

Juliette Bellever entra dans le hall.

– Mr Serrocold dit que nous devrions tous aller dans
la bibliothèque, à l'exception de Mrs Serrocold. Ce sera
plus commode pour la police... C'est une terrible
secousse pour vous, Cara. J'ai fait mettre des bouillottes
dans votre lit. Je vais monter avec vous...

Carrie-Louise, qui s'était levée, secoua la tête.

– Je veux d'abord voir Christian, dit-elle.

– Oh ! non, chère amie, n'allez pas au-devant d'une
pareille émotion.

Carrie-Louise l'écarta doucement.

– Chère Jolly... vous ne comprenez pas.

Mrs Serrocold regarda autour d'elle et dit :

– Jane, viens avec moi, veux-tu ?

Miss Marple n'avait pas attendu qu'elle l'appelle. Elles
se dirigèrent ensemble vers la porte. Le Dr Maverick,
qui revenait, faillit les bousculer.

– Docteur, retenez-la ! s'écria miss Bellever. C'est tellement absurde !

Carrie-Louise leva vers le jeune médecin un regard
tranquille, elle lui adressa même un faible sourire.

– Vous voulez le voir ? dit Maverick.

– Il le faut.

– Je comprends, Mrs Serrocold, dit-il en s'effaçant.

Allez-y si vous estimez que c'est votre devoir. Mais après, je vous en prie, laissez miss Bellever prendre soin de vous. Pour le moment, vous ne ressentez pas encore les effets de cette commotion, mais ça ne tardera pas, je peux vous l'assurer.

– Oui, docteur, c'est vrai. Je serai tout à fait raisonnable. Viens, Jane.

La chambre de Christian Gulbrandsen avait presque l'air d'un salon. Le lit était dans une alcôve. Une porte donnait accès dans la salle de bains.

Carrie-Louise s'arrêta sur le seuil. Christian était assis devant le grand bureau d'acajou, affaissé sur un côté de son fauteuil. La hauteur des accoudoirs l'avait empêché de glisser sur le tapis. Une machine à écrire portative était posée devant lui.

Lewis Serrocold, debout près de la fenêtre, avait un peu écarté le rideau et regardait dehors dans la nuit.

Il se retourna en fronçant les sourcils.

– Ma chérie, tu n'aurais pas dû venir.

Il s'approcha vivement de sa femme et elle lui tendit la main.

– Mais si, Lewis. Il fallait... que je le voie. C'est un devoir de ne pas reculer devant ce qui est.

Carrie-Louise alla lentement vers le bureau.

– Ne touche à rien, dit Lewis. Il est indispensable que la police trouve cette pièce exactement dans l'état où nous la voyons maintenant.

– Bien sûr. Alors, quelqu'un l'a tué... délibérément ?

Lewis parut surpris qu'elle pose cette question.

– Oui... Je croyais que tu le savais.

– En effet. Christian ne se serait jamais suicidé et,

étant donné son adresse, ce n'est certainement pas un accident... Il ne peut donc s'agir que... d'un meurtre.

Elle avait hésité avant de prononcer ces derniers mots.

Elle passa derrière le bureau et regarda longuement le mort. Il y avait dans ses yeux une expression tendre et douloureuse.

– Cher Christian, murmura-t-elle. Il a toujours été si bon pour moi ! (Et elle ajouta en posant doucement ses doigts sur son front :) Cher Christian ! Je vous bénis et je vous remercie.

Lorsqu'ils arrivèrent à Stonygates, l'inspecteur Curry et ses hommes trouvèrent miss Bellever seule dans le grand hall. Elle s'avança avec dignité.

– Je suis Juliette Bellever, la demoiselle de compagnie et la secrétaire de Mrs Serrocold.

– C'est vous qui avez découvert le corps et qui nous avez téléphoné ?

– Oui. Presque tout le monde est rassemblé dans la bibliothèque dont voici la porte. Mais voulez-vous que je vous accompagne jusqu'à la chambre de Mr Gulbrandsen ?

– S'il vous plaît, dit Curry.

Et il la suivit dans le corridor.

Les vingt minutes qui suivirent furent consacrées aux formalités d'usage. Le photographe prit les clichés nécessaires. Le médecin légiste arriva. Une demi-heure plus tard une ambulance avait emporté la dépouille mortelle de Christian Gulbrandsen et l'inspecteur Curry commençait son enquête.

Lewis Serrocold l'emmena dans la bibliothèque où un

355

examen rapide des personnes qui s'y trouvaient lui permit de les situer : une vieille dame à cheveux blancs, la jolie fille qu'il avait vue se promener dans le pays au volant de sa voiture, l'Américain un peu bizarre qu'elle avait épousé, deux jeunes gens qui avaient l'air de faire partie de la famille, et miss Bellever, la femme de tête qui lui avait téléphoné et qui l'avait accueilli.

L'inspecteur Curry avait préparé d'avance un petit discours. Il le prononça comme il se l'était proposé.

– Je sais que tout cela est très éprouvant pour vous. J'espère ne pas vous retenir trop longtemps ce soir. Nous pourrons approfondir beaucoup de choses demain. C'est miss Bellever qui a découvert le corps de Mr Gulbrandsen, c'est elle que je vais prier de me faire un exposé général des événements afin d'éviter trop de redites. Mr Serrocold, si vous désirez monter auprès de Mrs Serrocold, faites-le, je vous en prie. Lorsque j'aurai terminé avec miss Bellever, c'est vous que je verrai. Tout cela est bien clair, n'est-ce pas ? Peut-être y a-t-il une pièce plus petite où...

– Mon cabinet, Jolly, dit Serrocold.

– J'allais vous le proposer.

Elle traversa le grand hall, suivie de l'inspecteur et du sergent qui l'accompagnait.

Miss Bellever les installa de façon commode. On aurait cru que c'était elle qu'on avait chargée de l'enquête et non l'inspecteur Curry.

Le moment vint pourtant où ce fut à lui de prendre l'initiative. Il avait une voix et des manières agréables. C'était un homme calme et sérieux, un peu trop poli peut-être, et certaines personnes commettaient l'erreur de le sous-estimer.

– Mrs Serrocold m'a mis au courant des faits essentiels, dit-il. Mr Christian Gulbrandsen était le fils de Mr Éric Gulbrandsen, qui a créé la Fondation Gulbrandsen, les bourses qui portent son nom et bien d'autres choses. Il était administrateur de cette institution et il est arrivé à l'improviste hier. C'est bien ça ?

– Oui.

L'inspecteur poursuivit :

– Mr Serrocold, qui était à Liverpool, est rentré ce soir par le train de 6 h 30 ?

– Oui.

– Après le dîner, Mr Gulbrandsen a déclaré qu'il avait à travailler dans sa chambre et, une fois le café servi, il s'est retiré, laissant le reste de la famille dans le hall ? C'est cela ?

– Oui.

– Maintenant, miss Bellever, voulez-vous me dire exactement dans quelles conditions vous avez découvert sa mort ?

Juliette Bellever s'éclaircit bruyamment la gorge.

– Il y a eu ce soir un incident assez pénible, dit-elle. Un jeune homme, un des grands nerveux qu'on soigne ici, a eu une crise et a menacé Mr Serrocold avec un revolver. Ils étaient enfermés à clef dans cette pièce-ci. Le jeune homme a fini par tirer... Vous pouvez voir les trous faits par les balles... là dans le mur. Par bonheur, Mr Serrocold n'a pas été atteint. Puis ce jeune homme s'est littéralement effondré. Mr Serrocold m'a envoyée chercher le Dr Maverick, le médecin de l'établissement.

J'ai essayé de le joindre par le téléphone intérieur ; mais il n'était pas dans sa chambre. J'ai fini par le trouver chez un de ses collègues et je lui ai fait la commission. Il est arrivé tout de suite. En revenant, je suis passée par la chambre de Mr Gulbrandsen pour lui demander s'il voulait prendre quelque chose avant de se coucher, du lait chaud, du whisky... J'ai frappé. N'obtenant pas de réponse, j'ai ouvert la porte, et j'ai vu que Mr Gulbrandsen était mort. C'est alors que je vous ai téléphoné.

– Comment entre-t-on dans cette maison ? Quelqu'un venant du dehors aurait-il pu pénétrer sans être vu ni entendu ?

– N'importe qui aurait pu entrer par la porte latérale qui donne sur la terrasse. C'est par là qu'on passe pour aller à l'institution ou en revenir, et elle n'est fermée à clef qu'au moment où tout le monde va se coucher.

– Et il y a, si j'ai bien compris, entre deux cents et deux cent cinquante jeunes délinquants dans cet établissement ?

– Oui. Mais les bâtiments de l'institution sont bien fermés et bien surveillés. Il est invraisemblable que quelqu'un ait pu en sortir sans qu'on s'en aperçoive.

– C'est ce que nous aurons à vérifier. Mr Gulbrandsen n'aurait-il pas éveillé... dirons-nous... une certaine hostilité, ou un certain mécontentement par des mesures disciplinaires ?

Miss Bellever secoua la tête.

– Oh ! non. Mr Gulbrandsen n'avait rien à voir dans le fonctionnement de l'établissement ni dans les questions administratives.

– Quel était l'objet de sa visite ?

– Je n'en ai aucune idée.

– L'absence de Mr Serrocold l'a contrarié et il a pris tout de suite la décision d'attendre son retour ?

– Oui.

– C'est donc bien Mr Serrocold qu'il venait voir ?

– Sans aucun doute. Et tout permet de croire que c'était pour une question concernant l'institution.

– Oui. C'est fort probable. A-t-il eu un entretien avec Mr Serrocold ?

– Non. Il n'en a pas eu le temps. Mr Serrocold n'est rentré que ce soir, juste avant le dîner.

– Mais après le dîner, Mr Gulbrandsen s'est retiré en disant qu'il avait des lettres importantes à écrire. Il n'a pas cherché à voir Mr Serrocold en particulier ?

Miss Bellever hésita avant de dire non.

– C'est assez curieux, puisqu'il avait attendu, bien que ça le gênât, le retour de Mr Serrocold.

– Oui, c'est curieux.

L'étrangeté de ce fait semblait frapper miss Bellever pour la première fois.

– Mr Serrocold ne l'a pas accompagné dans sa chambre ?

– Non. Il est resté dans le hall.

– À quel moment Mr Gulbrandsen a-t-il été tué ? En avez-vous une idée ?

– Il se peut que nous ayons entendu le coup de revolver. Dans ce cas, il était 9 h 23.

– Vous avez entendu un coup de revolver et ça ne vous a pas affolés ?

– Nous nous trouvions dans des conditions singulières.

Miss Bellever raconta plus en détail la scène qui s'était déroulée à ce moment-là entre Edgar Lawson et Serrocold.

— De sorte que personne n'a imaginé que ce coup de feu pouvait être tiré dans la maison ?

— Non. Je ne crois vraiment pas. C'était un tel soulagement de penser que ce n'était pas dans cette pièce-ci qu'on avait tiré. Ensuite, je me suis dit que ce bruit avait dû venir de la voiture de Mr Restarick, mais sur le moment...

— La voiture de Mr Restarick ?

— Oui, Alex Restarick. Il est arrivé en auto, tout à l'heure... Juste après tous ces événements.

— Je vois. Lorsque vous avez découvert le corps de Mr Gulbrandsen, avez-vous touché quoi que ce soit dans la chambre ?

Cette question parut offenser miss Bellever.

— Bien sûr que non.

— Et maintenant, quand vous nous avez amenés dans la chambre, est-ce que tout y était exactement dans le même état qu'au moment où vous avez découvert le corps ?

Miss Bellever se mit à réfléchir, elle se renversa dans son fauteuil, les yeux mi-clos.

— Une chose était changée. Il n'y avait plus rien sur la machine à écrire.

— Voulez-vous dire que, lorsque vous êtes entrée pour la première fois, il y avait sur la machine une lettre que Mr Gulbrandsen était en train d'écrire et que cette lettre a été enlevée depuis ?

– Oui. Je suis presque certaine d'avoir vu la feuille de papier blanc qui dépassait.

– Merci. Qui d'autre a pénétré dans la chambre avant notre arrivée ?

– Mr Serrocold, Mrs Serrocold et miss Marple.

– Qui est miss Marple ?

– C'est la vieille dame à cheveux blancs. Une amie de pension de Mrs Serrocold. Elle est ici depuis trois ou quatre jours.

– Je vous remercie, miss Bellever. Tout ce que vous m'avez dit est parfaitement clair. Maintenant, je vais parler à Mr Serrocold. Mais, peut-être... Miss Marple est une personne âgée, m'avez-vous dit ? Je vais la voir en premier. Comme cela, elle pourra se coucher. Ce serait un peu cruel d'obliger une vieille dame comme elle à veiller, d'autant qu'elle a dû avoir une grosse émotion, dit l'inspecteur Curry d'un ton plein de considération.

Miss Bellever sortit. L'inspecteur se mit à regarder le plafond et dit :

– Gulbrandsen ?... Pourquoi Gulbrandsen ?... Deux cents gamins détraqués dans l'établissement... Pas de raison pour que ce ne soit pas l'un d'entre eux qui l'ait tué. Mais pourquoi Gulbrandsen ? L'étranger dans la maison ?

– Nous ne savons pas encore tout, dit le sergent Lake.

– Nous ne savons encore rien, répliqua Curry.

Il se leva galamment en voyant entrer miss Marple. Celle-ci semblait un peu émue et il s'empressa de la mettre à son aise.

– Ne vous tracassez pas, madame.

Dans son idée, les vieilles demoiselles aimaient bien

qu'on les appelle « madame ». Pour elles, les officiers de police appartiennent incontestablement aux classes inférieures de la société et ils doivent se montrer respectueux envers leurs supérieurs.

– Je sais que tout cela est très douloureux, mais il faut que nous parvenions à élucider cette affaire.

– Je sais, dit miss Marple. Et c'est très difficile, n'est-ce pas, d'éclaircir quelque chose à fond. Nous ne pouvons pas regarder deux choses à la fois. Et, bien souvent, c'est celle qui ne présente aucun intérêt que nous regardons, soit par hasard, soit parce qu'on nous y contraint. On dirige notre attention sur tel point pour la détourner de tel autre. Les prestidigitateurs appellent ça un faux semblant. Ils sont tellement habiles, ces gens-là ! Vous ne trouvez pas ? Je n'ai jamais compris comment ils s'y prennent avec le bocal à poissons rouges... Il n'y a vraiment pas moyen de le plier.

L'inspecteur cligna légèrement des paupières et dit d'un ton conciliant :

– C'est bien vrai, madame, miss Bellever m'a fait le récit des événements de cette soirée. Tout cela a été fort éprouvant pour vous tous, j'en suis sûr.

– Oui... Et c'était aussi *très dramatique*.

– En premier lieu, cette scène entre Mr Serrocold et... (il regarda les notes qu'il avait prises) cet Edgar Lawson.

– Un jeune homme très bizarre, dit miss Marple. J'ai tout le temps l'impression qu'il y a chez lui quelque chose qui cloche.

– Je n'en doute pas. Et ensuite, une fois cette émotion passée, la mort de Mr Gulbrandsen. J'ai cru comprendre que vous aviez été, avec Mrs Serrocold... voir... le corps ?

362

– C'est exact. Elle m'a priée de l'accompagner. Nous sommes de très vieilles amies.

– Oui. Vous êtes donc allées ensemble dans la chambre de Mr Gulbrandsen. Avez-vous remarqué, par hasard, s'il y avait une lettre ou un papier sur la machine à écrire ?

– Il n'y en avait pas, dit sans hésiter miss Marple. Je l'ai remarqué tout de suite et ça m'a paru bizarre. Mr Gulbrandsen était assis devant la machine à écrire, par conséquent il devait taper quelque chose. Oui... Ça m'a paru tout à fait bizarre.

L'inspecteur la regarda attentivement.

– Avez-vous beaucoup causé avec Mr Gulbrandsen depuis son arrivée ?

– Fort peu.

– Il ne vous a rien dit de particulier ou de significatif ?

Miss Marple réfléchit un instant.

– Il m'a interrogée sur la santé de Mrs Serrocold et, notamment, sur l'état de son cœur.

– De son cœur ? A-t-elle quelque chose de ce côté-là ?

– Pas que je sache.

Après un moment de silence, l'inspecteur reprit :

– Vous avez entendu un coup de feu, ce soir, pendant la querelle de Mr Serrocold avec Lawson ?

– Non, je dois vous avouer que je suis un peu dure d'oreille. Mais Mrs Serrocold l'a entendu et a dit que c'était dehors, dans le parc.

– J'ai cru comprendre que Mr Gulbrandsen avait quitté le hall tout de suite après le dîner.

– Oui. Il avait des lettres à écrire.

– Il n'a pas manifesté le désir d'avoir une conversation d'affaires avec Mr Serrocold ?

– Non. Mais, voyez-vous, ils avaient déjà causé un moment.

– Vraiment ? Quand cela ? Je croyais que Mr Serrocold n'était rentré que juste avant le dîner ?

– C'est exact, mais il est rentré à pied, à travers le parc. Mr Gulbrandsen est allé à sa rencontre et ils se sont promenés ensemble sur la terrasse.

– Qui sait cela, en dehors de vous ?

– Personne, je crois, dit miss Marple, à moins bien sûr, que Mr Serrocold ne l'ait dit à sa femme. J'étais justement à ma fenêtre en train de regarder... des oiseaux.

– Des oiseaux ?

– Des oiseaux, répéta miss Marple. (Et elle ajouta presque aussitôt :) Je me demandais si ce n'étaient pas des tarins.

Les tarins n'intéressaient pas l'inspecteur Curry.

– Et... au hasard de leur promenade, demanda l'inspecteur avec diplomatie, rien de leur conversation n'est parvenu jusqu'à vous ?

Un regard candide répondit au sien.

– Quelques bribes, tout au plus, dit doucement miss Marple.

– Et ces bribes ?

Miss Marple resta un moment silencieuse et finit par dire :

– Je ne sais pas quel était le sujet précis de leur conversation, mais leur principal souci était de garder Mrs Serrocold dans l'ignorance de quelque chose. De « l'épargner », c'est le mot qu'a employé

364

Mr Gulbrandsen. Et Mr Serrocold disait : « Je suis d'avis que c'est à elle qu'il faut penser avant tout. » Ils ont parlé également d'une grosse responsabilité et ils ont été d'accord pour estimer qu'ils devraient peut-être prendre un autre avis... Je crois que vous devriez vous adresser à Mr Serrocold lui-même.

– C'est ce que nous ferons, madame. N'y a-t-il rien d'autre qui vous ait frappée ce soir ? Quelque chose d'extraordinaire ?

Miss Marple réfléchit.

– Tout était tellement extraordinaire... Vous voyez ce que je veux dire ?

– Je vois très bien.

Un détail revint à l'esprit de miss Marple.

– Il y a eu un incident un peu singulier : Mr Serrocold a empêché sa femme de prendre son médicament... mais c'est un détail insignifiant.

– Évidemment. Eh bien, miss Marple, je vous remercie.

Lorsque la porte se fut refermée sur miss Marple, le sergent Lake déclara :

– Elle est vieille, mais astucieuse.

Lewis Serrocold entra et tout changea d'aspect. Il se retourna pour fermer la porte, et ce seul geste semblait assurer à l'entretien qui allait se dérouler dans cette pièce le secret le plus absolu. Il traversa le cabinet de travail et vint s'asseoir non sur le siège qu'avait occupé miss Marple, mais dans son fauteuil à lui, derrière son bureau. Miss Bellever avait tiré pour l'inspecteur une chaise à côté de ce bureau, comme si, inconsciemment, elle réservait le fauteuil de Serrocold pour lui seul.

Une fois assis, Lewis regarda les deux policiers d'un air absent. Il avait les traits tirés ; la figure d'un homme qui traverse une dure épreuve. L'inspecteur Curry en fut un peu surpris. La mort de Gulbrandsen pouvait indubitablement émouvoir Serrocold, mais il n'y avait entre eux ni intimité ni parenté Christian n'était que le beau-fils de sa femme.

Les rôles semblaient renversés d'une façon assez curieuse. On aurait cru que Lewis Serrocold était venu là pour présider une commission d'enquête et non pour répondre aux questions de la police. Cette impression n'était pas sans irriter Curry. Il dit, d'un ton sec :

– Voyons, Mr Serrocold...

Lewis, toujours perdu dans ses pensées, soupira en disant :

– Comme il est difficile de savoir ce que l'on doit faire !

– C'est à nous, Mr Serrocold, qu'il appartiendra, je crois, d'en décider. Parlons de Mr Gulbrandsen. Si j'ai bien compris, son arrivée était imprévue ?

– Tout à fait imprévue.

– Vous ne saviez pas qu'il allait venir ?

– Pas du tout.

– Et vous ne vous doutez pas de la raison qui l'a amené ?

– Mais si, dit tranquillement Lewis Serrocold. Je la connais très bien. Il m'en a fait part.

– Quand cela ?

– Ce soir. Je suis rentré de la gare à pied. Il me guettait depuis la maison, et il est venu à ma rencontre. C'est alors qu'il m'a expliqué pourquoi il était venu.

– Pour une affaire relative à l'institution Gulbrandsen, sans doute ?

– Oh ! non. Ça n'avait rien à voir avec l'institution.

– Pourtant, miss Bellever le croyait.

– Cela va de soi. C'était l'explication normale, et Gulbrandsen n'a rien fait pour la démentir, ni moi non plus.

– Pourquoi cela, Mr Serrocold ?

Lewis répondit, en pesant ses mots :

– Parce qu'il nous semblait important, à l'un et à l'autre, que personne ne connaisse l'objet véritable de sa visite.

– Quel en était le véritable objet ?

Pendant un instant Lewis Serrocold resta silencieux, puis il dit avec gravité :

– Je comprends fort bien qu'en raison de la mort... de l'assassinat de Gulbrandsen, car on ne peut douter de l'assassinat, je sois obligé de vous révéler tous les faits. Mais, franchement, j'en suis navré, pour le bonheur de ma femme et pour sa tranquillité d'esprit. Je n'ai pas de conseil à vous donner, inspecteur, mais si, dans la mesure du possible, vous voyez un moyen de lui laisser ignorer certaines choses, je vous en serai reconnaissant. Voyez-vous, Christian est venu ici tout exprès pour m'avertir que quelqu'un cherchait de propos délibéré à empoisonner ma femme.

Curry eut un haut-le-corps.

– Quoi ? s'écria-t-il.

Serrocold hocha la tête.

– Eh oui ! Vous devinez quel coup terrible cette révélation a été pour moi. Je n'avais aucun soupçon, mais, en écoutant Christian, j'ai réfléchi à certains symptômes éprouvés depuis peu par ma femme ; ils corroborent tout à fait cette hypothèse. Ce qu'elle prenait pour des rhumatismes, ces crampes dans les jambes, ces douleurs, ces malaises passagers, correspondent exactement aux symptômes de l'empoisonnement par l'arsenic.

– Miss Marple nous a dit que Mr Gulbrandsen l'avait interrogée sur la santé de Mrs Serrocold et, en particulier, sur l'état de son cœur.

– Vraiment ? C'est intéressant. Il devait croire qu'on employait un toxique dont l'action sur le cœur entraîne, à la longue, une mort subite sans éveiller de soupçons. Je crois plutôt à l'emploi de l'arsenic.

– Vous estimez que les soupçons de Mr Gulbrandsen étaient fondés ?

– Oui. D'abord, Gulbrandsen ne serait pas venu me faire part de son inquiétude s'il n'avait pas été sûr de ce qu'il avançait. C'était un homme prudent, têtu, difficile à convaincre, mais très perspicace.

– Quelles preuves avait-il ?

– Nous n'avons pas eu le temps d'en parler. Je ne comprends d'ailleurs pas comment, étant en Amérique, il avait pu l'apprendre. Notre entretien a été court. Il m'a juste expliqué pourquoi il était venu et nous avons décidé que ma femme devait tout ignorer jusqu'à ce que nous soyons sûrs des faits.

– Qui administrait le poison, d'après lui ?

– Il ne me l'a pas dit. Et je crois vraiment qu'il ne le savait pas. Peut-être avait-il un soupçon, et, à la réflexion, je serais porté à le croire... Autrement, pourquoi l'aurait-on assassiné ?

– Il n'a prononcé aucun nom devant vous ?

– Aucun. Nous avons résolu d'approfondir la question et il m'a suggéré de demander l'avis et l'assistance de Mgr Galbraith, l'évêque de Cromer. Mgr Galbraith est un très vieil ami des Gulbrandsen et un des administrateurs de l'institution. Il a beaucoup d'expérience. C'est un homme d'une profonde sagesse et qui apporterait à ma femme une grande aide et un grand réconfort si... s'il devenait nécessaire de lui faire part de nos craintes. Nous comptions prendre son avis sur l'opportunité de prévenir la police.

– C'est extraordinaire ! dit Curry.

– Gulbrandsen nous a quittés après dîner pour aller écrire à Mgr Galbraith. Il tapait sa lettre lorsqu'il a été tué.

– Comment le savez-vous ?

– Parce que j'ai retiré cette lettre de la machine à écrire. Je l'ai sur moi.

De la poche intérieure de son veston, il sortit une feuille de papier pliée en quatre et la tendit à l'inspecteur.

Celui-ci dit sèchement :

– Vous n'auriez pas dû prendre cette lettre, ni toucher à quoi que ce soit dans cette chambre.

– Je n'ai rien touché d'autre. Je sais qu'à vos yeux j'ai commis une faute impardonnable en enlevant cette lettre, mais j'étais persuadé que ma femme tiendrait à venir dans la chambre et je craignais qu'elle ne lise tout ou partie de ce qui est écrit sur cette feuille. Je reconnais mes torts, mais je crois qu'à l'occasion je recommencerais. Je ferais n'importe quoi... n'importe quoi pour éviter un chagrin à Mrs Serrocold.

L'inspecteur n'insista pas et lut la lettre.

Monseigneur

Puis-je vous prier de venir à Stonygates au reçu de cette lettre, si cela ne vous est pas impossible ? Je me trouve aux prises avec des événements d'une extraordinaire gravité et j'avoue ne pas savoir comment y faire face. Je connais l'affection profonde que vous portez à notre chère Carrie-Louise et le grand souci que vous cause tout ce qui peut l'affecter. Que doit-elle savoir ? Que convient-il de lui laisser ignorer ? Telles sont les questions auxquelles je trouve si difficile de répondre.

Pour être plus clair j'ai tout lieu de croire que quelqu'un cherche à empoisonner lentement cette femme innocente et bonne. J'ai eu un premier soupçon lorsque...

La lettre s'arrêtait là.

– C'est à ce point qu'en était arrivé Christian Gulbrandsen quand on l'a tué, dit Curry. Mais pourquoi a-t-on laissé cette lettre sur la machine ?

– Je ne vois que deux raisons. Ou bien le meurtrier ignorait à la fois la personnalité du destinataire et l'objet de la lettre, ou bien il n'a pas eu le temps de l'enlever. Il a entendu venir quelqu'un et a tout juste pu s'échapper sans être vu.

– Et Gulbrandsen ne vous a pas dit qui il soupçonnait ? Et même, sans vous dire de nom, il ne vous a pas dit qu'il soupçonnait quelqu'un ?

Il s'écoula peut-être une seconde avant que Lewis réponde :

– Non ! (Et il ajouta ces mots un peu obscurs :) Christian était un homme très juste.

– Comment croyez-vous que ce poison, arsenic ou autre, ait été administré ou le soit encore ?

– J'y ai réfléchi pendant que je m'habillais pour le dîner. Il me semble que le procédé le plus vraisemblable est le mélange avec un médicament. Le reconstituant que prend ma femme, par exemple. Il serait facile à n'importe qui d'ajouter de l'arsenic dans le flacon qui le contient.

– Nous emporterons ce flacon pour en faire analyser le contenu.

– J'en ai recueilli un échantillon avant le dîner, dit tranquillement Serrocold.

Il sortit d'un des tiroirs du bureau une petite bouteille pleine d'un liquide rouge.

L'inspecteur Curry eut un regard étrange pour dire :

– Vous pensez à tout, Mr Serrocold.

– Je crois à l'utilité d'agir rapidement. Ce soir, j'ai empêché ma femme de prendre sa dose habituelle. Le verre est encore sur le bahut du hall. Le flacon est dans la salle à manger.

Curry mit ses coudes sur le bureau et, baissant la voix, dit sur un ton confidentiel et presque familier :

– Excusez-moi, Mr Serrocold, mais pourquoi, au juste, tenez-vous tant à cacher tout cela à Mrs Serrocold ? Avez-vous peur de l'effrayer ? Pour son bien, il vaudrait certainement mieux qu'elle soit avertie.

– Oui... Oui... C'est possible. Mais je ne crois pas que vous vous rendiez exactement compte... Si on ne connaît pas ma femme, c'est assez difficile. Elle est la confiance même. On peut affirmer, en fait, qu'elle ne voit, n'entend, ni ne dit jamais rien de mal. Pour elle, il serait inconcevable que quelqu'un veuille la tuer. Mais nous devons aller plus loin. Il ne s'agit pas seulement de « quelqu'un ». Il s'agit peut-être, et vous le comprenez sûrement, d'une personne qui la touche de près... qui lui est très chère.

– C'est ce que vous croyez ?

– Nous sommes bien obligés d'accepter les faits. Nous avons, à deux pas d'ici, environ deux cents garçons qui se sont trop souvent rendus coupables d'actes brutaux et dépourvus de sens. Mais, dans le cas présent, la nature même des circonstances fait qu'aucun d'entre eux ne peut être soupçonné. Celui qui emploie un poison lent participe forcément à l'intimité de la vie familiale. Pensez à ceux qui vivent dans cette maison avec ma femme : son mari, sa fille, sa petite-fille, son beau-fils, miss Bellever, sa dévouée compagne et amie depuis de longues années. Tous très proches, très chers. Et, pourtant, le soupçon s'impose. Est-ce l'un d'entre eux ?

– Il y a des étrangers, dit lentement Curry.

– Oui... Évidemment. Il y a le Dr Maverick. Quelques membres du personnel, aussi, sont souvent avec nous. Il y a les domestiques. Mais, franchement, quel pourrait être leur mobile ?

– Et il y a ce jeune... comment l'appelez-vous déjà ?... Edgar Lawson.

– Oui. Mais il est arrivé tout récemment. Pourquoi aurait-il fait ça ? De plus, il est profondément attaché à Carrie... Comme tout le monde, d'ailleurs.

– D'accord, mais il est déséquilibré. Qu'est-ce que c'est que cette attaque à laquelle il s'est livré sur vous ce soir ?

Serrocold eut un geste d'impatience.

– Un enfantillage ! Il n'avait aucune intention de me faire du mal.

– Les deux trous qu'ont laissés les balles dans le mur semblent pourtant prouver le contraire. Il a tiré sur vous ?

– Il n'a pas essayé de m'atteindre. Il jouait la comédie, rien de plus.

– C'est une manière plutôt dangereuse de jouer la comédie, Mr Serrocold.

Lewis Serrocold poussa un profond soupir.

– Je crains, inspecteur, que vous ne compreniez pas de quoi il s'agit. Il faut que vous causiez avec notre psychiatre, le Dr Maverick. Edgar est un enfant naturel... Pour moins en souffrir, et pour se consoler de son origine très modeste, il s'est persuadé qu'il est le fils d'un homme célèbre. C'est, croyez-moi, un phénomène très connu. Il était en progrès, en très grand progrès, et puis, il a eu une rechute dont j'ignore la cause. Il s'est imaginé que j'étais son père et il s'est livré à cette manifestation mélodramatique : menaces, attaque au revolver... Cela ne m'a pas inquiété le moins du monde. Après avoir tiré, il s'est effondré et s'est mis à sangloter... Le Dr Maverick l'a emmené et il lui a fait prendre un sédatif. Demain matin, il sera sans doute tout à fait normal.

– Vous ne désirez pas porter plainte contre lui ?

– Ce serait la pire chose à faire... pour lui, s'entend.

– Sincèrement, Mr Serrocold, il me semble qu'il devrait être interné. Un garçon qui tire à tort et à travers des coups de revolver sur ses semblables !... Il faut aussi penser à la société.

– Parlez-en au Dr Maverick. Il vous donnera le point de vue médical. En tout cas, ce pauvre Edgar n'a certainement pas tué Gulbrandsen. Il était enfermé dans cette pièce, et c'est moi qu'il menaçait de tuer !

– Voilà qui nous amène précisément au point que je voulais aborder, Mr Serrocold. Nous avons examiné l'extérieur de la maison. N'importe qui pouvait entrer et tuer Mr Gulbrandsen, puisque la porte qui donne sur la terrasse n'était pas fermée. Mais il y a, dans la maison même, un champ d'investigation plus étroit, et, d'après ce que vous venez de me dire, il semble qu'il y ait lieu de l'examiner avec une extrême attention. Qui, parmi les habitants de la maison, a bien pu tuer Mr Gulbrandsen ?

– Vous me voyez bien en peine pour vous répondre, dit lentement Serrocold. Il y a les domestiques, les membres de ma famille et nos invités. Je suppose qu'à votre point de vue, aucun d'entre eux n'est à l'abri du soupçon. Je ne puis vous dire qu'une chose : à ma connaissance, tout le monde, sauf les domestiques, était dans le grand hall lorsque Christian l'a quitté, et tant que j'y étais, personne n'en est sorti.

– Absolument personne ?

Lewis fronça les sourcils dans l'effort qu'il faisait pour se souvenir.

– Ah ! si. Un plomb a sauté et Walter Hudd est allé le changer.

– Mr Hudd, c'est le jeune Américain ?

– Oui. Naturellement, je ne sais pas ce qui s'est passé quand nous avons été dans mon cabinet, Edgar et moi.

L'inspecteur Curry réfléchit un instant, puis poussa un soupir.

– Dites-leur, à tous, qu'ils peuvent aller se coucher. Je leur parlerai demain.

Lorsque Serrocold les eut quittés, l'inspecteur se tourna vert Lake :

– Qu'est-ce que vous en dites ?

– Il sait... ou croit savoir... qui a fait le coup.

– C'est ce que je pense aussi... Et ça l'ennuie beaucoup.

Comme miss Marple descendait pour le petit déjeuner le lendemain matin, Gina se précipita vers elle.

– Les policiers sont encore là, dit-elle. Cette fois, c'est dans la bibliothèque qu'ils se sont installés. Wally est littéralement fasciné par eux. Il ne comprend pas comment ils peuvent rester si calmes, si lointains. Je crois qu'il trouve tout ça passionnant. Pas moi ! Ça me fait horreur ! C'est abominable ! Mais expliquez-moi pourquoi je suis bouleversée à ce point. Est-ce parce que je suis à moitié italienne ?

– C'est possible, dit miss Marple, avec un gentil sourire. En tout cas, cela explique qu'il vous soit égal de laisser voir vos sentiments.

Gina l'avait prise par le bras et l'entraînait vers la salle à manger, tout en continuant de parler.

– Jolly est d'une humeur de chien. C'est sûrement parce que les policiers ont pris les choses en main et qu'elle ne peut pas les mener tambour battant, comme elle le fait pour toute la maison. Quant à Alex et à Stephen, ils s'en fichent.

Elle prononça ces derniers mots en entrant dans la salle à manger où les deux frères finissaient de déjeuner.

– Gina, mon cœur, c'est de la méchanceté pure ! s'écria Alex. Bonjour, miss Marple. Je ne m'en fiche absolument pas. C'est à peine si je connaissais votre oncle Christian, mais c'est moi le suspect numéro un. J'espère que vous vous en rendez compte ?

– Suspect ? Pourquoi ?

– Eh bien ! voilà. Mon arrivée a coïncidé avec le moment critique, semble-t-il. On a contrôlé l'heure à laquelle je suis passé devant la loge, et il paraît que j'ai mis trop de temps pour aller de là à la maison... On prétend que j'aurais très bien pu courir jusqu'à la terrasse, entrer par la porte latérale, tuer Christian et revenir au galop jusqu'à ma voiture.

– Et, en réalité, qu'est-ce que vous avez fait ?

– Eh bien ! croyez-moi si vous voulez, je suis resté dans ma voiture à contempler la lumière des phares dans le brouillard en me demandant comment on pourrait réaliser cet effet-là sur scène.

– Moi, je suis tranquille, dit Stephen avec son petit sourire un peu cruel. Je n'ai pas quitté le hall de toute la soirée.

Gina le regarda fixement et ses grands yeux noirs étaient pleins d'effroi.

– Mais ils ne peuvent pas supposer que c'est l'un d'entre nous le coupable ! Ce n'est pas possible !

– Surtout ne dites pas que c'est le crime d'un rôdeur, dit Alex en se servant copieusement de confiture d'oranges. C'est trop banal.

Miss Bellever entrouvrit la porte.

– Miss Marple, dit-elle, quand vous aurez fini de déjeuner, voudriez-vous aller à la bibliothèque ?

– Encore vous ? Avant nous tous ? s'écria Gina, et elle semblait un peu vexée.

– Hein ? Qu'est-ce que c'est que ça ? demanda Alex. On aurait dit un coup de revolver...

– Ils tirent dans la chambre où oncle Christian a été tué, et dehors aussi. Je ne sais pas pourquoi, dit Gina.

La porte s'ouvrit de nouveau et Mildred Strete entra. Elle portait une robe noire, avec un collier de perles d'onyx. Sans regarder personne, elle dit : « Bonjour ! » et s'assit.

– Du thé, s'il te plaît, Gina, demanda-t-elle à mi-voix. Je ne mangerai qu'un peu de pain grillé.

Elle porta délicatement son mouchoir à son nez et à ses yeux et regarda les deux frères fixement, comme si elle ne les voyait pas. Stephen et Alex commençaient à se sentir mal à l'aise. Ils ne parlèrent plus qu'en chuchotant et quittèrent la pièce au bout de quelques instants.

– Pas même une cravate noire ? soupira Mildred Strete, prenant aussi bien l'univers que miss Marple à témoin.

– Ils n'avaient sans doute pas prévu qu'un meurtre allait être commis, dit miss Marple.

Gina étouffa un gloussement et Mildred lui jeta un regard sévère en demandant :

– Où est Walter, ce matin ?

Gina rougit.

– Je ne sais pas, dit-elle. Je ne l'ai pas vu.

Elle restait raide sur sa chaise, comme un enfant pris en faute.

Miss Marple se leva.

– Je vais à la bibliothèque, déclara-t-elle.

Il n'y avait dans la bibliothèque que Lewis Serrocold. Il était debout devant la fenêtre. En entendant entrer miss Marple, il se retourna, et lui tendit la main.

– J'espère, dit-il, que toutes ces émotions ne vous ont pas trop affectée. Un assassinat est une épreuve terrible pour quelqu'un qui ne s'est jamais trouvé mêlé à pareille horreur.

La modestie seule empêcha miss Marple de lui confier qu'elle était, depuis longtemps, familiarisée avec le crime. Elle se contenta de répondre que, dans son petit village de St. Mary Mead, on était moins à l'abri du mal qu'on n'aurait pu le croire de l'extérieur.

– Il se passe des choses effroyables dans un village, je peux vous l'assurer. On a là des occasions d'étudier la nature humaine qu'on ne trouverait jamais dans une ville.

Lewis Serrocold l'écoutait avec courtoisie, mais d'une oreille seulement, et, à peine eut-elle achevé qu'il lui dit avec simplicité :

– J'ai besoin de votre aide.

– Elle vous est tout acquise, Mr Serrocold.

– C'est pour une question qui concerne ma femme... Je crois que vous lui êtes sincèrement attachée.

– C'est vrai. D'ailleurs, tout le monde aime Carrie-Louise.

– Je le croyais aussi. Or, il semble bien que j'avais tort. Avec l'autorisation de l'inspecteur Curry, je vais vous révéler quelque chose que personne ne sait encore.

Il résuma pour elle ce qu'il avait raconté à l'inspecteur la veille au soir.

Miss Marple en fut horrifiée.

– Je ne peux pas le croire, Mr Serrocold ! Je ne peux vraiment pas le croire !

– C'est le sentiment que j'ai éprouvé lorsque Christian me l'a dit.

– J'aurais juré que notre chère Carrie-Louise n'avait pas un ennemi au monde.

– Il est inconcevable qu'elle puisse en avoir. Mais vous comprenez tout ce que cela implique ? Le poison... le poison lent... cela relève du cercle familial le plus intime. Il faut que ce soit un membre de notre petit groupe, quelqu'un qui vit dans la maison.

– Si c'est vrai... Êtes-vous certain que Mr Gulbrandsen ne se soit pas trompé ?

– Christian ne s'est pas trompé. C'était un homme trop prudent pour faire une révélation de cette nature sans avoir de preuves. En outre, la police a emporté le flacon du médicament que prenait Carrie et un échantillon séparé de son contenu. Il y avait de l'arsenic dans les deux, et l'ordonnance n'en prescrivait pas. Le dosage exact prendra un certain temps mais la présence de l'arsenic est prouvée.

– Alors, ses rhumatismes... la difficulté qu'elle éprouve à marcher... tout cela... ?

– Eh oui ! Les crampes dans les jambes sont typiques, paraît-il. Avant votre arrivée, déjà, elle a souffert cruellement de l'estomac à plusieurs reprises... Mais, jusqu'ici, je ne m'étais jamais figuré... Vous voyez, miss Marple, dans quelle situation je me trouve... Dois-je en parler à Carrie-Louise ?

– Oh ! non, dit vivement miss Marple.

Puis elle rougit et regarda Serrocold d'un air incertain.

– Vous êtes donc de mon avis, comme Christian Gulbrandsen d'ailleurs. En serait-il de même s'il s'agissait d'une femme ordinaire ?

– Carrie-Louise n'est pas une femme ordinaire. Toute sa vie est fondée sur la confiance, sur la foi dans la nature humaine. Oh ! je m'exprime bien mal ! Mais j'ai l'impression que tant que nous ne saurons pas...

– Précisément... Tout est là. Mais vous concevez, miss Marple, qu'il est dangereux de garder la chose secrète.

– Et alors, vous voudriez que je... comment dire ? que je veille sur elle ?

– Vous êtes, voyez-vous, la seule personne à qui je puisse me fier, dit simplement Lewis Serrocold. Tout le monde ici semble lui être dévoué, mais on peut en douter. Votre amitié remonte à de nombreuses années.

– Et, de plus, je ne suis arrivée que depuis quelques jours, fit observer miss Marple avec sagacité.

Lewis sourit.

– Justement !

– Je vais vous poser une question délicate dit miss Marple avec une certaine confusion. À qui la mort de notre chère Carrie-Louise pourrait-elle profiter ?

– L'argent ? dit Serrocold d'un ton amer. C'est toujours à l'argent qu'on en revient, n'est-ce pas ?

– Dans le cas présent, c'est tout indiqué. Carrie-Louise est une femme exquise, elle a beaucoup de charme, et il est inimaginable que quelqu'un puisse la détester. J'entends par là qu'elle ne peut pas avoir d'ennemi. Par conséquent, comme vous le dites, c'est toujours à l'argent qu'on en revient ; vous savez comme

moi, Mr Serrocold, que, bien souvent, les gens sont prêts
à faire n'importe quoi pour se procurer de l'argent.

– Je le sais. Naturellement, l'inspecteur Curry s'occupe déjà de ce point. Mr Gilfoy vient aujourd'hui de
Londres. Il pourra donner quelques éclaircissements.
C'est un avocat-conseil très connu, et son père était un
des premiers administrateurs de la Fondation. Il a rédigé
le testament de Carrie et celui d'Éric Gulbrandsen. Je
vais vous expliquer ça en termes clairs.

– Merci. Pour moi, tout ce qui touche au droit est si
déconcertant !

Lewis Serrocold fit un signe de compréhension et dit :

– Éric Gulbrandsen, après avoir doté l'institution et les
diverses associations qui en dépendent, ainsi que les
innombrables œuvres de charité auxquelles il s'intéressait, a laissé une somme égale à sa fille Mildred et à sa
fille adoptive, Pippa, la mère de Gina. Quant au reste de
son immense fortune, il en a laissé l'usufruit à Carrie,
les capitaux étant gérés par les administrateurs de la
Fondation Gulbrandsen.

– Et après la mort de Carrie ?

– Après sa mort, la fortune devait être partagée entre
Mildred et Pippa, ou leurs enfants, si elles mouraient
avant leur mère.

– En somme, tout va à Mildred et à Gina.

– Carrie a également une fortune personnelle consi-
dérable, mais qui ne peut pas se comparer à celle des
Gulbrandsen. Elle m'a fait donation de la moitié, il y a
quatre ans. Sur l'autre moitié, elle laisse dix mille livres
à Juliette Bellever et le reste sera partagé également
entre Alex et Stephen Restarick.

– Oh ! mon Dieu, s'écria miss Marple, tout cela est fâcheux, bien fâcheux.

– Eh oui !

– Il n'y a pas une personne dans la maison qui ne puisse souhaiter sa mort pour un motif intéressé.

– C'est vrai. Et pourtant, voyez-vous, je ne peux pas croire qu'un seul d'entre eux serait capable de commettre un meurtre. Mildred est sa fille, et elle est déjà fort bien pourvue. Gina adore sa grand-mère. Elle est généreuse et extravagante, mais elle n'a pas l'amour de l'argent. Jolly Bellever est passionnément dévouée à Carrie. Les deux Restarick aiment Carrie comme si elle était véritablement leur mère. Ils n'ont de fortune ni l'un ni l'autre, mais de jolies sommes prélevées sur les revenus de Carrie sont passées dans leurs entreprises, dans celles d'Alex en particulier. Je ne peux pas croire que l'un de ces garçons l'empoisonnerait de sang-froid pour hériter d'elle. Pour moi, miss Marple, c'est absolument impossible.

– Il y a bien aussi le mari de Gina.

– Oui, dit gravement Serrocold. Il y a le mari de Gina.

– Au fond, vous ne savez pas grand-chose de lui, et on ne peut pas ne pas voir que ce garçon est très malheureux.

Lewis soupira.

– Il ne s'est pas adapté à la vie de Stonygates. Il n'a ni intérêt ni sympathie pour la tâche que nous essayons d'accomplir. Je sais pourtant qu'il a fait une très belle guerre.

– Ça ne veut rien dire, observa naïvement miss Marple. La guerre est une chose et la vie quotidienne en est une autre. En réalité, je crois que, pour commettre un crime, il faut être brave... à moins que, dans bien des cas, il suffise d'être vaniteux... oui, vaniteux.

– Mais j'aurais peine à admettre que Walter Hudd ait un motif suffisant pour commettre un pareil crime.

– Croyez-vous ? Il a Stonygates en horreur. Si c'est réellement de l'argent qu'il lui faut, il serait important pour lui que Gina recueille tout ce qui doit lui revenir avant de... heu... de s'attacher définitivement à quelqu'un d'autre.

– De s'attacher à quelqu'un d'autre ? répéta Serrocold avec stupeur.

L'aveuglement de ce réformateur passionné émerveilla miss Marple.

– C'est bien ce que j'ai dit. Les deux Restarick sont amoureux d'elle, vous savez.

– Je ne crois pas, dit Lewis d'un ton indifférent. Stephen nous est précieux à un point que vous n'imaginez pas. La façon dont il a su attirer ces gamins, les animer, les intéresser ! Le mois dernier, il a donné une représentation magnifique. Mise en scène, costumes, tout y était. Ça prouve, comme je l'ai toujours dit au Dr Maverick, que c'est l'absence d'élément dramatique dans leur existence qui perturbe ces gosses. L'instinct naturel d'un enfant le porte à se jouer la comédie à lui-même. Maverick prétend que... Ah ! oui... Maverick... (Il s'interrompit, puis reprit :) Je veux que Maverick voie l'inspecteur au sujet d'Edgar. Cette histoire est tellement ridicule !

– Mr Serrocold, que savez-vous exactement sur Edgar Lawson ?

– Tout, répondit Lewis, d'un ton catégorique. C'est-à-dire ce qu'il est nécessaire de savoir... Ce qu'était son milieu, les conditions dans lesquelles il a grandi... Cette méfiance de soi si profondément enracinée en lui...

Miss Marple l'interrompit :

– Est-ce que Edgar Lawson n'aurait pas pu empoisonner Mrs Serrocold ?

– C'est peu vraisemblable. Il n'est ici que depuis quelques semaines. Et, de toute façon, c'est absurde. Pourquoi Edgar empoisonnerait-il ma femme ? Qu'est-ce qu'il pourrait bien y gagner ?

– Rien de tangible, j'en conviens. Mais qui sait s'il n'obéit pas à quelque mobile invraisemblable ? Il est bizarre, vous savez.

– Vous voulez dire déséquilibré ?

– Peut-être... Mais non, ce n'est pas tout à fait ça... Je veux dire qu'il y a toujours chez lui quelque chose qui cloche.

Ce n'était pas une façon très claire d'exprimer ce qu'elle éprouvait, mais Serrocold accepta ses paroles pour ce qu'elles valaient, et répéta en soupirant :

– Il y a toujours chez lui quelque chose qui cloche ! Eh oui, pauvre gars ! Et il donnait l'impression de faire de tels progrès ! Je ne peux pas comprendre pourquoi il a eu cette rechute...

Miss Marple s'était penchée en avant avec intérêt.

– Oui. C'est ce que je me demandais. Si...

Elle fut interrompue par l'entrée de l'inspecteur Curry.

384

3

L'inspecteur Curry s'assit en face de miss Marple et la regarda avec un sourire assez particulier.

– Ainsi, Mr Serrocold vous a priée de jouer le rôle du chien de garde ?

– Eh bien, oui, répondit miss Marple. (Et elle ajouta en souriant, elle aussi, d'un air un peu confus :) J'espère que ça ne vous ennuie pas.

– Non seulement ça ne m'ennuie pas, mais encore, je crois que c'est une très bonne idée. Mr Serrocold sait-il à quel point vous êtes qualifiée pour tenir cet emploi ?

– Je ne vous comprends pas très bien, inspecteur.

– Il ne voit en vous qu'une dame d'un certain âge, tout à fait charmante, qui a été en classe avec sa femme. Mais nous, dit l'inspecteur avec un hochement de tête significatif, nous savons que vous êtes bien autre chose que cela, miss Marple. D'après ce que m'a raconté hier soir le superintendant Blacker, les affaires criminelles sont un peu votre spécialité. Cela posé, quel est votre point de vue ? Quelle est, d'après vous, la personne qui, depuis quelque temps, a entrepris d'empoisonner Mrs Serrocold ?

– Étant donné ce qu'est la nature humaine, on est toujours tenté, dans un cas comme celui-ci, de penser au mari, ou inversement, à la femme. Il me semble que c'est la première hypothèse qui vient à l'esprit lorsqu'il s'agit d'un empoisonnement. Vous ne croyez pas ?

– Je suis tout à fait d'accord, déclara Curry.

– Mais vraiment, dans ce cas particulier, c'est différent. En toute franchise, je ne peux pas soupçonner

Mr Serrocold. Voyez-vous, inspecteur, il aime profondément sa femme.

– Sans compter le fait qu'il n'a aucun motif. Elle lui a déjà donné son argent. Et, en tout état de cause, il ne peut pas avoir tué Gulbrandsen. Pour moi, il existe un rapport entre les deux crimes, c'est indubitable. La personne qui est en train d'empoisonner Mrs Serrocold a tué Gulbrandsen pour l'empêcher de la dénoncer. Ce qu'il nous faut découvrir maintenant, c'est ce mystérieux X... qui a eu la possibilité de tuer Gulbrandsen hier soir. Et, il n'y a pas d'erreur, notre suspect numéro un, c'est ce jeune Walter Hudd. C'est lui qui, en allumant une lampe, a fait sauter un plomb, ce qui lui a donné l'occasion de sortir du hall pour aller le remplacer. C'est pendant son absence qu'on a entendu le coup de revolver. C'est donc lui qui s'est trouvé dans des conditions idéales pour commettre le crime.

– Et le suspect numéro deux ? demanda miss Marple.

– C'est Alex Restarick, qui était seul dans sa voiture et qui a mis trop de temps pour aller de la loge à la maison.

– Et les autres ?

Miss Marple s'était penchée en avant, pleine de curiosité, et elle eut soin d'ajouter :

– C'est très aimable de votre part de me révéler tout cela.

– Ce n'est pas de l'amabilité, dit Curry. J'ai besoin de votre concours. Et vous avez mis le doigt dessus en disant : « Et les autres ? » Parce que, là, c'est à vous que je suis forcé de m'en remettre. Vous étiez dans le hall, hier soir, et vous pouvez me dire exactement qui en est sorti...

– À vrai dire, je n'en sais rien. Vous comprenez, nous avions tous très peur. Mr Lawson avait absolument l'air d'un fou. Il vociférait, il hurlait des choses affreuses, et je vous assure que nous n'en perdions rien. Avec ça, la plupart des lampes étaient éteintes. Je n'ai rien remarqué.

– En somme, à votre avis, pendant la grande scène, n'importe qui aurait pu se glisser hors du hall, aller par le corridor jusqu'à la chambre de Mr Gulbrandsen, le tuer et revenir ?

– Je crois que c'était possible.

– Y a-t-il une personne dont vous puissiez dire qu'elle est restée toute la soirée dans le hall sans en bouger ?

Miss Marple réfléchit.

– Je peux le dire de Mrs Serrocold, parce que je l'observais. Elle était assise tout près de la porte du cabinet de travail, et pas une fois elle n'a quitté son siège. J'étais même surprise de la voir aussi calme.

– Et les autres personnes ?

– Miss Bellever est sortie. Mais je crois... je suis presque sûre, que c'est après le coup de revolver. Mrs Strete ?... Je n'en sais vraiment rien. Elle était assise derrière moi. Gina était à l'autre bout de la pièce, près de la fenêtre. Je crois qu'elle est restée là tout le temps, mais je n'en suis pas certaine. Stephen était au piano. Il s'est arrêté de jouer quand la querelle s'est envenimée.

– Il ne faut pas attacher trop d'importance au moment où vous avez entendu ce coup de revolver. C'est un truc que nous connaissons, dit l'inspecteur. Un coup de revolver tiré au moment où on veut faire croire que le crime a été commis. Si miss Bellever avait mijoté quelque chose de ce genre… c'est peu probable, mais on ne sait jamais… elle aurait quitté le hall ouvertement, comme elle l'a fait, une fois que tout le monde aurait entendu la détonation. Non, ce n'est pas le coup de feu qui peut nous fixer. Nous devons prendre en considération le laps de temps qui s'est écoulé entre le moment où Christian a quitté le hall et celui où miss Bellever l'a trouvé mort. Et nous ne pouvons éliminer que les personnes dont nous savons pertinemment qu'elles n'ont eu aucune possibilité d'agir. Ça nous laisse Lewis Serrocold et le jeune Lawson dans le cabinet de travail et Mrs Serrocold, dans le hall. C'est très malencontreux que Mr Gulbrandsen ait été assassiné précisément le soir où a eu lieu cette altercation entre Serrocold et Lawson.

– Malencontreux, seulement, vous croyez ? murmura miss Marple.

– Que voulez-vous dire ?

– Qu'à mon idée, cela peut ne pas être l'effet du hasard.

– Tiens, tiens ! Et pourquoi ?

– Tout le monde a l'air de trouver extraordinaire qu'Edgar Lawson ait eu subitement une rechute. Il est affligé de cet étrange complexe, appelez ça comme vous voudrez, au sujet de son père inconnu. Winston Churchill, lord Montgomery, sont aussi vraisemblables l'un que l'autre dans son état d'esprit actuel, comme le serait d'ailleurs n'importe quel homme célèbre. Mais supposez que quelqu'un lui mette dans la tête que c'est en réalité Lewis Serrocold son père, que c'est Lewis Serrocold qui l'a persécuté, qu'il devrait, en toute justice, être le prince héritier de Stonygates, pour ainsi dire.

388

Dans l'état mental déficient où il est, il l'admettra tout de suite. Cette idée le rendra frénétique et, tôt ou tard, il fera un éclat comme celui d'hier soir. Et quelle admirable diversion ! Tout le monde affolé, absorbé par la scène tragique qui se déroule, surtout si on a eu la précaution de lui mettre un revolver entre les mains.

– Le revolver de Walter Hudd, par exemple.

– Oui, dit miss Marple, j'y ai pensé. Mais voyez-vous, Walter est renfermé, il est grognon, peu sociable, mais je ne crois vraiment pas qu'il soit bête.

– Par conséquent, vous ne croyez pas que ce soit Walter l'assassin ?

– Si c'était lui, tout le monde en éprouverait sans doute un grand soulagement. Réaction cruelle, mais qui vient de ce qu'il est l'étranger.

– Et sa femme ? Serait-elle soulagée, elle aussi ?

Miss Marple ne répondit pas. Elle revoyait Gina et Stephen l'un à côté de l'autre auprès du bassin. Elle pensait à Alex Restarick, cherchant avant tout Gina du regard lorsqu'il était arrivé la veille au soir. Gina savait-elle où elle en était ?

Deux heures plus tard, l'inspecteur Curry, enfoncé dans un bon fauteuil, déclarait, après s'être étiré en soupirant :

– Eh bien ! voilà pas mal de terrain déblayé !

C'était également l'avis du sergent Lake.

– Les domestiques ne sont pas dans le coup, dit-il. Tous ceux qui couchent dans la maison étaient ensemble au moment critique. Les autres étaient rentrés chez eux.

Curry approuva d'un signe de tête. Il avait interrogé les psychiatres, les professeurs, sans compter les trois jeunes « bagnards », comme il les appelait, dont c'était le tour, le soir du crime, de dîner avec la famille. Toutes les dépositions concordaient et se complétaient. Il avait gardé pour la fin le Dr Maverick, qui semblait être, autant qu'il en pût juger, le personnage le plus important de l'institution.

– Nous allons le voir maintenant, dit-il à Lake.

Le jeune médecin entra, très affairé. Il était tiré à quatre épingles, et avait l'air un peu inhumain derrière son pince-nez. Maverick confirma les déclarations de son personnel et se trouva d'accord avec Curry sur tous les points.

– Maintenant, docteur, votre emploi du temps ? Pouvez-vous m'en rendre compte ?

– Très facilement. J'ai noté, à votre intention, tout ce que j'ai fait avec les heures approximatives.

Le Dr Maverick avait quitté le hall à 21 h 15, en même temps que Mr Lacy et le Dr Baumgarten. Ils étaient allés directement chez ce dernier, et y étaient restés, tous les trois, jusqu'au moment où miss Bellever était arrivée en courant et avait prié le Dr Maverick de retourner dans le hall. Il était alors 21 h 30, environ. Il s'y était rendu aussitôt et avait trouvé Edgar dans un état de prostration complète.

L'inspecteur Curry l'interrompit.

– Un instant, docteur. Ce jeune homme a-t-il vraiment une maladie mentale ?

Le Dr Maverick sourit avec une supériorité désobligeante.

– Nous avons tous notre maladie mentale, inspecteur.

Réponse stupide, pensa l'inspecteur. Il savait fort bien

que, en ce qui le concernait, il n'en était rien. Le Dr Maverick parlait peut-être pour lui-même.

– Est-il responsable de ses actes ?

– Entièrement.

– Il a donc commis de propos délibéré une tentative de meurtre en tirant sur Mr Serrocold.

– Mais non, inspecteur. Il ne s'agit pas de ça. Lawson n'avait pas l'intention de lui faire le moindre mal. Il aime beaucoup Mr Serrocold.

– C'est une singulière façon de le lui prouver.

Maverick sourit de nouveau. Curry se sentait de plus en plus agacé.

– Je voudrais causer avec ce jeune homme, dit-il.

– Rien n'est plus facile. Son éclat d'hier a eu un effet cathartique. Aujourd'hui, il va beaucoup mieux. Mr Serrocold va être très satisfait.

Curry regarda fixement le Dr Maverick, mais celui-ci était, comme toujours, d'un sérieux imperturbable.

– Avez-vous de l'arsenic ? demanda l'inspecteur à brûle-pourpoint.

La question prit Maverick au dépourvu. Visiblement, il ne s'y attendait pas.

– De l'arsenic ? Pourquoi de l'arsenic ?

– Répondez-moi, tout simplement.

– Non. Je n'ai pas d'arsenic. Je n'en ai sous aucune forme.

– Mais vous avez des médicaments ?

– Bien sûr. Des calmants, des somnifères, de la morphine..., des choses courantes.

– Est-ce vous qui soignez Mrs Serrocold ?

– Non. C'est le Dr Gunther, de Market Kimble, le

médecin de la famille. Je suis docteur en médecine, naturellement, mais je n'exerce que comme psychiatre.

– Je comprends. Eh bien ! docteur, je vous remercie.

Maverick referma la porte, et Curry déclara aussitôt à Lake que les psychiatres lui donnaient de l'urticaire.

– À la famille, maintenant ! s'écria-t-il. Je vais voir tout d'abord le jeune Walter Hudd.

Walter Hudd était sur ses gardes. Il considéra l'officier de police avec une certaine méfiance, mais se montra tout prêt à collaborer avec lui.

Il expliqua que l'installation électrique de Stonygates était très ancienne, que beaucoup de fils étaient en mauvais état et que jamais on ne conserverait une installation pareille aux États-Unis. Le plomb dont dépendaient presque toutes les lampes du hall avait sauté et il était allé voir ce qui en était. Une fois le plomb remplacé, il était revenu dans le hall.

– Combien de temps cela vous a-t-il pris ?

– Ça... je ne peux pas le préciser. Les plombs sont dans un endroit incommode. J'ai dû chercher un escabeau, une bougie... J'ai peut-être mis dix minutes, peut-être un quart d'heure.

– Avez-vous entendu un coup de revolver ?

– Non. Mais la porte qui donne dans le couloir de la cuisine est double et l'un des battants est capitonné.

– Bien. Et quand vous êtes revenu dans le hall, que se passait-il ?

– Ils étaient tous entassés devant la porte du cabinet de Mr Serrocold. Mrs Strete criait que Mr Serrocold était mort. Mais ce n'était pas vrai. Il l'avait raté, le cinglé !

– Vous avez reconnu le revolver ?

– Je vous crois ! C'était le mien !

– Quand l'aviez-vous vu pour la dernière fois ?

– Il y a deux ou trois jours.

– Où le rangiez-vous d'habitude ?

– Dans un tiroir de ma chambre.

– Qui savait qu'il était là ? demanda Curry.

– On ne sait jamais ce que les gens savent ou ne savent pas, dans cette maison.

– Qu'entendez-vous par là, Mr Hudd ?

– Ils sont tous dingues.

– Oui, complètement. Mais, d'après vous, qui a pu tuer Mr Gulbrandsen ?

– Moi, à votre place, je miserais sur Alex Restarick.

– Qu'est-ce qui vous fait dire ça ?

– Il en a eu la possibilité. Il était dans le parc, tout seul dans sa voiture.

– Pourquoi aurait-il tué Christian Gulbrandsen ?

Walter haussa les épaules.

– Je suis un étranger. Je ne connais pas les histoires de la famille. Peut-être que le vieux avait appris sur le compte d'Alex des choses qu'il aurait pu raconter aux Serrocold.

– Et à quoi cela aurait-il abouti ?

– Ils lui auraient peut-être coupé les vivres. Et pour ce qui est de dépenser de l'argent, il s'y entend !

– Vous pensez que c'est pour ses productions théâtrales ?

– Il appelle ça comme ça.

– Voulez-vous insinuer que c'est pour autre chose ?

Walter haussa de nouveau les épaules.

– Je n'en sais rien.

Alex Restarick se montra volubile. Il parlait en faisant beaucoup de gestes avec ses mains.

– Je sais, je sais ! Je suis le suspect idéal. J'arrive ici, seul, dans ma voiture et, dans l'allée qui traverse le parc, j'ai une vision, une vision créatrice. Je ne peux pas vous demander de le comprendre. C'est impossible.

– J'y parviendrai peut-être, dit ironiquement Curry.

Mais Alex enchaîna.

– Ce sont des trucs qui vous arrivent. Il n'y a pas à chercher ni pourquoi ni comment... Un effet, une idée... et tout le reste disparaît. La semaine prochaine, je mets en scène *Les Nuits de Limehouse*. Et, tout d'un coup, hier soir, j'ai vu un décor étonnant... La lumière rêvée. Le rayonnement des phares semblait renvoyé par le brouillard qu'il traversait. Tout y était : les coups de feu, les pas précipités, le bruit du moteur... Ça pouvait aussi bien être un remorqueur sur la Tamise.

L'inspecteur l'interrompit :

– Vous avez entendu des coups de feu ? Où ça ?

Alex fit un geste de ses mains potelées et soignées.

– Dans le brouillard, inspecteur. C'est ça, justement, qui était merveilleux !

– Et.. il ne vous est pas venu à l'idée qu'il pouvait se passer quelque chose de grave ?

– De grave ? Pourquoi ?

– Les coups de revolver sont-ils donc si courants ?

– Je savais que vous ne comprendriez pas. Ces coups de feu ! Ils s'adaptaient à la scène que j'étais en train de créer. Il me fallait des coups de feu... du danger... des

394

histoires d'opium... des trafics louches... Je me fichais bien de ce qu'ils pouvaient être dans la réalité !

– Combien de coups de feu avez-vous entendus ?

– Je ne sais pas ! s'écria Alex, que cette interruption agaçait. Deux, trois !... Deux très rapprochés ; ça, je m'en souviens.

L'inspecteur Curry hocha la tête.

– Et ces pas précipités dont vous venez de parler, de quel côté les entendiez-vous ?

– Je les percevais à travers le brouillard. Quelque part, du côté de la maison.

– Ce qui ferait supposer, dit doucement Curry, que le meurtrier de Christian Gulbrandsen venait de dehors ?

– Naturellement. Qu'est-ce qui vous fait hésiter ? Vous ne vous imaginez pas qu'il venait de l'intérieur de la maison, tout de même ?

Sans répondre, Curry demanda tranquillement :

– Les poisons vous intéressent-ils, Mr Restarick ?

– Les poisons ? Mais, mon cher, on n'a sûrement pas empoisonné Gulbrandsen avant de lui tirer dessus ! Ce serait trop roman policier !

– On ne l'a pas empoisonné, mais vous n'avez pas répondu à ma question.

– Le poison a quelque chose de séduisant. Il est moins brutal que le revolver, plus subtil que le poignard. Je n'ai pas de connaissances spéciales à ce sujet, si c'est là ce que vous voulez savoir.

– Avez-vous jamais eu de l'arsenic en votre possession ?

– Sincèrement, dit Alex, je trouve que l'arsenic est un poison vulgaire. On en trouve, si je ne me trompe, dans les produits qui servent à détruire les mouches et les mauvaises herbes.

– Venez-vous souvent à Stonygates, Mr Restarick ?

– Ça dépend, inspecteur. Il m'arrive de ne pas venir pendant plusieurs semaines. Mais, chaque fois que je le peux, c'est ici que je passe le week-end. J'ai toujours considéré Stonygates comme mon véritable foyer.

– Et Mrs Serrocold vous y a encouragé ?

– Jamais je ne pourrai rendre à Mrs Serrocold ce que j'ai reçu d'elle. Sympathie, compréhension, affection...

– Et des sommes assez rondelettes, aussi, je crois ?

Alex prit un air un peu méprisant :

– Mrs Serrocold me traite comme un fils et elle a confiance dans mon art.

– Vous a-t-elle jamais parlé de son testament ?

– Certainement. Mais puis-je vous demander, inspecteur, pourquoi vous me posez toutes ces questions ? Il n'y a pas d'inquiétude à avoir pour Mrs Serrocold ?

– J'espère que non, dit Curry avec gravité.

– Que voulez-vous dire ?

– Si vous ne le savez pas, tant mieux pour vous, et... si vous le savez, vous voilà prévenu.

Lorsque Alex fut sorti, Lake se tourna vers l'inspecteur :

– Quel baratineur !

Curry secoua la tête.

– C'est difficile à dire. Peut-être a-t-il vraiment du talent. Peut-être aime-t-il simplement la vie facile et les grands mots. On ne sait pas. Il a entendu courir ; est-ce vrai ? Je parierais qu'il l'a inventé.

– Pour une raison définie ?

396

– Oui. Pour une raison très définie. Je suis sûr qu'ils vont accuser les gars de l'institution.

– Après tout, chef, un de ces jolis cocos aurait très bien pu s'échapper en douce. Dans le tas, il y a sûrement un ou deux monte-en-l'air, et alors...

– Ce serait trop facile. Voyez-vous, Lake, je veux bien avaler mon chapeau neuf si c'est comme ça que ça s'est passé.

Stephen Restarick succéda à son frère et déclara :

– J'étais au piano, en train de jouer en sourdine, lorsque la scène a éclaté entre Lewis et Edgar.

– Qu'en avez-vous pensé ?

– Eh bien ! pour être franc, je ne l'ai pas prise très au sérieux. Edgar est sujet à ce genre de crise. Le pauvre bougre, il n'est pas vraiment fou, vous savez. Toutes ces histoires, c'est une façon de lâcher de la vapeur. La vérité, c'est que nous lui tapons sur le système... et Gina plus que les autres, naturellement.

– Gina ? Vous voulez dire Mrs Hudd ? Pourquoi l'exaspère-t-elle ?

– Parce que c'est une femme... et une très jolie femme, et qu'elle le trouve grotesque. Vous savez que le père de Gina est italien. Les Italiens ont une espèce de cruauté inconsciente. Ils ignorent la compassion pour les êtres vieux, laids ou anormaux. Ils les montrent du doigt en rigolant. C'est ce que Gina a fait pour Edgar. Je parle au figuré, bien sûr. Elle ne peut pas le souffrir ! Il a joué l'important, bien qu'au fond, il n'ait aucune confiance en lui-même. Il a voulu l'impressionner et il n'a réussi qu'à avoir l'air d'un imbécile. Et, tout en sachant que ce pauvre type souffrait beaucoup, elle s'est moquée de lui.

– Voulez-vous insinuer qu'Edgar Lawson est amoureux de Mrs Hudd ?

– Mais bien sûr, dit Stephen avec bonne humeur. Nous le sommes tous... plus ou moins. Ça lui fait plaisir.

– Et son mari ? Est-ce que ça lui fait plaisir à lui aussi ?

– Il se rend vaguement compte. Mais il souffre, certainement, le pauvre vieux ! Ça ne va pas durer... je veux parler de leur ménage. Ça claquera avant longtemps. C'est une de ces histoires comme il y en a eu tant pendant la guerre.

– Tout cela est fort intéressant, l'interrompit l'inspecteur, mais nous nous écartons de notre sujet qui est l'assassinat de Christian Gulbrandsen.

– C'est vrai. Seulement, je ne peux rien vous dire. J'étais assis devant le piano, et je n'en ai pas bougé jusqu'au moment où cette chère Jolly s'est amenée avec un tas de vieilles clefs rouillées pour essayer d'en faire entrer une dans la serrure du cabinet de travail.

– Vous êtes resté au piano. Avez-vous continué à jouer ?

– Non. Je me suis arrêté quand le ton a commencé à monter. Non parce que j'étais inquiet sur l'issue de la bagarre. Lewis sait s'y prendre avec Edgar. Il lui suffit de le regarder pour le faire rentrer sous terre.

– Vraiment ? Pouvez-vous me dire, Mr Restarick, qui a quitté le hall hier soir pendant que vous... Pendant le temps qui nous intéresse ?

– Wally, pour remplacer le plomb... Juliette Bellever,

pour chercher une clef qui s'adapte à la serrure du cabinet de travail... C'est tout, à ma connaissance.

– Si quelqu'un d'autre était sorti, l'auriez-vous remarqué ?

Stephen réfléchit.

– Je ne le pense pas. Si quelqu'un était sorti et rentré sur la pointe des pieds, je ne l'aurais sans doute pas remarqué... Il faisait si sombre dans le hall ! Et notre attention était entièrement absorbée par cette bagarre.

– Quelles sont, d'après vous, les personnes qui n'ont pas quitté le hall de toute la soirée ?

– Mrs Serrocold... Oui, et Gina. Pour ces deux-là, j'en jurerais.

– Merci, Mr Restarick.

Stephen alla jusqu'à la porte. Là, il hésita et revint sur ses pas.

– Qu'est-ce que c'est que cette histoire d'arsenic ? demanda-t-il.

– Qui vous a parlé d'arsenic ?

– Mon frère.

– Ah ! bien.

Stephen demanda :

– A-t-on essayé de faire absorber de l'arsenic à Mrs Serrocold ?

– Pourquoi pensez-vous à Mrs Serrocold ?

– J'ai lu, je ne sais où, un article où il était question des symptômes de l'empoisonnement par l'arsenic. On appelle ça névrite périphérique. Et ça correspond, plus ou moins, aux douleurs qu'elle éprouve depuis quelque temps. D'autre part, hier soir, Lewis lui a enlevé son reconstituant au moment où elle allait le prendre...

– Qui, à votre avis, serait capable d'administrer de l'arsenic à Mrs Serrocold ?

Un sourire étrange et fugitif parut un instant sur le beau visage de Stephen Restarick.

– Pas celui que vous pourriez croire. Vous pouvez, sans hésiter, rayer le mari. Lewis Serrocold n'aurait rien à y gagner. Et, d'autre part, il adore sa femme. Il ne peut pas supporter qu'elle ait mal au petit doigt.

– Qui, alors ? Avez-vous une idée ?

– Oh ! oui. Je peux même dire une certitude.

– Veuillez vous expliquer.

Stephen secoua la tête.

– C'est une certitude psychologique. Je n'ai aucune preuve. Et vous ne seriez probablement pas d'accord.

Stephen lâcha ces mots sur un ton désinvolte et sortit de la pièce.

L'inspecteur Curry dessinait des chats sur la feuille de papier qu'il avait devant lui. Trois idées différentes s'entrecroisaient dans son esprit :

a) Stephen Restarick avait une haute opinion de lui-même ;

b) Stephen Restarick et son frère présentaient un front unique ;

c) Stephen Restarick était un très beau garçon, tandis que Walter était laid.

Deux autres points laissaient l'inspecteur indécis : premièrement : qu'entendait Stephen par « certitude psychologique » ?... Et deuxièmement : assis sur le tabouret du piano, pouvait-il voir Gina ? Curry ne le croyait pas.

Dans la pénombre de la bibliothèque, Gina apportait un éclat exotique. L'inspecteur Curry ne put s'empêcher d'admirer cette radieuse jeune femme. Elle s'assit, mit ses deux coudes sur la table et dit, non sans curiosité :

– Alors ?

Elle était vêtue d'une chemise rouge et d'un pantalon vert bouteille.

– Je vois que vous n'êtes pas en deuil, Mrs Hudd, dit Curry un peu sèchement.

– Je n'ai pas de vêtements de deuil. Tout le monde est censé avoir une petite robe noire à porter avec des perles. Pas moi ! J'ai le noir en horreur. Je trouve ça hideux. Il n'y a que les caissières, les femmes de ménage et les gens comme ça qui devraient porter du noir. D'ailleurs, il n'y avait aucune parenté entre Christian Gulbrandsen et moi. Ce n'était que le beau-fils de ma grand-mère.

– Vous ne le connaissiez pas beaucoup ?

– Non. Il est venu ici trois ou quatre fois quand j'étais petite. Pendant la guerre, j'étais en Amérique, et il n'y a que six mois que je suis revenue vivre ici.

– Vous êtes revenue à Stonygates pour y vivre ? Ce n'est pas simplement un séjour que vous y faites ?

– Je n'y ai pas encore vraiment réfléchi.

– Cette scène d'hier soir, Mrs Hudd... Qui était dans le hall pendant qu'elle se déroulait ?

– Nous y étions tous... excepté l'oncle Christian, bien sûr.

– Pas tous, Mrs Hudd. Il y a eu des allées et venues.

– Vous croyez ? dit Gina d'un ton vague.

– Votre mari, par exemple, est sorti pour remplacer un plomb.

– En effet, Wally est épatant pour tous les bricolages.

401

– Pendant son absence on a entendu un coup de feu, paraît-il, et vous avez tous cru que ça venait du parc.

– Je ne m'en souviens pas... Ah ! oui !... les lampes s'étaient rallumées et Wally était déjà revenu.

– Est-ce que quelqu'un d'autre a quitté le hall ?

– Je ne crois pas... Je ne m'en souviens pas.

– Où étiez-vous assise ?

– Au bout du hall, près de la fenêtre.

– À côté de la porte de la bibliothèque ?

– Oui.

– Vous-même, avez-vous quitté le hall ?

– Moi ?... Avec tout ce qui se passait ? Bien sûr que non.

Cette seule idée semblait scandaliser Gina.

– Les autres personnes, où étaient-elles assises ?

– Pour la plupart autour de la cheminée. Tante Mildred tricotait et tante Jane, c'est-à-dire miss Marple, aussi. Grand-maman n'avait pas d'ouvrage.

– Et Mr Stephen Restarick ?

– Au commencement, il jouait du piano. Après, je ne sais pas.

– Et miss Bellever ?

– Elle tournicotait, comme d'habitude. Elle ne s'assoit pas ainsi dire jamais. Elle cherchait des clefs ou je ne sais quoi... Qu'est-ce que c'est que cette histoire de remède de grand-maman ? demanda brusquement Gina. Est-ce que le pharmacien s'est trompé en le préparant, ou quoi ?

– Qu'est-ce qui vous fait croire ça ?

– La bouteille a disparu. Jolly en était malade. Elle a tout mis sens dessus dessous pour tâcher de la retrouver.

J'ai cru qu'elle en deviendrait folle. Alex a dit que c'était la police qui l'avait prise. C'est vrai ?

Sans répondre à cette question, l'inspecteur en posa une autre.

— Vous dites que miss Bellever était bouleversée ?

— Jolly fait toujours des chichis à n'en plus finir, dit Gina d'un ton insouciant. Elle aime ça. Je me demande parfois comment ma grand-mère peut la supporter.

— Une dernière question, Mrs Hudd. Qui a bien pu tuer Christian Gulbrandsen ? En avez-vous la moindre idée ?

— Moi, je crois que c'est un des dingues, un des « mentalement inadaptés », comme ils disent. Il n'y a qu'un dingue pour tuer quelqu'un rien que par plaisir ! Vous ne croyez pas ?

— Vous voulez dire sans motif ?

— Oui. C'est ça. Merci. On n'a rien volé, n'est-ce pas ?

— Mais, vous savez, Mrs Hudd, à cette heure-là, les bâtiments de l'institution étaient fermés, les portes verrouillées ; personne ne pouvait sortir sans laissez-passer.

— Vous croyez ça ? s'écria Gina en éclatant de rire. Ces gars-là sortiraient de n'importe où ! Je vous assure qu'ils m'en ont appris, des trucs !

— Elle est rigolote ! dit Lake lorsque Gina eut quitté la bibliothèque. C'est la première fois que je la vois de près... Elle est rudement bien roulée ! Une silhouette d'étrangère... Vous voyez ce que je veux dire ?

Curry lui jeta un regard sévère. Lake se hâta de conclure que Mrs Hudd n'engendrait pas la mélancolie.

— On dirait qu'avec tout ça, elle ne s'est pas ennuyée une minute.

– J'ignore si Stephen a raison quand il parle de divorce, reprit l'inspecteur. Mais elle a pris soin de nous dire que Walter Hudd était revenu dans le hall lorsqu'on a entendu le coup de revolver.

– Et d'après tous les autres, c'est faux.

– Hé oui !

– Elle n'a pas dit non plus que miss Bellever avait quitté le hall pour aller chercher les clefs.

– Non, c'est vrai, dit l'inspecteur après avoir réfléchi.

Mrs Strete paraissait beaucoup plus à sa place dans la bibliothèque que Gina Hudd, quelques instants plus tôt. Sa robe noire, ses perles d'onyx, le filet qui enveloppait ses cheveux gris bien tirés, n'avaient rien d'exotique. L'inspecteur Curry se dit qu'elle avait exactement l'air que doit avoir la veuve d'un chanoine. C'en était presque extraordinaire : si peu de gens ont l'air de ce qu'ils sont en réalité !

Même la ligne droite que dessinaient ses lèvres serrées avait quelque chose d'ascétique et de clérical. Curry estima que Mrs Strete incarnait l'endurance chrétienne, peut-être la force d'âme chrétienne, mais non la charité chrétienne. De plus, il lui parut évident qu'elle était vexée.

– Je pensais que vous m'auriez fait dire vers quelle heure vous désiriez me voir, inspecteur. J'ai dû rester là, à attendre, toute la matinée.

Elle se faisait une haute idée de son importance et on la sentait blessée dans son orgueil. Curry le comprit et s'empressa de l'apaiser.

– Veuillez m'excuser, Mrs Strete. Vous n'êtes pas très au courant de nos méthodes en pareil cas. Nous commençons par recueillir les témoignages les moins importants... Nous nous en débarrassons, pour ainsi dire. Il est précieux pour nous de parler en dernier lieu à une personne qui sait observer, dont le discernement nous inspire une entière confiance. Cela nous permet de vérifier ce qu'on nous a dit jusque-là.

Mrs Strete se radoucit.

– Oh ! je vois. Je ne m'étais pas très bien rendu compte.

– L'expérience a mûri votre jugement, Mrs Strete. Vous connaissez la vie. De plus, vous êtes ici chez vous. Vous êtes la fille de Mrs Serrocold et, par conséquent, à même de me renseigner sur son entourage.

– Certainement, répondit Mildred Strete. Mais vous devez savoir qui a tué mon frère. Ça crève les yeux !

L'inspecteur Curry s'appuya au dossier de sa chaise et passa la main sur sa petite moustache bien taillée.

– Il importe que nous soyons prudents, dit-il. Ça crève les yeux, dites-vous ?

– Mais oui. C'est cet Américain, le mari de la pauvre Gina. Il est seul à ne pas faire partie de la famille. Nous ne savons absolument rien de lui. C'est sans doute un de ces redoutables gangsters, comme il y en a aux États-Unis.

– Est-ce que cela suffit à expliquer l'assassinat de Mr Gulbrandsen ? Pourquoi l'aurait-il tué ?

– Parce que Christian avait découvert quelque chose sur lui. Et c'est la raison pour laquelle mon frère est revenu si peu de temps après son dernier séjour ici.

– En êtes-vous bien sûre, Mrs Strete ?

– Pour moi, c'est l'évidence même. Il a voulu nous

faire croire qu'il venait s'occuper de la Fondation... mais c'est absurde. Il était ici pour ça le mois dernier et, depuis, il n'y a rien eu d'important. Il est sûrement revenu pour des raisons personnelles. Il avait vu Walter la fois précédente. Peut-être l'a-t-il reconnu ? Peut-être a-t-il demandé des renseignements sur lui aux États-Unis ? On ne trompait pas facilement mon frère. Il est revenu, j'en suis sûre, pour mettre de l'ordre dans tout cela... pour démasquer Walter, pour le montrer tel qu'il est. Alors, naturellement, Walter l'a tué.

– Ou...i... C'est possible... répondit l'inspecteur en ajoutant une moustache démesurée à un des chats dessinés sur son buvard.

– Vous ne croyez pas, comme moi, que c'est sûrement ce qui s'est passé ?

– C'est possible... oui... répondit l'inspecteur. Mais, tant que nous ne pourrons pas prouver qu'il avait un motif pour tuer Mr Gulbrandsen, ça ne nous avance guère.

– Pour moi, Walter Hudd ne pense qu'à l'argent. Voilà pourquoi il est venu en Angleterre et s'est installé ici, où il vit aux crochets des Serrocold. Mais il ne pourra pas s'emparer de grand-chose avant la mort de ma mère. À ce moment-là, Gina héritera d'une énorme fortune...

– Et vous aussi, Mrs Strete.

Une vague rougeur colora les joues de Mildred Strete.

– Et moi aussi, comme vous le dites. Nous avons toujours mené une vie tranquille, mon mari et moi. Il ne dépensait presque rien, sauf pour ses livres... Il était très cultivé. Ma fortune personnelle a doublé, ou peu s'en faut. Elle est plus que suffisante pour mes seuls besoins, mais on peut toujours utiliser l'argent au profit des autres. Si jamais j'hérite d'une fortune, je la considérerai comme un dépôt sacré.

Curry fit semblant de comprendre de travers.

– Mais ce ne sera pas un dépôt, je crois ? Cette fortune vous appartiendra sans aucune réserve ?

– Oui... dans un sens. Oui, elle m'appartiendra sans aucune réserve.

Frappé par le ton sur lequel elle avait prononcé ces derniers mots, l'inspecteur releva vivement la tête, Mrs Strete ne le regardait pas, et un sourire triomphant plissait ses lèvres minces.

L'inspecteur reprit respectueusement :

– Alors, d'après vous, et je sais que les occasions ne vous ont pas manqué pour établir votre opinion... Mr Walter Hudd voudrait bien mettre la main sur la fortune qui doit revenir à sa femme quand Mrs Serrocold mourra. À ce propos, avez-vous remarqué un changement dans la santé de votre mère ces derniers temps ?

– Elle souffre de rhumatismes, mais il faut bien avoir quelque chose quand on devient vieux. Les gens qui font des histoires pour des douleurs inévitables ne m'inspirent aucune sympathie.

– Est-ce que Mrs Serrocold fait des histoires ?

Mildred Strete resta silencieuse pendant un moment.

– Non, dit-elle enfin, mais elle est habituée à voir les autres en faire à son sujet. La sollicitude de mon beau-père est excessive. Quant à miss Bellever, elle se rend parfaitement ridicule. Son dévouement pour ma mère est admirable, mais est devenu une espèce de calamité.

Elle tyrannise positivement la pauvre femme... C'est elle qui fait tout marcher ici, et elle se croit tout permis.

Curry hocha lentement la tête.

– Je comprends... je comprends..., dit-il. (Et il ajouta en observant Mrs Strete avec attention :) Il y a un point que je ne saisis pas très bien. Que font ici les deux frères Restarick ?

– Encore de la sentimentalité puérile ! Leur père a épousé ma pauvre mère pour son argent et au bout de deux ans, il est parti avec une chanteuse yougoslave d'une moralité déplorable. Ma mère a été assez faible pour prendre les deux garçons en pitié. Comme ils ne pouvaient pas vivre avec une femme dont l'inconduite était notoire, elle les a plus ou moins adoptés, et, depuis, ils n'ont jamais cessé de traîner ici en parasites. Ce ne sont certes pas les pique-assiette qui nous manquent, je peux vous le dire !

– Alex Restarick a eu la possibilité de tuer Christian Gulbrandsen. Il était seul dans sa voiture... entre la loge et la maison. Et Stephen ?

– Stephen était dans le hall avec nous. L'attitude d'Alex me déplaît. Il devient de plus en plus vulgaire, et j'imagine qu'il mène une vie irrégulière, mais je ne le vois vraiment pas assassiner quelqu'un. D'ailleurs, pourquoi aurait-il tué mon frère ?

– Nous en revenons toujours là, dit Curry. Qu'est-ce que Christian Gulbrandsen pouvait savoir sur X... pour que X... ait jugé nécessaire de le tuer ?

– Exactement ! s'écria Mrs Strete avec une vivacité soudaine. Et c'est sûrement Walter Hudd l'assassin. Quelle horreur ! Quelle horreur ! Je suis seule à en souffrir. Qu'est-ce que ça peut leur faire, aux autres ? Aucune des personnes qui sont ici n'était vraiment parente de Christian. Pour ma mère, il n'était qu'un beau-fils. Il n'y avait aucun lien de parenté entre Gina et lui. Mais c'était mon frère.

– Votre demi-frère, insinua l'inspecteur.

– Oui, mon demi-frère, et il était beaucoup plus âgé que moi. Mais nous étions tous les deux des Gulbrandsen !

– Oui... Oui... Je comprends ce que vous éprouvez.

Mildred Strete sortit de la pièce. Elle avait les larmes aux yeux. Curry regarda Lake.

– Elle est convaincue que c'est Walter Hudd l'assassin et elle se refuse à admettre un seul instant que c'est peut-être quelqu'un d'autre.

– Qui sait si elle n'a pas raison ?

– Évidemment, Wally est tout indiqué. L'occasion favorable... le motif. S'il lui faut de l'argent, la mort de la grand-mère de sa femme est indispensable. Alors, Wally tripote son reconstituant et Christian Gulbrandsen le voit faire... ou l'apprend, je ne sais comment. Oui. Ça colle admirablement.

Il s'interrompit et ajouta, au bout d'un moment :

– Entre parenthèses, Mildred Strete a pour l'argent le sentiment passionné des avares. Mais irait-elle jusqu'à commettre un crime pour s'en procurer ?

– C'est complexe, n'est-ce pas ? dit le sergent Lake en se grattant la tête.

– Très complexe, oui, mais intéressant. Je suis vraiment curieux de savoir... Et Gina Hudd, Lake ? Elle

409

m'intrigue plus que tous les autres. Elle a une mauvaise mémoire, ou, alors, elle ment comme elle respire.

– Il y a sans doute un peu des deux, déclara le sergent.

– Sans doute, dit Curry d'un air pensif.

4

« Comme il est difficile de se faire une idée exacte d'un homme d'après ce qu'on raconte de lui », pensait l'inspecteur Curry.

Il regardait Edgar Lawson, dont tant de gens lui avaient parlé ce matin-là, et ses impressions étaient si différentes des leurs, qu'il y avait presque de quoi rire.

Edgar ne lui paraissait ni « étrange », ni « arrogant », ni même « anormal ». L'inspecteur avait devant lui un garçon des plus ordinaires, très déprimé, et très humble. Jeune, un peu commun et assez pitoyable, il ne demandait qu'à parler et se confondait en excuses.

– Je comprends que j'ai très mal agi. Je ne sais vraiment pas ce qui m'a pris. Comment ai-je pu faire cette scène ? Et ce coup de pistolet ? Dire que j'ai tiré sur Mr Serrocold, qui a été si bon pour moi et si patient ! (Il se tordait les mains, et elles faisaient pitié, ces mains, avec leurs poignets décharnés.) Si je dois être jugé, je suis prêt à vous suivre. C'est tout ce que je mérite. Je reconnaîtrai que je suis coupable.

– Personne n'a porté plainte contre vous, dit l'inspecteur d'un ton sec. Nous n'avons aucun témoignage qui nous permette d'intervenir. D'après Mr Serrocold, ces coups de feu étaient accidentels.

– Je le reconnais bien là ! Il n'y a jamais eu un homme aussi bon que Mr Serrocold ! Je lui dois tout, et voilà comment je reconnais ses bienfaits !

– Qu'est-ce qui vous a poussé à faire ça ?

Edgar parut embarrassé.

– Je me suis conduit comme un imbécile.

– C'est ce qu'il me semble, dit sèchement l'inspecteur. Vous avez dit devant témoins à Mr Serrocold que vous aviez découvert qu'il était votre père. Est-ce vrai ?

– Non.

– D'où vous est venue cette idée ? Quelqu'un vous l'a-t-il suggérée ?

Edgar se mit à s'agiter d'un air gêné.

– C'est difficile à expliquer... Je ne sais par où commencer...

L'inspecteur l'encouragea du regard.

– Essayez toujours. Nous ne cherchons pas à vous créer d'ennuis.

– Voyez-vous, je n'ai pas eu une enfance heureuse. Les autres garçons se moquaient de moi parce que je n'avais pas de père. Ils me traitaient de bâtard... et je n'étais pas autre chose. Ma mère était toujours ivre, et des hommes venaient tout le temps la voir. Je crois que mon père était un marin étranger. La maison était toujours dégoûtante. Un enfer ! Je me suis mis à imaginer que mon père n'était pas un simple marin, mais quelqu'un d'important et que j'étais l'héritier légitime d'une fortune magnifique. Et alors, je suis allé à une nouvelle école et j'ai bluffé, une ou deux fois, à mots couverts.

J'ai dit que mon père était amiral. J'ai fini par le croire et j'étais moins malheureux. (Il s'arrêta un instant, puis reprit :) Plus tard, j'ai imaginé autre chose. Je m'installais dans des hôtels où je racontais un tas de sottises. Je disais que j'étais pilote sur un avion de chasse, ou que j'étais dans l'armée, au service des renseignements. Je ne savais plus où j'en étais. Je mentais sans pouvoir m'arrêter. Je ne voulais pas être malhonnête, mais je ne pouvais pas m'en empêcher. Mr Serrocold et le Dr Maverick vous diront ce qu'il en est. Ils ont tous les papiers.

L'inspecteur Curry hocha la tête. Il avait déjà vu le dossier d'Edgar et son casier judiciaire.

– Enfin, Mr Serrocold m'a tiré d'affaire et m'a amené ici. Il a dit qu'il avait besoin d'un secrétaire pour l'aider... et je peux dire que je l'ai aidé ! Oui, je peux le dire ! Mais les autres se moquaient de moi, ils étaient tout le temps à se moquer de moi.

– Les autres ? Mrs Serrocold, par exemple ?

– Non. Pas Mrs Serrocold, c'est une vraie dame... Elle est toujours aimable et bonne. Mais Gina m'a traité comme le dernier des derniers et Stephen Restarick aussi. Et Mrs Strete me méprise parce que je ne suis pas un homme du monde, tout comme miss Bellever... Et qu'est-ce qu'elle est, celle-là ? Une dame de compagnie, une salariée, n'est-ce pas ?

Curry remarqua chez le jeune homme les signes d'une surexcitation croissante.

– En somme, ils ne vous ont témoigné aucune sympathie ?

– Parce que je suis un bâtard ! s'écria Edgar avec

emportement. Si j'avais un père, ils ne se seraient pas conduits comme ça !

– Alors, pour vous dédommager, vous vous êtes attribué un certain nombre de pères célèbres ?

Edgar rougit et dit entre ses dents :

– Je finis toujours par mentir.

– Et, en dernier lieu, vous avez prétendu que Mr Serrocold était votre père. Pourquoi ?

– Parce que j'espérais les faire taire une bonne fois pour toutes. Si c'était lui mon père, ils ne pouvaient plus rien contre moi.

– Oui. Mais vous l'avez accusé d'être votre ennemi, de vous persécuter.

Edgar se frotta le front.

– Je sais. Tout s'est embrouillé dans ma tête. Ça m'arrive quelquefois.

– Et vous avez pris le revolver dans la chambre de Mr Hudd ?

Edgar parut embarrassé.

– Vous croyez ? C'est là que je l'ai pris ?

– Vous ne vous en souvenez pas ?

– Je voulais m'en servir pour menacer Mr Serrocold, pour lui faire peur.

– Comment vous êtes-vous procuré le revolver ? demanda l'inspecteur, sans perdre patience.

– Vous venez de le dire... Je l'ai pris dans la chambre de Walter. Est-ce que j'aurais pu me le procurer autrement ?

– Je n'en sais rien. Quelqu'un... aurait pu vous le donner...

Edgar tourna vers Curry un regard inexpressif.

– Si on me l'a donné, je ne m'en souviens pas. J'étais si troublé ! Je suis allé me promener dans le parc, pour essayer de me calmer. Je croyais qu'on me surveillait, qu'on m'espionnait, que tout le monde était après moi, même cette vieille demoiselle si gentille, qui a les cheveux blancs... Miss Marple... J'ai dû avoir une crise de folie. Je ne me souviens ni de l'endroit où j'étais ni de ce que j'ai bien pu faire pendant tout ce temps !

– Qui vous a dit que Mr Serrocold était votre père ? Voilà un point dont vous vous souvenez certainement.

Edgar jeta de nouveau à l'inspecteur un regard sans expression et déclara d'un air maussade :

– Personne ne me l'a dit. C'est une idée qui m'est venue.

Curry poussa un soupir. Ces réponses ne le satisfaisaient pas, mais il se rendait compte qu'il n'obtiendrait rien de plus pour l'instant.

– Bon, dit-il. Tâchez d'être sérieux à l'avenir.

– Oui, monsieur. Oui, je vous le promets.

Edgar se retira et Curry secoua lentement la tête.

– Ces cas pathologiques !

– Vous le croyez fou, chef ? demanda le sergent Lake.

– Il est moins fou que je ne l'imaginais. C'est un faible d'esprit, un vantard, un menteur... Mais il y a chez lui une certaine candeur qui n'est pas sans charme. Il doit être particulièrement influençable.

– Vous croyez que quelqu'un l'a poussé à faire ce qu'il a fait ?

– Assurément, et miss Marple avait raison sur ce point. Cette vieille demoiselle est une fine mouche. Je voudrais bien savoir qui a influencé ce garçon. Il ne veut pas le dire. Si seulement nous le savions... Venez, Lake. Nous allons procéder à une reconstitution minutieuse de la scène qui s'est déroulée dans le hall.

L'inspecteur Curry était assis devant le piano, et le sergent Lake près de la fenêtre qui donnait sur le bassin.

– Nous voilà fixés, dit l'inspecteur. Quand je suis sur ce tabouret, si je me retourne à moitié, comme en ce moment, de manière à ne pas perdre de vue la porte du bureau, je ne peux pas vous voir.

Le sergent Lake se leva sans bruit et se glissa dans la bibliothèque.

– Tout ce côté-ci de la pièce était dans l'obscurité. Seules, les lampes qui se trouvent près de la porte du bureau étaient restées allumées. Non, Lake, je ne vous ai pas vu sortir. Et, une fois dans la bibliothèque, il vous était facile de passer dans le couloir par l'autre porte. Deux minutes vous suffisaient pour courir à la chambre de Gulbrandsen, le tuer, revenir par la bibliothèque et retourner vous asseoir près de la fenêtre.

Curry réfléchit un instant, puis il reprit :

– Les femmes, qui sont près du feu, vous tournent le dos. Mrs Serrocold était assise là, à droite de la cheminée, près de la porte du bureau. Elle n'a pas bougé, tout le monde est d'accord là-dessus, et il n'y a qu'elle qu'on pouvait voir de partout. Miss Marple était là. Elle regardait du côté du bureau, derrière Mrs Serrocold. Mrs Strete était à gauche de la cheminée, tout près de la porte qui donne sur le vestibule. Ce coin était très sombre. Elle a très bien pu sortir et revenir. Oui. C'est possible.

415

Soudain, Curry se mit à rire.

– Et je pouvais en faire autant.

Il se leva discrètement de son tabouret et se glissa le long du mur.

– Seule, Gina Hudd aurait pu s'apercevoir que je n'étais pas au piano. Et vous vous souvenez de ce qu'elle a dit ? « Au commencement, il jouait du piano. Après, je ne sais pas où il est allé. »

– Alors, vous croyez que c'est Stephen l'assassin ?

– Je n'en sais rien, dit Curry. Ce n'est ni Edgar Lawson, ni Lewis Serrocold, ni Mrs Serrocold, ni miss Jane Marple. Quant aux autres... (Il poussa un profond soupir.) C'est probablement l'Américain. Ces plombs qui ont sauté ! Voilà une coïncidence trop commode. Et pourtant, vous savez, il m'est sympathique, ce type-là... Mais ça ne prouve rien.

Il examina avec attention la musique qui était sur le piano.

– Hindemith ? Qui est-ce ? Je n'en ai jamais entendu parler. Chostakovitch... Ces gens-là ont des noms à coucher dehors !

Il regarda le vieux tabouret de piano et en souleva le haut.

– La musique démodée est là. Le *Largo* de Haendel, les *Exercices,* de Czerny. *Je connais un joli jardin...* La femme du pasteur chantait ça quand j'étais gosse...

Il se tut, les pages jaunies de la romance à la main. Dessous, il venait d'apercevoir, posé sur les *Préludes* de Chopin, un petit pistolet automatique.

– Stephen Restarick ! s'écria joyeusement le sergent Lake.

– Ne concluez pas trop vite. Je vous parie que c'est ce qu'on veut nous faire croire.

Miss Marple grimpa l'escalier et frappa à la porte de la chambre de Mrs Serrocold.

– Puis-je entrer, Carrie-Louise ?

– Bien sûr, ma chère Jane.

Assise devant sa coiffeuse, Carrie-Louise brossait ses cheveux d'argent. Elle regarda par-dessus son épaule.

– La police me demande ? Je serai prête dans quelques instants.

– Comment te sens-tu ?

– Très bien. Jolly a insisté pour que je prenne mon petit déjeuner au lit et Gina me l'a apporté en marchant sur la pointe des pieds, comme si j'étais à toute extrémité ! Les gens ne s'en rendent pas compte, je crois, mais, quand on est vieux, on supporte plus facilement un événement tragique comme la mort de Christian. On a eu le temps d'apprendre que tout est possible... et que tout ce qui arrive ici-bas n'a que bien peu d'importance.

– Ou...i, dit miss Marple sans conviction.

– Tu n'es pas de cet avis, Jane ? Cela m'étonne.

– Christian a été assassiné, répondit doucement miss Marple.

– Oui... Je comprends ce que tu veux dire. Tu estimes que c'est important.

– Pas toi ?

– Ça ne l'est guère pour Christian, dit Carrie-Louise avec simplicité. Il va de soi que c'est important pour la personne qui l'a tué.

– Qui cela peut-il être, d'après toi ?

Mrs Serrocold secoua la tête, elle semblait déso-rientée.

– Je n'en ai pas la moindre idée. Je ne peux même pas imaginer un motif. Il y a sûrement un rapport entre ce crime et ce qui a amené Christian ici le mois dernier. Je ne crois pas qu'il serait revenu brusquement sans raison grave. Et, quelle que soit cette raison, elle existait déjà à ce moment-là ; mais, j'ai beau chercher, je ne me souviens de rien d'extraordinaire.

– Qui aviez-vous dans la maison ?

– Tous ceux qui y sont maintenant... Oui. Alex venait d'arriver de Londres. Et... ah ! oui... Ruth était là.

– Ruth ?

– Oui, ma sœur Ruth. Elle passait quelques jours avec nous.

– Ruth ! répéta miss Marple.

Son esprit travaillait. Elle pensait à l'entretien qu'elle avait eu avec Mrs Van Rydock, avant de partir pour Stonygates. Ruth était ennuyée, inquiète. Pendant son séjour chez sa sœur, elle avait eu constamment l'impression qu'une menace pesait sur Carrie-Louise. Pourquoi ? Elle n'en savait rien. Quelque chose allait mal, c'est tout ce qu'elle pouvait dire. Christian Gulbrandsen, lui aussi, était inquiet, mais Christian savait quelque chose. Il soupçonnait que quelqu'un cherchait à empoisonner Carrie-Louise.

– Qu'est-ce qu'on me cache ? demanda soudain Mrs Serrocold. Vous êtes tous bien mystérieux.

Miss Marple eut un petit sursaut.

– Pourquoi dis-tu ça ?

– Parce que je le vois bien. Je ne parle pas de Jolly,

mais de tous les autres, y compris Lewis. Il est entré pendant que je prenais mon petit déjeuner, et je l'ai trouvé bien étrange. Il a bu un peu de mon café et a même mangé un morceau de pain grillé avec de la confiture d'oranges. De sa part, c'est invraisemblable. Il prend toujours du thé et il n'aime pas cette confiture. Il devait penser à autre chose... et je suppose qu'il avait oublié de déjeuner. Ça lui arrive souvent, et il paraissait si soucieux, si préoccupé !

Un silence gênant s'établit, mais Mrs Serrocold n'eut pas l'air de s'en apercevoir. Elle souriait.

– À quoi penses-tu, Carrie-Louise ?

Mrs Serrocold parut revenir de très loin.

– Je pensais à Gina, répondit-elle. Tu m'as dit que Stephen Restarick était amoureux d'elle. Gina est une enfant charmante, tu sais. Et elle adore Wally. J'en suis absolument sûre.

Miss Marple ne dit rien, et Mrs Serrocold reprit sur un ton qui semblait indiquer qu'elle voulait excuser sa petite-fille :

– Les jeunes femmes comme elles aiment s'émanciper, sentir qu'elles ont du pouvoir sur les hommes ! C'est bien naturel. Wally Hudd n'est évidemment pas le mari que nous souhaitions pour Gina. Mais elle l'a rencontré et elle est tombée amoureuse de lui... et je crois qu'elle sait mieux que nous ce qui lui convient.

– C'est probable, dit miss Marple.

– Il est si important que Gina soit heureuse !

Miss Marple regarda son amie avec étonnement.

– Le cas de Gina est très particulier. Quand nous avons adopté sa mère... quand nous avons adopté Pippa,

419

nous nous sommes dit qu'il fallait absolument que cette expérience soit couronnée de succès. Vois-tu, la mère de Pippa...

Carrie-Louise se tut.

– Qui était la mère de Pippa ? demanda miss Marple.

Carrie-Louise semblait incapable de décider si elle allait parler ou non.

– Nous avons pris la résolution, Éric et moi, de ne le dire à personne. Pippa elle-même ne l'a jamais su.

– Moi, je voudrais bien le savoir, déclara miss Marple.

Mrs Serrocold la regarda. Elle hésitait à répondre.

– Ce n'est pas par curiosité. J'ai vraiment besoin de le savoir. Tu peux compter sur ma discrétion.

– Tu as toujours su garder un secret, Jane, dit Carrie-Louise en souriant au passé. Mgr Galbraith, l'évêque de Cromer, est seul au courant. La mère de Pippa était Catherine Elsworth.

– Elsworth ? La femme qui a fait prendre de l'arsenic à son mari ?

– Oui.

– Elle a été pendue ?

– Oui. Mais il n'est pas du tout sûr qu'elle ait empoisonné son mari. Il avait la manie d'absorber de l'arsenic, c'était pathologique chez lui. Et, à cette époque, on ne comprenait guère ces choses-là.

– Elle s'en servait pour tuer les mouches.

– Nous avons toujours pensé que les déclarations de la bonne étaient inspirées par la méchanceté.

– Et Pippa était sa fille ?

– Oui. Nous avons décidé, Éric et moi, que cette petite serait une Gulbrandsen, que nous lui donnerions en quelque sorte une nouvelle vie... en l'entourant de tendresse, de soins et de tout ce qui est nécessaire à un enfant. Nous avons réussi. Pippa est devenue une jeune fille exquise et on ne peut plus épanouie.

Miss Marple garda le silence pendant un moment.

– Voilà. Je suis prête, dit Carrie-Louise en s'éloignant de la coiffeuse. Veux-tu être assez gentille pour demander à... l'inspecteur... je ne sais pas si c'est comme ça qu'on l'appelle... de monter dans mon petit salon. Je ne pense pas que ça le contrarie.

Loin d'être contrarié, l'inspecteur Curry fut assez satisfait de l'occasion qui lui était offerte de voir Mr Serrocold dans son cadre personnel. Il en profita, tandis qu'il l'attendait, pour regarder autour de lui avec curiosité. Il remarqua, notamment, une vieille photographie représentant deux petites filles. L'une était brune et souriante, l'autre, assez laide, fixait sur l'univers un regard boudeur sous des cheveux coupés en frange. Le matin même, une expression analogue l'avait déjà frappé. La photographie portait une inscription : « Pippa et Mildred. » Il la regardait encore lorsque Mrs Serrocold entra.

Elle portait une robe noire, faite d'un tissu souple et vaporeux. Sa petite figure rose et blanc semblait étrangement menue, sous sa couronne de cheveux d'argent. L'impression d'extrême fragilité qui se dégageait d'elle émut l'inspecteur. Il comprit pourquoi tous ceux qui la connaissaient tenaient tant à la protéger de la moindre contrariété.

Elle le pria de s'asseoir et s'installa dans un fauteuil à côté de lui. Curry commença à l'interroger. Elle répondit

421

de bonne grâce et sans hésiter aux questions qu'il lui posa sur l'extinction des lumières du hall, sur la querelle entre Edgar et son mari, sur le coup de feu qu'on avait entendu...

— Vous n'avez pas eu l'impression que ce bruit venait de la maison ?

— Non. J'ai cru qu'il s'était produit dans le parc.

— Pendant cette scène entre votre mari et ce jeune Lawson, avez-vous remarqué si quelqu'un était sorti du hall ?

— Wally était déjà parti changer le plomb. Miss Bellever est sortie peu après... pour aller chercher quelque chose, mais je ne sais plus quoi.

— Et qui encore ?

— Personne, autant que je sache.

— Auriez-vous pu vous en apercevoir, Mrs Serrocold ?

— Non. Je ne crois pas, dit-elle après un instant de réflexion.

— Vous étiez trop absorbée par ce qui se passait dans le cabinet de travail de Mr Serrocold.

— Oui.

— Vous vous demandiez, avec inquiétude, ce qui allait arriver ?

— Non... non. Je ne peux pas dire ça. Je ne pensais vraiment pas qu'il arriverait quoi que ce soit.

— Pourtant, Lawson avait un revolver ?

— Oui.

— Et il en menaçait votre mari ?

— Oui. Mais il n'avait pas l'intention de lui faire du mal.

L'inspecteur Curry eut peine à dominer l'exaspération qu'il sentait monter en lui.

– Vous ne pouviez pas en avoir la certitude, Mrs Serrocold.

– Je l'avais pourtant. Edgar n'est qu'un enfant. Il faisait l'imbécile. Il se jouait un mélodrame dans lequel il tenait le rôle d'un personnage audacieux et capable de tout, le rôle du héros spolié d'une aventure romanesque. J'étais tout à fait sûre qu'il ne se servirait jamais de ce revolver.

– Mais il s'en est bel et bien servi, Mrs Serrocold.

– Le coup a dû partir accidentellement.

De nouveau, Curry se sentit exaspéré.

– Ça n'a rien eu d'accidentel. Lawson a tiré deux fois. Il visait votre mari. Les balles l'ont manqué de peu.

Carrie-Louise parut stupéfaite et prit une expression grave.

– Je ne peux vraiment pas le croire..., commença-t-elle. (Puis elle se reprit vivement, pour prévenir la protestation de l'inspecteur :) Je suis bien obligée de le croire, puisque vous me le dites. Mais je conserve quand même l'impression qu'il doit y avoir une explication très simple. Le Dr Maverick peut tout expliquer. Je sais que ce que nous faisons ici peut vous paraître stupide et dénué de sens, ajouta Mrs Serrocold de façon assez inattendue. Je sais aussi que les psychiatres sont parfois irritants. Mais voyez-vous, inspecteur, nous obtenons des résultats. Et, sans doute ne le croirez-vous pas, mais Edgar est réellement dévoué à mon mari. S'il s'est mis à faire ces histoires ridicules en prétendant que Lewis est son père, c'est parce qu'il aimerait avoir un père comme Lewis. Ce que je ne peux pas comprendre, c'est ce qui l'a rendu subitement violent. Il allait beaucoup mieux, il était presque normal. À vrai dire, à moi, il m'a toujours paru normal.

L'inspecteur n'essaya pas de discuter ce dernier point.

– Le revolver dont s'est servi Edgar Lawson appartient au mari de votre petite-fille. Lawson a dû le prendre dans la chambre de Mr Hudd. Mais ce revolver-ci, l'avez-vous déjà vu ?

Curry présentait sur la paume de sa main le petit automatique noir. Carrie-Louise l'examina avec attention.

– Non. Je ne crois pas.

– Je l'ai trouvé dans le tabouret du piano. On voit qu'il a servi récemment. Nous n'avons pas encore eu le temps d'en vérifier les caractéristiques, mais je crois bien que c'est l'arme avec laquelle on a tué Mr Gulbrandsen.

Carrie-Louise fronça les sourcils.

– C'est dans le tabouret du piano que vous l'avez trouvé ?

– Oui. Sous de très vieux recueils de musique. De la musique que l'on n'a pas dû toucher depuis des années.

– Alors, il était caché ?

– Oui. Vous rappelez-vous qui était au piano hier soir ?

– Stephen Restarick.

– Il jouait ?

– Oui. En sourdine... un drôle de petit air un peu triste.

– Quand s'est-il arrêté de jouer ?

– Quand il s'est arrêté ?... Je ne sais pas.

424

– Il s'est bien arrêté ? Il n'a pas joué pendant tout le temps qu'a duré cette scène ?

– Non. La musique a cessé sans que je m'en aperçoive.

– A-t-il quitté le tabouret du piano ?

– Je ne sais pas. J'ignore totalement ce qu'il a fait jusqu'au moment où il est venu près de la porte du cabinet de travail pour essayer une clé.

– Croyez-vous que Stephen Restarick pouvait avoir un motif pour tuer Mr Gulbrandsen ?

– Absolument aucun.

Mrs Serrocold réfléchit et ajouta :

– J'en suis persuadée.

– Mr Gulbrandsen aurait pu savoir quelque chose de fâcheux à son sujet.

– C'est bien peu probable.

Curry eut une envie folle de répondre :

« Même si un cochon vole, il est bien peu probable que ce soit un oiseau. »

C'était un dicton de sa grand-mère, et il était sûr que miss Marple le connaissait.

Carrie-Louise descendit par le grand escalier, et, de partout, on se précipita à sa rencontre. Gina venait du corridor. Miss Marple de la bibliothèque et miss Bellever du grand hall.

– Grand-maman, s'écria Gina. Comment vous sentez-vous ? Ils ne vous ont pas malmenée ? Ils ne vous ont pas fait des tas de misères ?

– Bien sûr que non ! Quelle imagination tu as, ma Gina ! L'inspecteur a été charmant et s'est montré plein de déférence.

– C'est la moindre des choses, déclara miss Bellever. Tenez, Cara, j'ai là toutes vos lettres et un paquet. J'allais vous les monter.

– Apportez-moi tout ça dans la bibliothèque.

Les quatre femmes passèrent dans la bibliothèque et Carrie-Louise s'assit pour décacheter son courrier. Il y avait une vingtaine de lettres. À mesure qu'elle les regardait, elle les passait à miss Bellever, qui les répartissait en plusieurs tas.

– Nous divisons le courrier en trois, expliqua miss Bellever à miss Marple. Les lettres des parents des garçons, que je remets au Dr Maverick. Les demandes de secours, dont je m'occupe moi-même, et, enfin, les lettres personnelles, pour lesquelles Cara me prépare des notes indiquant les réponses à faire.

Une fois la correspondance dépouillée, Mrs Serrocold s'occupa du paquet. Elle coupa la ficelle avec des ciseaux et retira de l'emballage une boîte de chocolats fort alléchante, entourée d'un ruban doré. La boîte ouverte, elle y trouva une carte de visite qui ne fut pas sans la surprendre :

De la part d'Alex, avec toute mon affection.

– Quelle drôle d'idée de m'envoyer des chocolats par la poste le jour où il vient ici !

Un sentiment d'inquiétude s'empara de miss Marple. Elle bondit.

– Une minute, Carrie-Louise. N'y goûte pas tout de suite.

Mrs Serrocold resta interdite.

– Pourquoi pas, Jane ? Ils ont l'air délicieux.

426

– C'est vrai. Mais je vais d'abord demander... Gina, savez-vous si Alex est dans la maison ?

– Il me semble que je l'ai vu tout à l'heure dans le hall.

Elle courut à la porte et appela Alex. Celui-ci parut presque aussitôt.

– Madonna chérie ! Alors, vous êtes debout. Vous vous sentez mieux ?

Il s'approcha de Mrs Serrocold et l'embrassa doucement sur les deux joues.

– Carrie-Louise voulait vous remercier des chocolats, dit miss Marple.

Alex eut l'air ahuri.

– Quels chocolats ?

– Ceux-ci, dit Carrie-Louise.

– Votre carte était dans la boîte, dit miss Bellever.

Alex regarda la carte.

– En effet... Ça, c'est drôle... C'est même très drôle ! En tout cas, ce n'est pas moi qui les ai envoyés.

– Ils ont l'air succulents, déclara Gina en examinant les bonbons. Regardez, grand-maman, des chocolats au kirsch, ceux que vous préférez ! Ils sont là, au milieu.

Miss Marple lui enleva la boîte avec douceur et fermeté, la mit sous son bras et sortit sans dire un mot. Elle partit à la recherche de Lewis Serrocold. Il lui fallut un certain temps pour le trouver, car il était à l'institution, chez le Dr Maverick. Elle posa la boîte devant lui, sur la table, et lui raconta l'incident. Tandis qu'il l'écoutait, le visage de Serrocold prit une expression sévère.

Les deux hommes sortirent les chocolats de la boîte avec le plus grand soin et les examinèrent un à un.

– Je suis à peu près certain, dit le docteur Maverick, que ceux que j'ai mis de côté ont subi des manipulations. Regardez-les par-dessous : la couche de chocolat n'est plus lisse. Il faut les faire analyser immédiatement.

– Ça ne semble pas croyable ! s'écria miss Marple. Toute la famille aurait pu être empoisonnée !

Lewis hocha la tête. Il était très pâle et son visage restait crispé.

– Oui, dit-il. Il y a là une cruauté, un mépris de la vie d'autrui !... Je crois que tous les bonbons que nous avons mis de côté sont parfumés au kirsch. Ce sont ceux que préfère Carrie. Tout cela dénote la connaissance des moindres détails.

– Si vous ne vous trompez pas, s'il y a vraiment du poison dans ces chocolats, je crains, dit miss Marple sans élever la voix, qu'il soit nécessaire d'avertir Carrie-Louise de ce qui se passe. Il faudra la mettre sur ses gardes.

– Il faudra qu'elle sache que quelqu'un désire sa mort, dit tristement Serrocold. Elle n'arrivera jamais à le croire.

Gina se redressa et rejeta en arrière ses cheveux qui lui retombaient sur le front. Elle avait de la peinture sur la figure et sur son pantalon. Aidée de quelques collaborateurs, elle travaillait à une toile de fond baptisée : « Le Nil au coucher du soleil », en vue de leur prochaine représentation.

– Eh ! mademoiselle ! C'est vrai, ce qu'on dit ?... Qu'y a quelqu'un qui s'amuse avec du poison ? chuchota derrière elle une voix un peu rauque.

C'était son jeune assistant, Ernie Gregg, celui qui lui

avait donné de si précieuses leçons sur le fonctionnement des serrures. Ernie était universel : excellent machiniste, acteur à l'occasion, il se révélait enthousiaste pour tout ce qui concernait le théâtre, et, maintenant, l'idée d'une belle histoire faisait étinceler ses yeux.

– Où avez-vous été chercher ça ? demanda Gina avec indignation.

Ernie cligna de l'œil.

– Ça se raconte dans tous les dortoirs. Il s'en passe des trucs, ici. Hier, on fait son affaire au vieux Gulbrandsen, maintenant on empoisonne en douce ! Ils disent que c'est le même client qui a envoyé les bonbons et qui a descendu le vieux. Et si je vous disais, mademoiselle, que je sais qui c'est ?

– Vous ne pouvez rien savoir du tout.

– J' peux rien savoir ? Une supposition que j'étais dehors hier soir et que j'ai vu des choses ?...

– Comment auriez-vous été dehors ? On ferme les portes de l'institution à sept heures, après l'appel.

– L'appel ! Moi, mademoiselle, j' peux sortir quand ça me plaît. C'est pas les serrures qui me gênent. Je vais me balader dans le parc... histoire de me marrer, quoi. Je l' fais souvent.

– Allons, Ernie, assez de mensonges comme ça !

– Des mensonges ? Qui c'est qui en dit ?

– Vous. Vous mentez, vous vous vantez d'un tas de choses que vous n'avez jamais faites.

– Que vous dites ! Attendez seulement que les flics s'amènent et qu'i m' demandent qu'est-ce que j'ai vu hier soir.

– Et alors, qu'est-ce que vous avez vu ?

– Vous voudriez bien le savoir !

Gina marcha d'un air menaçant sur Ernie qui exécuta une retraite stratégique. Stephen, qui travaillait de l'autre côté du théâtre, vint la rejoindre et, après avoir discuté certains détails techniques, ils rentrèrent à la maison côte à côte.

– Les garçons sont tous au courant de l'histoire des chocolats de grand-maman, dit Gina. Comment l'ont-ils su ?

– Ils savent tout, croyez-moi.

– Ce qui m'épate le plus, c'est cette carte d'Alex. C'est idiot d'avoir mis une carte de lui précisément le jour où il venait ici. Vous ne trouvez pas ?

– Si. Mais personne ne savait qu'il allait venir. Il s'est décidé en deux minutes et il a envoyé un télégramme. À ce moment-là, on avait déjà fait partir la boîte. S'il n'était pas venu, l'idée aurait été excellente. Il lui arrive d'envoyer des chocolats à Carrie. (Stephen se tut un instant, puis il reprit :) Mais ce qui me dépasse, c'est que...

Gina lui coupa la parole.

– C'est qu'il y ait quelqu'un qui veuille empoisonner grand-maman. Je sais. C'est inconcevable ! Elle est si adorable !... Et tout le monde l'adore, absolument tout le monde.

Stephen ne répondit pas. Gina le regarda vivement.

– Je sais ce que vous pensez, Steve.

– Vous croyez ?

– Vous pensez que... Wally... ne l'adore pas. Mais jamais Wally n'empoisonnerait quelqu'un. C'est une idée grotesque.

– Quelle épouse loyale !

– Ne dites pas ça sur ce ton railleur.

– Je n'ai aucune intention railleuse. J'estime que vous êtes loyale, et je ne vous en admire que davantage. Mais, ma petite Gina, ça ne pourra pas durer.

– Que voulez-vous dire ?

– Vous le savez parfaitement. Vous êtes mal assortis, Wally et vous. Ça ne peut pas marcher, et il le sait, lui aussi. Un de ces jours, ça cassera et vous serez beaucoup plus heureux tous les deux une fois que ce sera fini.

– Ce que vous êtes bête, dit Gina.

– Allons ! Vous n'allez pas me raconter que vous êtes faits l'un pour l'autre ni que Wally est heureux ici ?

– Oh ! je ne sais pas ce qu'il a. Il fait tout le temps la tête. C'est à peine s'il desserre les dents. Je ne sais pas ce qu'il faudrait que je fasse pour lui. Pourquoi n'arrive-t-il pas à se plaire ici ? Nous avons été si heureux à un moment ! Ce que nous avons pu nous amuser !... Et, maintenant, c'est un autre homme. Pourquoi faut-il que les gens changent comme ça ?

– Est-ce que je change, moi ?

– Non, mon vieux Steve. Vous êtes toujours le même... Autrefois, pendant les vacances, je ne vous quittais pas d'une semelle, vous vous en souvenez ?

– Et ce qu'elle pouvait me raser, cette petite Gina ! Maintenant, tout est bien différent ! Vous êtes arrivée à vos fins. N'est-ce pas, Gina ?

– Idiot ! dit vivement la jeune femme, et elle se hâta de passer à un autre sujet. D'après vous, est-ce qu'Ernie mentait ? À l'en croire, il se promenait hier soir dans le brouillard et il prétend qu'il en aurait long à dire sur le crime. Croyez-vous que c'est vrai ?

– Vrai ? Sûrement pas. Vous savez à quel point il est vantard. Pour se rendre intéressant, il dirait n'importe quoi.

– Je sais bien. Seulement, je me demandais...

Ils marchèrent en silence pendant le reste du trajet.

Le soleil couchant illuminait la façade ouest de la maison. L'inspecteur Curry regarda de ce côté-là.

– Est-ce par ici, demanda-t-il, que vous avez arrêté votre voiture, hier soir ?

Alex Restarick fit un pas en arrière et répondit après avoir réfléchi :

– À peu de chose près. Il m'est difficile de préciser, étant donné qu'il y avait du brouillard. Oui, je crois bien que c'est ici.

– Dodgett ! dit l'inspecteur.

L'agent de police, qui se tenait prêt, partit comme une flèche. Il s'élança vers la maison, traversa en diagonale la pelouse qui l'en séparait, arriva sur la terrasse et entra par la porte latérale. Au bout de quelques secondes, une main invisible agita violemment les rideaux d'une des fenêtres, puis Dodgett reparut à la porte qui donnait sur le jardin et courut pour rejoindre les autres. Il soufflait comme un phoque.

– Deux minutes quarante-deux secondes, dit l'inspecteur arrêtant son chronomètre, et il ajouta avec un sourire : Ça prend peu de temps, ces choses-là.

– Vous avez sans doute voulu vous rendre compte du temps qu'il m'aurait fallu pour courir là-bas et revenir ? dit Alex.

– Je constate simplement qu'il vous a été possible de

commettre ce crime. C'est tout, Mr Restarick. Je n'accuse personne... pour le moment.

Pour la première fois, Alex parut déconcerté.

– Voyons, inspecteur ! Vous ne pouvez pas croire sincèrement que c'est moi l'assassin, ou que c'est moi qui ai envoyé une boîte de chocolats empoisonnés à Mrs Serrocold avec ma carte dedans ?

– C'est tellement gros que ce pourrait être vrai. Un double bluff, Mr Restarick.

– Ah ! je comprends. Vous êtes rudement astucieux !

Très calme, l'inspecteur Curry jeta un regard de côté au jeune homme. Il remarqua l'expression malicieuse de ses yeux. Il ne devait pas être facile de savoir ce que pensait ce garçon.

L'agent Dodgett, qui avait retrouvé son souffle, prit la parole.

– J'ai agité les rideaux comme vous me l'aviez demandé, monsieur. Et j'ai compté jusqu'à trente. Un des crochets de ces rideaux est arraché dans le haut. On ne peut pas les fermer complètement, et, quand la pièce est éclairée, ça doit se voir du dehors.

– Avez-vous vu filtrer de la lumière par cette fenêtre hier soir ?

– Il m'était impossible de voir la maison à cause du brouillard. Je vous l'ai déjà dit.

– Il arrive que la densité du brouillard varie. Parfois, il se dissipe sur un point pendant quelques minutes.

– Hier soir, il ne s'est jamais dissipé suffisamment pour me permettre de voir la maison, la façade principale, tout au moins. Celle du gymnase, qui était plus près de moi, se dessinait vaguement. Elle avait quelque chose d'immatériel qui m'a ravi. On aurait dit un entrepôt sur les quais. L'illusion était parfaite. Comme je vous l'ai dit, je suis en train de monter un ballet qui a Limehouse pour décor...

– Oui. Vous m'en avez parlé, dit Curry.

– On prend l'habitude, vous savez, de regarder les choses comme un décor et on oublie la réalité.

– C'est possible. Et pourtant, un décor, c'est quelque chose de bien réel. N'est-ce pas, Mr Restarick ?

– Je ne vois pas exactement ce que vous voulez dire, inspecteur.

– C'est fait avec des matériaux qui n'ont rien d'irréel... de la toile, du bois, de la peinture, du carton. L'illusion est dans l'œil du spectateur et non dans le décor lui-même. C'est cela que je veux dire, le décor est quelque chose de réel, qu'on le regarde de la salle ou des coulisses.

Alex regarda Curry, les yeux écarquillés.

– Savez-vous, inspecteur, que cette remarque est particulièrement profonde ? Elle me donne une idée...

– Pour un autre ballet ?

– Non. Il s'agit de bien autre chose qu'un ballet ! Je me demande si nous n'avons pas tous fait preuve d'un certain aveuglement.

5

Alex Restarick remontait lentement l'allée en se demandant ce que pourrait donner sa nouvelle idée ; mais il aperçut Gina dans le sentier qui longeait le bassin et interrompit sa méditation. La maison se dressait sur une légère éminence, et le terrain descendait en pente douce depuis les marches sablées de la terrasse jusqu'à la pièce d'eau qu'entouraient des rhododendrons et d'autres arbustes.

Alex se mit à courir pour rejoindre Gina.

Il fronça les sourcils en montrant la maison du doigt.

– Si on supprimait cette monstruosité victorienne, dit-il, on se croirait au bord du lac des Cygnes. Et vous, Gina, vous seriez « la jeune Fille aux Ailes de Cygne »... Mais non... vous ressemblez plutôt à la « Reine des Neiges ». Insensible et bien décidée à n'en faire qu'à votre tête. Vous ne vous doutez même pas de ce que peuvent être la bonté, la pitié ou même la charité la plus élémentaire... Vous êtes très, *très* féminine, ma chère Gina !

– Et vous, vous êtes très méchant, mon cher Alex !

– Parce que je refuse de me laisser rouler ? Vous êtes très satisfaite de votre petite personne, n'est-ce pas, Gina ? Vous avez fait de nous ce que vous avez voulu, qu'il s'agisse de moi, de Stephen ou de votre benêt de mari.

– C'est idiot ce que vous dites là !

– Non, ce n'est pas idiot. Stephen est amoureux de

vous, je suis amoureux de vous, et Wally est désespéré. Qu'est-ce qu'une femme peut souhaiter de plus ?

Gina le regarda et se mit à rire. Alex hocha vivement la tête.

– Je constate avec plaisir qu'il vous reste un fond d'honnêteté. C'est le sang anglais qui reparaît ! Vous ne vous donnez pas la peine de prétendre que vous êtes désolée de voir tous les hommes à vos pieds. Vous êtes cruelle, Gina, même quand il s'agit de cet imbécile d'Edgar Lawson.

Gina le regarda dans les yeux et dit sur un ton sérieux et tranquille :

– Ça ne dure pas très longtemps, vous savez. La femme est bien plus malheureuse que l'homme. Elle est plus vulnérable. Aussitôt que sa beauté disparaît, tout est terminé. On la trompe, on l'abandonne, on l'écarte. Je ne blâme pas les hommes. Je ferais comme eux. Je déteste les gens qui sont vieux, ou laids, ou malades, ou qui geignent parce qu'ils ont des ennuis, ou qui sont ridicules, comme Edgar. Il se pavane et se prend pour quelqu'un d'important... Vous dites que je suis cruelle ? Le monde est cruel ! Un jour ou l'autre, il me traitera avec cruauté. Pour le moment, je suis jeune et jolie et on me trouve séduisante... (Elle eut un sourire éblouissant.) Oui, je trouve ça très agréable, Alex. Pourquoi pas ?

– Pourquoi pas ? Je me le demande, répondit Alex. Mais ce que je veux savoir, c'est ce que vous allez faire. Qui allez-vous épouser, Stephen ou moi ?

– J'ai déjà épousé Wally.

– Provisoirement. Qu'une femme se trompe une fois

en se mariant, c'est normal... Mais rien ne l'oblige à en rester là. Après avoir débuté en province, il est temps de jouer la pièce dans le West End.

– Et c'est vous le West End ?

– Sans aucun doute.

– Avez-vous vraiment envie de m'épouser ? Je ne vous vois pas marié.

Le rire frais et clair de Gina retentit.

– Que vous m'amusez, Alex !

– C'est le meilleur atout. Stephen est bien mieux que moi. Il est extrêmement beau et très sérieux. Les femmes aiment ça. Mais un mari trop sérieux fatigue à la longue. Avec moi, Gina, vous trouverez la vie amusante.

– Vous allez bientôt me dire que vous m'aimez à la folie !

– Même si c'était vrai, je ne le dirai certainement pas. Vous marqueriez un point à mon détriment. Non. Tout ce que je suis disposé à faire, c'est à vous offrir de m'épouser.

– Il va falloir que j'y réfléchisse, dit Gina.

– Bien sûr. D'ailleurs, vous avez d'abord à vous occuper de Wally. Ce malheureux Wally ! Il m'est très sympathique. Sa vie doit être un véritable enfer depuis qu'il vous a épousée et que vous l'avez traîné dans cette atmosphère irrespirable de philanthropie familiale.

– Alex, vous n'êtes qu'une brute !

– Une brute clairvoyante.

– Par moments, dit Gina, j'ai l'impression que Wally ne tient pas à moi le moins du monde. Il ne s'aperçoit même plus que j'existe.

– Vous avez essayé de l'exciter avec un bâton et il ne bouge pas. C'est très ennuyeux !

Gina leva vivement la main et appliqua une gifle sonore sur la joue lisse d'Alex.

– Touché ! s'écria le jeune homme.

D'un mouvement rapide et adroit, il la prit dans ses bras et, avant qu'elle ait pu résister, ses lèvres s'attachèrent aux siennes en un long et ardent baiser. Elle se débattit un moment, puis cessa de résister.

– Gina !

Brusquement, ils s'écartèrent l'un de l'autre, Mildred Strete, rouge et les lèvres tremblantes, les foudroyait du regard. Elle était dans un tel état qu'elle pouvait à peine parler.

– Quelle horreur !... Fille perdue ! Créature ignoble !... Tu es bien la fille de ta mère... Une traînée !... Adultère... et criminelle par-dessus le marché ! Oui. C'est vrai. Je sais ce que je sais !

– Et qu'est-ce que vous savez ! Ne soyez pas ridicule, tante Mildred !

– Je ne suis pas ta tante, Dieu merci ! Le même sang ne coule pas dans nos veines ! Tu ignores qui était ta mère. Tu ne sais pas d'où elle sortait ! Mais tu sais ce qu'était mon père et tu connais ma mère. Quel enfant pouvaient-ils adopter ? Celui d'une criminelle ou d'une prostituée, bien sûr. Ils auraient dû se souvenir que les vices sont héréditaires. Mais je me doute que c'est ton sang italien qui a fait de toi une empoisonneuse !

– Comment osez-vous dire ça ?

– Je dirai ce qui me plaira ! Quelqu'un a essayé d'empoisonner ma mère, tu ne peux pas dire le contraire. Et qui était capable de le faire ? Qui héritera d'une énorme fortune à la mort de ma mère ? C'est toi, Gina. Et je te garantis que la police ne l'oublie pas !

Toujours frémissante, Mildred s'éloigna rapidement.

– C'est pathologique, dit Alex. C'est nettement pathologique. Et c'est très intéressant. Après ça, on peut se demander ce que pouvait bien être le chanoine Strete... Un dévot trop scrupuleux, peut-être ? Ou un impuissant ?

– Alex, vous êtes dégoûtant !... Oh !... Je la déteste ! Je la déteste !

Les poings crispés, Gina tremblait de rage.

– Heureusement que vous n'aviez pas un poignard caché dans votre manche. Cette chère Mrs Strete aurait fait connaissance avec le crime du point de vue de la victime !

– Comment peut-elle oser dire que j'ai essayé d'empoisonner grand-maman ?

– Réfléchissez, chérie. Pour ce qui est du mobile, vous êtes particulièrement servie, il me semble.

Gina le regarda, consternée.

– Oh ! Alex... Est-ce aussi l'avis de la police ?

– C'est très difficile de savoir ce que pensent les gens de la police. Ils gardent fort bien leurs secrets et ce ne sont pas des imbéciles. Ça me rappelle que...

– Où allez-vous ?

– Voir ce que vaut une idée qui m'est venue.

Ahurie et sceptique, Carrie-Louise regardait son mari. Elle finit par dire :

– Tu prétends que quelqu'un a essayé de m'empoisonner. Je ne peux pas... Il m'est absolument impossible de le croire.

– J'aurais tant voulu t'épargner cela, ma chérie ! dit doucement Lewis.

Miss Marple, qui s'était assise auprès de son amie, hochait la tête avec sympathie.

– Est-ce bien vrai, Jane ?

– Je le crains, ma pauvre amie.

– Alors, tout...

Mrs Serrocold s'interrompit pour reprendre aussitôt :

– J'ai toujours cru que je savais distinguer le vrai du faux. Il y a là une réalité... et elle me semble irréelle... Je peux donc me tromper sur tout... Mais qui peut bien vouloir m'infliger une mort aussi affreuse ? Personne, dans cette maison, ne peut désirer ma mort...

Le ton demeurait incrédule.

– C'est ce que je pensais aussi, dit Lewis. J'avais tort.

– Et Christian le savait. Cela explique bien des choses.

– Qu'est-ce que ça explique ?

– Son attitude. Je l'ai trouvé bizarre, très différent de ce qu'il était d'habitude. Il était bouleversé, et je sentais que c'était à cause de moi... J'avais l'impression qu'il voulait me parler, et il ne disait rien. Il m'a demandé si mon cœur était solide, si je m'étais bien portée ces temps derniers. Peut-être essayait-il de me mettre en garde. Mais pourquoi ne m'a-t-il pas parlé clairement ?

– Il ne voulait pas te faire de peine.

Les yeux de Carrie parurent s'agrandir.

– De la peine ? Mais pourquoi... Oh ! je comprends... Alors, c'est donc cela que tu crois ! Mais tu te trompes,

Lewis. Tu te trompes complètement, je peux te l'affirmer.

Lewis évitait son regard.

– Je ne peux pas croire que tout ce qui est arrivé ces jours-ci soit vrai, dit Mrs Serrocold après un court silence. Qu'Edgar ait tiré sur toi... Que Gina et Stephen... Et cette ridicule histoire de chocolats ! Rien de tout cela n'est vrai.

Personne ne parlait. Carrie-Louise soupira.

– J'imagine que j'ai dû vivre pendant très longtemps en dehors de la réalité. Pardonnez-moi. Je voudrais être seule. Il faut que j'essaie de comprendre.

Miss Marple descendit dans le hall. Près de la grande porte qui donnait sur l'extérieur, elle trouva Alex Restarick, les bras tendus, dans une attitude un peu théâtrale.

– Entrez ! Entrez ! dit-il d'un ton joyeux et comme si c'était lui le propriétaire du grand hall. J'étais en train de réfléchir à ce qui s'est passé hier soir.

Lewis Serrocold, qui avait suivi miss Marple, traversa le hall pour aller dans son cabinet dont il referma la porte aussitôt.

– Vous essayez de reconstituer le crime ? demanda miss Marple en s'efforçant de ne pas laisser voir à quel point cette idée l'intéressait.

– Pas exactement. Je considérais tout d'un point de vue entièrement nouveau. Je voyais cette maison comme un théâtre. Je transportais la vie du plan réel sur le plan artificiel. Venez par ici. Imaginez que ce qui nous entoure est un décor : l'éclairage, les entrées, les sorties, les personnages, les bruits de coulisse, tout y est. C'est

441

extrêmement intéressant. Cette idée n'est pas de moi, d'ailleurs, elle me vient de l'inspecteur. Une simple remarque qu'il a faite devant moi. Les effets de scène ne sont une illusion que pour le spectateur... Je crois qu'il est un peu cruel, cet homme. Ce matin, il a fait tout ce qu'il a pu pour m'effrayer.

– A-t-il réussi ?

– Je n'en suis pas sûr.

Alex raconta à miss Marple l'expérience de Curry et le chronométrage de la performance accomplie par Dodgett.

– Le temps est si trompeur ! dit-il. On croit qu'il en faut beaucoup pour faire les choses, mais ce n'est pas vrai du tout.

– Non. Ce n'est pas vrai, répéta miss Marple.

Pour représenter le public, elle changea de place. Un mur recouvert d'une tapisserie constituait maintenant le fond de la scène. À gauche un piano à queue, à droite une fenêtre avec un divan dans l'embrasure, tout près de la porte de la bibliothèque. Le tabouret du piano n'était guère qu'à deux mètres cinquante de la porte de l'antichambre qui précédait le corridor. Deux sorties très commodes. Miss Marple les voyait très bien l'une et l'autre.

Mais, la veille au soir, le public n'était pas là. Personne n'était assis face au décor que regardait miss Marple. La veille au soir, le public tournait le dos à ce décor.

Miss Marple se demandait combien de temps il aurait fallu pour se glisser hors de la pièce, courir tout le long du corridor, tuer Gulbrandsen et revenir. Beaucoup

442

moins qu'on ne le croirait : deux ou trois minutes, sans doute.

À quoi pouvait bien penser Carrie-Louise lorsqu'elle avait dit à son mari : « C'est donc cela que tu crois ! Mais tu te trompes, Lewis ! »

La voix d'Alex tira miss Marple de ses méditations.

— Cette remarque de l'inspecteur au sujet de la réalité d'un décor de théâtre était vraiment très profonde. Fait de bois et de carton fixés avec de la colle, il est aussi réel du côté qui est peint que de celui qui ne l'est pas. « L'illusion, a-t-il dit, est dans l'œil du spectateur. »

— C'est comme pour les tours de prestidigitation, murmura miss Marple. L'illusion est produite par un « jeu de glaces ». Je crois que c'est là le terme consacré.

Stephen Restarick entra en coup de vent.

— Dis donc, Alex, tu te souviens d'Ernie Gregg, cette petite crapule ?

— Celui qui faisait Feste quand vous avez joué *La Nuit des rois* ? Il promettait d'avoir un certain talent, il me semble.

— Oui. Il ne manque pas de talent, et il est extrêmement adroit. Comme machiniste, il est épatant. Mais ce n'est pas de ça qu'il s'agit. Il s'est vanté auprès de Gina de sortir la nuit pour se balader dans le parc. À l'entendre, il était dehors hier soir et il prétend qu'il a vu quelque chose.

Alex pivota sur ses talons.

— Qu'est-ce qu'il a vu ?

— Il ne veut pas le dire. Je suis presque sûr qu'il essaie de faire de l'épate pour se rendre intéressant. C'est un menteur de premier ordre. Mais je me demande, tout de même, s'il ne faut pas qu'on l'interroge.

— Pour l'instant, il vaut mieux ne pas s'occuper de lui, dit vivement Alex. Il ne faut pas lui laisser croire que ce qu'il raconte nous intéresse.

— Peut-être... Oui, tu as raison... On verra ce soir.

Stephen passa dans la bibliothèque. Miss Marple, absorbée par son rôle de public ambulant, entra en collision avec Alex qui s'était reculé brusquement.

— Je vous demande pardon, dit-elle.

Alex fronça les sourcils et dit d'un air distrait :

— Excusez-moi... Tiens ! C'est vous ! ajouta-t-il comme s'il était stupéfait de la voir là.

Cette exclamation, venant de quelqu'un avec qui elle parlait depuis un bon moment parut singulière à miss Marple.

— Je pensais à autre chose, dit Alex. Ce garçon, Ernie...

Un changement brusque s'était opéré en lui. Il fit un geste vague avec ses mains et alla rejoindre Stephen dans la bibliothèque.

On entendait le murmure de leurs voix derrière la porte fermée, mais c'est à peine si miss Marple s'en apercevait. La remarque de l'inspecteur, qu'Alex lui avait rapportée, faisait naître dans son esprit quelque chose d'encore assez vague qui accaparait toute son attention. Cette remarque, qui avait déjà donné une idée à Alex, lui en donnait peut-être une à elle aussi. Était-ce la même ?

Elle alla se placer à l'endroit où s'était tenu Alex Restarick. « Ceci n'est pas un hall véritable, se dit-elle. Ce n'est que du bois, du carton, de la toile... C'est la scène d'un théâtre... » Des bouts de phrase lui traversaient l'esprit : « Illusion... Aux yeux du public... C'est un jeu de glaces... » Elle pensait aux bocaux à poissons rouges, aux morceaux de ruban, aux femmes qui disparaissent... à tous les trucs, à tous les trompe-l'œil de l'art du prestidigitateur...

Une image se formait dans son esprit, suggérée par des mots qu'Alex avait prononcés, par une description qu'il lui avait faite... L'agent Dodgett haletant, soufflant, après sa course. Le déclenchement s'opéra dans son cerveau... et elle vit clair.

– Mais, naturellement, dit-elle à mi-voix. Ça ne peut être que cela...

– Oh ! Wally, que tu m'as fait peur !

La haute silhouette de Walter s'était subitement détachée de l'ombre et Gina qui venait du théâtre avait sursauté. Il ne faisait pas tout à fait nuit. Un demi-jour mystérieux régnait encore et les objets perdaient leur aspect réel pour prendre les formes fantastiques qu'ils ont parfois dans les cauchemars.

– Qu'est-ce que tu fais là ? Tu ne viens jamais au théâtre d'habitude ?

– Je te cherchais peut-être, Gina. C'est l'endroit où on a le plus de chances de te trouver.

La voix douce et un peu traînante de Wally ne laissait deviner aucune arrière-pensée, pourtant Gina éprouva une légère inquiétude en l'entendant.

– Ce travail-là me plaît beaucoup, dit-elle. J'aime l'odeur de la peinture, de la toile, l'atmosphère des coulisses.

– Oui. J'ai bien compris que tu y tenais... Dis-moi, Gina, combien de temps crois-tu qu'il faudra pour éclaircir cette affaire ?

– L'enquête du coroner aura lieu demain, mais rien ne sera décidé avant une quinzaine de jours. C'est du moins ce que l'inspecteur nous a donné à entendre.

– Une quinzaine de jours, répéta Walter d'un air pensif. Disons trois semaines. Et après, nous serons libres... À ce moment-là je retournerai en Amérique.

– Oh !... Mais je ne peux pas m'en aller comme ça, sans prendre seulement le temps de me retourner. Je ne peux pas abandonner grand-maman... Et nous avons ces deux nouvelles représentations que nous sommes en train de préparer...

– Je n'ai pas dit « nous ». J'ai dit que « je » partais.

Gina s'arrêta net et regarda son mari. Dans la pénombre, il lui paraissait énorme. Une sorte de géant tranquille, et... peut-être n'était-ce qu'un effet de son imagination, un peu menaçant...

Mais de quoi l'aurait-il menacée ?

– Alors, tu ne veux pas que je parte avec toi ?

– Pourquoi ? Non. Je n'ai pas dit ça.

– Tu t'en fiches, que je parte ou que je reste ? C'est bien ça ? demanda-t-elle avec une colère soudaine.

– Écoute, Gina. Nous en sommes au point où une explication est nécessaire. Quand nous nous sommes mariés, nous ne savions pas grand-chose l'un de l'autre, pas grand-chose non plus de nos familles, ni de nos milieux respectifs. Nous pensions que ça n'avait aucune importance. Nous voulions simplement mener la belle vie à deux. Maintenant, le premier acte est fini. Ta

famille n'a toujours pas l'air de beaucoup m'apprécier.
Elle a peut-être raison. Je suis d'une autre espèce. Mais
si tu crois que je vais rester ici à ronger mon frein en
faisant des « travaux divers » dans ce que je considère
comme un asile de fous, tu te trompes. Je veux vivre
dans mon pays, y faire le genre de travail qui me plaît
et dont je suis capable. Tu ne corresponds en rien à
l'idée que je m'étais créée de « ma femme ». Sans doute
nous sommes-nous mariés trop vite. C'est moi qui l'ai
voulu. Dans ces conditions, tu auras raison de te libérer
et de recommencer ta vie sur des bases nouvelles. À toi
d'en décider. Si tu préfères un de ces artistes, c'est ta
vie à toi qui est en cause, tu n'as qu'à choisir. Mais moi,
je rentre chez moi.

– Tu es le dernier des mufles ! répliqua Gina. Moi, je
m'amuse beaucoup ici !

– Vraiment ? Eh bien ! pas moi ! Alors, tout t'amuse ?
Même un meurtre ?

Gina sursauta.

– C'est cruel et injuste, ce que tu dis là ! J'aimais beaucoup l'oncle Christian ; et te rends-tu compte que,
depuis des mois, quelqu'un cherche à empoisonner
grand-maman ? C'est horrible !

– Je t'ai assez dit que je n'aimais pas cet endroit. Je
n'aime pas non plus ce qui s'y passe. Aussi, je m'en vais !

– Si on t'y autorise. Tu ne vois donc pas qu'on va sans
doute t'arrêter ? On croit que c'est toi qui as tué l'oncle
Christian. J'ai horreur de cette façon qu'a l'inspecteur
Curry de te regarder. Il est exactement comme un chat
qui guette une souris avec ses horribles griffes en avant,
prêt à bondir. Je suis sûre qu'ils vont te coller ça sur le

447

dos, uniquement parce que tu es sorti du hall pour remettre le plomb et parce que tu n'es pas anglais !

– Il faudra d'abord qu'ils aient des preuves.

– J'ai peur, Wally. J'ai eu peur pour toi dès le début.

– Ça ne sert à rien d'avoir peur. Je te dis qu'ils n'ont aucune preuve contre moi.

Ils se dirigeaient en silence vers la maison, lorsque Gina reprit :

– Je crois que tu n'as aucune envie que je retourne en Amérique avec toi.

Walter ne répondit pas.

Gina se tourna vers lui en tapant du pied.

– Je te déteste ! Je te déteste ! Tu es une brute ! Une brute odieuse et sans cœur ! Tu t'en fiches bien de ne plus jamais me revoir ! Eh bien ! je me fiche, moi aussi, de ne plus jamais te revoir ! J'ai été bien bête de t'épouser. Je vais divorcer aussi vite que je pourrai. Ensuite, j'épouserai Alex ou Stephen et je serai beaucoup plus heureuse que je ne pourrai jamais l'être avec toi !

– Bravo ! s'écria Walter. Comme ça nous savons où nous en sommes !

Miss Marple vit Gina et Walter entrer ensemble dans la maison. Elle se tenait à l'endroit où quelques heures plus tôt l'inspecteur Curry avait procédé à son expérience avec l'agent Dodgett.

Elle sursauta en entendant la voix de miss Bellever derrière elle :

– Miss Marple, vous allez prendre froid si vous restez comme ça dehors après le coucher du soleil.

Docilement, miss Marple lui emboîta le pas et elles retournèrent vers la maison.

– Je pensais, dit miss Marple, aux trucs des prestidigitateurs, si difficiles à comprendre quand on les observe, et si simples une fois qu'on vous les a expliqués. Avez-vous jamais vu « La femme sciée en deux » ? Ça vous donne le frisson. C'est un tour qui me fascinait lorsque j'avais onze ans. Je m'en souviens encore. Je n'ai jamais pu découvrir comment on le réussit. Et, l'autre jour, j'ai lu dans un journal un article où on l'expliquait. Il paraît qu'il n'y a pas une mais deux femmes. On voit la tête de l'une et les pieds de l'autre. On croit qu'il n'y en a qu'une et, en réalité, elles sont deux... Et, dans l'autre sens, ça marcherait tout aussi bien.

Miss Bellever la considérait avec perplexité. Miss Marple était rarement si incohérente. Tous ces événements, c'était vraiment trop pour une vieille personne comme elle.

– Quand on ne regarde qu'un côté des choses, on ne voit que ce côté-là, continua miss Marple, mais si on arrive à déterminer la part de la réalité, et celle de l'illusion, tout devient clair.

Puis elle ajouta soudain :

– Et Carrie-Louise ?... Comment va-t-elle ?

– Elle va très bien, répondit miss Bellever. Mais, vous savez, ça a dû être un coup terrible d'apprendre que quelqu'un voulait la faire mourir et particulièrement pour elle qui ne conçoit pas la violence.

– Carrie-Louise comprend bien des choses qui nous échappent, dit miss Marple d'un ton pensif. Et il en a toujours été ainsi.

– Je sais ce que vous voulez dire. Mais elle vit en dehors de la réalité.

– Croyez-vous ?

Miss Bellever regarda la vieille demoiselle avec étonnement.

– Je ne connais personne qui soit aussi complètement en dehors de la vie que Cara.

– Ne pensez-vous pas que peut-être...

Miss Marple s'interrompit en entendant quelqu'un courir derrière elles. C'était Edgar Lawson. Il salua d'un air gêné et détourna la tête en les dépassant.

– J'y suis ! dit miss Marple. Ça m'est revenu subitement. Ce garçon me rappelle un certain Léonard Wylie. Son père qui était dentiste devenait vieux. Il perdait la vue, ses mains commençaient à trembler et les gens préféraient se faire soigner par le fils. Mais le vieux était malheureux comme les pierres, il n'arrêtait pas de pleurnicher qu'il n'était plus bon à rien. Léonard, qui avait le cœur tendre et qui était un peu bête, se mit à faire comme s'il buvait plus que de raison. Il sentait toujours le whisky et faisait semblant d'avoir un verre dans le nez quand il venait des clients, persuadé qu'ils iraient de nouveau trouver son père sous prétexte que le fils n'était pas à la hauteur.

– L'ont-ils fait ?

– Bien sûr que non. Ils sont allés trouver Mr Reilly, le concurrent. Bien des gens qui ont du cœur manquent de bon sens. De plus, Léonard Wylie ne savait pas s'y prendre. Il n'avait aucune idée de ce qu'est un ivrogne. Il exagérait... Il répandait du whisky sur ses habits et, à ce point-là, c'était tout à fait invraisemblable.

Elles entrèrent dans la maison par la porte latérale et trouvèrent la famille rassemblée dans la bibliothèque.

Lewis arpentait la pièce de long en large et l'atmosphère était particulièrement tendue.

– Qu'est-ce qui se passe ? demanda miss Bellever.

– Ernie Gregg manque à l'appel ce soir, dit sèchement Lewis.

– Il s'est sauvé ?

– Nous l'ignorons. Maverick et une partie du personnel sont en train de battre toute la propriété. Si on ne le retrouve pas, il faudra prévenir la police.

– Grand-maman ! vous avez l'air malade !

Gina, émue de la pâleur de Carrie-Louise, avait couru auprès d'elle.

– Non. Mais j'ai du chagrin. Le pauvre garçon !

– Je comptais lui demander tout à l'heure s'il avait vu quelque chose d'extraordinaire hier soir. On m'a proposé une bonne situation pour lui, et je pensais qu'après lui en avoir parlé je pourrais aborder facilement l'autre sujet. Maintenant...

Il n'en dit pas davantage.

– Le petit imbécile..., murmura doucement miss Marple en hochant la tête.

– Je vous ai ratée au théâtre, Gina ! s'écria Stephen en entrant. J'ai cru que vous aviez dit... Hein ? Qu'est-ce qu'il y a ?

Lewis répéta son explication et, avant que Stephen ait dit un mot, des voix se firent entendre dans le vestibule.

La porte s'ouvrit brusquement et le docteur Maverick entra en chancelant. Il était pâle comme la mort.

451

– Nous l'avons trouvé... Nous « les » avons trouvés... C'est horrible !...

Haletant, il s'effondra sur un siège et s'épongea le front.

– Que voulez-vous dire ?... Vous « les » avez trouvés ? demanda vivement Mildred Strete.

Maverick tremblait des pieds à la tête.

– Là-bas... au théâtre, dit-il. Leurs deux têtes écrasées... Le grand contrepoids a dû tomber sur eux... Alex Restarick et le petit Ernie Gregg. Ils sont morts tous les deux !

– Carrie-Louise, je t'apporte dans cette tasse un potage qui te remontera, dit miss Marple. Fais-moi le plaisir de le boire.

Mrs Serrocold s'assit dans son grand lit. Elle était si petite qu'elle avait l'air d'une enfant. Ses joues avaient perdu leurs couleurs, et on lisait dans ses yeux que ses pensées l'avaient emmenée très loin.

Elle prit docilement la tasse que lui tendait miss Marple. Tandis qu'elle buvait le potage à petites gorgées, sa vieille amie s'assit dans un fauteuil à côté de son lit.

– D'abord Christian..., dit Carrie-Louise, et maintenant Alex... et ce pauvre petit Ernie, qui était à la fois si sot et si rusé ! Est-ce que, vraiment, il savait quelque chose ?

– Je ne crois pas, répondit miss Marple. Il a menti, voilà tout... pour faire l'important, il a laissé entendre qu'il savait quelque chose... Par malheur, quelqu'un l'a cru.

Carrie-Louise frissonna, son regard redevint lointain.

– Nous voulions tant faire pour ces garçons ! Nous avions obtenu des résultats. Quelques-uns ont admirablement réussi. Plusieurs ont maintenant des situations qui exigent de réelles compétences. D'autres sont retombés. C'est inévitable... Dans la civilisation moderne tout est devenu si complexe... Trop complexe pour des natures simples qu'on n'a pas aidées à se développer. Tu connais le grand projet de Lewis ? Il a toujours été convaincu que, dans le passé, la transplantation a sauvé de nombreux individus qui semblaient destinés à devenir des criminels. On les embarquait pour des pays lointains, et ils recommençaient leur vie dans un milieu moins compliqué. C'est sur cette idée, adaptée à notre temps, qu'est fondé le projet de Lewis. Il voudrait acheter un vaste territoire, ou un archipel, pour y créer, en prenant tous les frais à sa charge pendant quelques années, une société coopérative qui se suffirait à elle-même et dont les bénéfices seraient partagés entre les sociétaires. Cette colonie serait suffisamment isolée pour que la tentation... tout à fait normale au début... de retourner dans les villes et d'y reprendre de mauvaises habitudes, soit neutralisée. C'est son rêve. Il faudrait beaucoup d'argent pour le réaliser, et, de nos jours, il n'y a guère de philanthropes qui voient aussi loin...

Miss Marple avait pris sur la table des petits ciseaux qu'elle examinait avec curiosité.

– Quels drôles de ciseaux ! dit-elle. Il y a deux anneaux d'un côté, et un seul de l'autre.

Carrie-Louise sembla revenir de très loin.

– C'est Alex qui me les a donnés ce matin, dit-elle. Ce troisième anneau permet, paraît-il, de couper plus facilement les ongles de la main droite. Cher Alex, tout l'enthousiasmait ! Il m'a obligée à m'en servir tout de suite.

– Et je suppose qu'après avoir ramassé les rognures d'ongles, il les a emportées pour ne pas laisser de désordre.

– Oui. Il... (Elle s'arrêta brusquement et reprit :) Pourquoi dis-tu ça ?

– Alex était intelligent. Oui. Il était très intelligent.

– Tu crois que c'est pour ça qu'il est mort ?

– Oui.

– Ernie et lui... Je ne peux pas y penser ! Quand est-ce arrivé d'après toi ?

– À la fin de l'après-midi. Probablement entre six et sept heures.

– Après le travail ?

– Oui...

– Gina était au théâtre à ce moment-là... Wally Hudd aussi, et Stephen était allé voir si Gina était là-bas... En somme, n'importe qui avait pu...

Miss Marple fut interrompue dans ses réflexions par Carrie-Louise, qui lui posait d'un ton calme une question inattendue :

– Qu'est-ce que tu sais, Jane ?

Miss Marple leva vivement la tête. Les yeux des deux femmes se rencontrèrent et miss Marple dit lentement :

– Si j'étais tout à fait sûre...

– Je crois que tu l'es, Jane.

Miss Marple demanda sur le même ton :

– Que veux-tu que je fasse ?

Carrie-Louise se laissa retomber sur son oreiller.

– Je m'en remets à toi, Jane. Fais ce que tu crois devoir faire.

Elle ferma les yeux.

– Demain... dit miss Marple. (Et elle hésita un instant.) Demain, j'essaierai de parler à l'inspecteur Curry... s'il consent à m'écouter.

6

– Et alors, miss Marple ? dit l'inspecteur Curry avec une certaine impatience.

– Nous pourrions peut-être aller dans le grand hall, si vous n'y voyez pas d'inconvénient, répondit miss Marple.

L'inspecteur parut un peu surpris.

– Vous croyez que c'est là que nous éviterons des indiscrétions ? Ce bureau me paraît tout indiqué... dit-il en regardant autour de lui.

– Je ne pensais pas à éviter les indiscrétions. Je voudrais vous montrer quelque chose que j'ai remarqué grâce à Alex Restarick.

L'inspecteur étouffa un soupir, se leva et suivit miss Marple.

– Est-ce que quelqu'un vous a parlé ? demanda-t-il, espérant une réponse affirmative :

– Non, dit miss Marple. Il ne s'agit pas de ce que les gens ont pu me raconter. Il s'agit de procédés employés par les prestidigitateurs... de jeux de glaces... Vous comprenez ce que je veux dire ?

L'inspecteur Curry ne comprenait pas du tout. Il écarquillait les yeux et se demandait si miss Marple avait toute sa tête.

Elle s'arrêta et lui fit signe de se placer à côté d'elle.

– Tâchez de vous imaginer que ce hall est un décor de théâtre, inspecteur. Voyez les choses comme elles étaient le soir où Christian Gulbrandsen a été tué. Vous faites partie du public qui regarde les acteurs sur la scène. Je suis là avec Mrs Serrocold, Mrs Strete, Gina et Stephen, et comme sur un vrai théâtre, les personnages entrent et sortent. Ils vont dans différents endroits, mais, vous qui faites partie du public, vous ne vous demandez pas où ils vont en réalité. D'après la pièce qu'ils jouent, ils vont soit à la cuisine, soit dans le vestibule, et, quand la porte s'ouvre, vous apercevez un petit morceau de toile peinte. Mais en réalité, et cela va de soi, ils vont dans les coulisses ou rejoignent derrière la scène les machinistes, les électriciens et les autres acteurs qui attendent leur tour. Ils entrent dans un monde qui n'a aucun rapport avec celui qu'ils viennent de quitter.

– Je ne vois pas très bien, miss Marple.

– Oui. Je sais, tout cela doit vous paraître idiot. Mais si vous vous imaginez que vous êtes au théâtre et que la scène représente « Le grand hall de Stonygates », qu'y a-t-il exactement derrière le décor ? Ou, plutôt, qu'est-ce qui constitue les coulisses ? *La terrasse*, n'est-ce pas ? *Et une quantité de fenêtres ouvrent sur la terrasse*. Et c'est comme ça que le tour de prestidigitation a été réussi. C'est le tour de « La femme sciée en deux » qui m'y a fait penser.

– La femme sciée en deux ?

Cette fois, l'inspecteur Curry avait acquis la certitude que miss Marple était complètement folle.

– C'est un tour sensationnel. Vous l'avez sûrement vu... Seulement, en réalité, il y a deux femmes. On voit la tête de l'une et les pieds de l'autre. On dirait qu'il n'y a qu'une personne, mais, en réalité, il y en a deux. Et je me suis dit qu'on pouvait tout aussi bien faire juste le contraire. On verrait alors deux personnes, et il n'y en aurait qu'une.

– On verrait deux personnes et il n'y en aurait qu'une ?...

L'inspecteur ne savait plus où il en était.

– Oui. Pas pendant longtemps. Votre agent de police a mis deux minutes quarante-deux secondes, pour aller en courant du parc à la maison et revenir à son point de départ. Je suis sûre qu'il a fallu moins de deux minutes pour faire cela.

– Pour faire quoi ?

– Le tour de prestidigitation. Le tour où il n'y avait pas deux personnes, mais une seule. Là... dans le bureau. En ce moment, nous ne regardons que la partie visible, la scène. Au-delà du décor, il y a la terrasse et *une rangée de fenêtres*. Si deux personnes se trouvent dans le bureau, il est facile à l'une d'elles de sortir par la fenêtre, de courir sur la terrasse (Alex a entendu des pas précipités), d'entrer par la porte latérale, de tuer Gulbrandsen et de revenir en courant. Pendant ce temps, la personne qui est restée dans le bureau parle et imite la voix de l'autre, de sorte que nous avons la certitude qu'ils sont deux dans la pièce. Et c'était vrai, sauf pendant cet intervalle qui a duré moins de deux minutes.

Curry respirait plus librement. Il retrouva l'usage de la parole.

– Alors, vous croyez que c'est Edgar Lawson qui courait sur la terrasse et qui a tué Gulbrandsen ? Et vous croyez que c'est lui qui a cherché à empoisonner Mrs Serrocold ?

– Voyez-vous, inspecteur, *personne n'a cherché à empoisonner Mrs Serrocold.* C'est là qu'intervient la fausse indication. Quelqu'un a fort adroitement tiré parti du fait que les douleurs rhumatismales dont souffrait Mrs Serrocold ne sont pas sans analogie avec les symptômes de l'empoisonnement par l'arsenic. C'est le vieux truc du prestidigitateur, qui consiste à vous forcer à prendre une carte déterminée... Il est facile de mettre quelques gouttes d'arsenic dans une bouteille de médicament et d'ajouter quelques lignes à une lettre dactylographiée. Et la raison qui a ramené Mr Gulbrandsen ici est la plus vraisemblable de toutes. Il est revenu pour s'occuper de la fondation Gulbrandsen. Une question d'argent. Supposez qu'il y ait eu un détournement de fonds... un détournement de fonds extrêmement important... Vous voyez où cela nous mène ?... Nous ne pouvons penser qu'à une seule personne.

– Lewis Serrocold ?

– Lewis Serrocold.

Fragments d'une lettre de Gina Hudd à sa tante Van Rydock :

... Et vous comprenez tante chérie, que c'était un véritable cauchemar, à la fin surtout. Je vous ai déjà parlé de ce jeune homme ridicule, Edgar Lawson. Il m'a tou-

jours fait penser à un lapin... Quand l'inspecteur s'est mis à lui poser des questions embarrassantes il a perdu tout sang-froid et il a détalé comme un lapin. C'est tout à fait ça : pris de panique, il est parti en courant. Comme je vous le dis. Il a sauté par la fenêtre, il a fait le tour de la maison. Dans l'allée, un agent de police a voulu l'empêcher de passer, alors il a fait un écart et s'est précipité vers l'étang. Il a sauté sur un vieux bateau plat tout pourri, qui était là depuis des années et qui tombait en morceaux, et il s'est éloigné du bord en poussant avec une rame. C'était de la folie pure, mais comme je vous le dis, il n'était qu'un lapin épouvanté.

Alors, Lewis a poussé un grand cri : « Ce bateau est pourri ! » et il a couru à toute vitesse, lui aussi, jusqu'à l'étang. Le bateau a sombré, Edgar se débattait dans l'eau, il ne savait pas nager. Lewis s'est jeté à l'eau. Il a pu aller jusqu'à lui, mais ils étaient en danger l'un comme l'autre dans l'eau profonde, à cause des roseaux. Un des policiers est entré dans les roseaux, lui aussi, et il a fallu le ramener sur le bord en tirant sur la corde.

Tante Mildred s'est mise à crier : « Ils vont se noyer ! Ils vont se noyer ! Ils vont se noyer tous les deux !... » d'une façon un peu bête, et grand-maman a dit simplement : « Oui. » Je ne peux pas vous donner une idée du ton sur lequel elle a prononcé cet unique mot : « Oui. » On aurait dit qu'une épée vous traversait le corps.

Ensuite, on les a sortis de l'eau et on a essayé de les ranimer. Mais la respiration artificielle n'a servi à rien. Alors, l'inspecteur est venu nous trouver et a dit à grand-maman : « Je crains, Mrs Serrocold, qu'il n'y ait plus d'espoir. »

Grand-maman a répondu très calmement : « Merci, inspecteur » et elle nous a tous regardés. Moi, j'aurais bien voulu être utile à quelque chose, mais je ne savais pas comment m'y prendre. Jolly, grave et attendrie, était prête, comme d'habitude, à donner ses soins à grand-maman. Stephen lui a tendu les mains. La vieille miss Marple, qui est si cocasse, avait l'air tellement triste, on voyait qu'elle était fatiguée. Wally lui-même paraissait bouleversé. Nous aimons tous beaucoup grand-mère et tous, nous aurions voulu pouvoir l'aider.

Mais grand-maman a seulement dit : « Mildred ! » et tante Mildred a répondu : « Mère ! » Et elles sont rentrées ensemble dans la maison. Grand-mère paraissait toute petite et si frêle ! Tante Mildred lui donnait le bras. Jusque-là, je ne m'étais jamais rendu compte qu'elles s'aimaient si tendrement. Ça ne se voyait pas beaucoup, vous savez.

Gina s'arrêta, suça son stylo et se remit à écrire :

Wally et moi, nous comptons rentrer aux États-Unis le plus tôt possible...

Miss Marple regardait d'un air pensif les deux personnes qui se trouvaient avec elle dans la pièce : Carrie-Louise, plus maigre et plus frêle que jamais, malgré son impassibilité surprenante, et le vieil évêque de Cromer, dont les beaux cheveux blancs encadraient la figure douce et souriante.

L'évêque prit la main de Carrie-Louise dans la sienne.

– C'est un grand chagrin pour vous, ma pauvre enfant, et vous avez dû en être bouleversée.

– Oui. C'est un grand chagrin, mais je n'ai pas été bouleversée.

Mrs Serrocold se tourna vers miss Marple :

– Qu'est-ce qui t'a fait deviner la vérité, Jane ?

– À vrai dire, c'est toi, Carrie-Louise, répondit miss Marple, et on aurait pu croire qu'elle cherchait à s'excuser. Dès que je me suis rendu compte que les gens se trompaient quand ils racontaient que tu vivais dans un monde à part, et que tu avais perdu contact avec la réalité, j'ai commencé à entrevoir la vérité : c'est-à-dire que tu vivais bel et bien dans le réel, et non dans un monde illusoire. Tu n'es jamais le jouet d'une illusion, comme la plupart d'entre nous. Lorsque, soudain, je m'en suis aperçue, j'ai compris que c'étaient tes sentiments et ta manière de voir qui devaient me guider. Tu étais sûre que personne ne cherchait à t'empoisonner. Tu ne pouvais pas le croire... et tu avais raison : ce n'était pas vrai. Tu n'as jamais cru qu'Edgar pourrait faire mal à Lewis... et, là encore, tu avais raison : il ne lui aurait jamais fait de mal. Tu étais sûre que Gina n'aimait que son mari, et c'était exact.

» Donc, si je devais me laisser guider par toi, tout ce qui paraissait vrai n'était qu'illusions. Et ces illusions étaient créées avec une intention précise... Un prestidigitateur n'agit pas autrement pour tromper son public. Nous étions le public.

» Alex Restarick a pressenti la vérité avec moi, parce qu'il a eu l'occasion de voir les choses sous un angle différent... Il les a vues de l'extérieur. Il était dans l'allée avec l'inspecteur et regardait la maison. Il s'est rendu compte du parti qu'on pouvait tirer des fenêtres et s'est souvenu d'avoir entendu quelqu'un courir dans le brouillard. Ensuite, le chronométrage de la course de l'agent de police lui a prouvé qu'il faut bien moins de temps qu'on ne l'imagine pour faire certaines choses. L'agent était hors d'haleine et, plus tard, pensant à ce détail, je me suis souvenue que Lewis Serrocold était très essoufflé quand il a ouvert la porte de son bureau, ce soir-là. Il venait de courir très vite.

» Mais, dans tout cela, c'était Edgar Lawson le pivot. Je me suis toujours méfiée d'Edgar Lawson. Tout ce qu'il disait ou faisait cadrait exactement avec ce qu'on voulait nous faire croire qu'il était, mais il y avait chez lui quelque chose qui clochait. Ce garçon, parfaitement normal, qui jouait le rôle d'un demi-fou, dépassait tout le temps la mesure. Il était toujours théâtral.

» Évidemment, tout cela a été conçu et préparé avec le plus grand soin. Lewis a dû se rendre compte, lorsque Mr Gulbrandsen est venu ici, le mois dernier, qu'il avait des soupçons. Et il connaissait assez bien Christian Gulbrandsen pour savoir qu'il ferait tout pour vérifier si ses soupçons étaient fondés ou non.

Carrie-Louise intervint :

– Oui, c'était bien dans son caractère. Christian était lent, mais il se donnait du mal et il était très avisé. J'ignore ce qui a pu lui mettre la puce à l'oreille, mais il est allé jusqu'au fond des choses... et il a découvert la vérité.

– Je me reproche de n'avoir pas été un administrateur plus consciencieux, dit l'évêque.

– Vous n'étiez pas censé vous occuper des questions financières, déclara Carrie-Louise. Au début, c'était le domaine de Mr Gilfoy. Après sa mort, comme Lewis avait une grande expérience des affaires, on l'a laissé tout diriger à son idée, et c'est ce qui lui a fait perdre la tête.

Un peu de rose monta aux joues de Mrs Serrocold.

– Lewis était un homme remarquable, dit-elle. Il voyait grand et il avait la conviction que tout est possible... avec de l'argent. Il ne le désirait pas pour lui. Du moins, ce n'était ni la cupidité ni le sentiment vulgaire qui l'influençaient. Il voulait la puissance que donne l'argent. Il voulait être assez puissant pour pouvoir faire beaucoup de bien.

– Il voulait être Dieu, dit l'évêque. (Et soudain, sa voix devint sévère :) Il oubliait que l'homme n'est que l'humble instrument de la volonté de Dieu.

– Et... il a détourné... les capitaux de la Fondation ? demanda miss Marple.

– Ce n'est pas tout...

Mgr Galbraith hésita.

– Ne lui cachez rien, dit Carrie-Louise, elle est ma plus vieille amie.

– Sur le plan financier, Lewis Serrocold était un véritable sorcier, dit l'évêque. À l'époque où il exerçait, avec une haute compétence, les fonctions d'expert-comptable, il s'était amusé à mettre au point divers procédés permettant de commettre des escroqueries presque sans risques. Il s'agissait là de recherches purement académiques. Mais quand il en vint à envisager tout ce qu'il pourrait entreprendre s'il possédait beaucoup d'argent, il mit ces procédés en pratique. C'est qu'aussi il avait à sa disposition des éléments exceptionnels. En choisissant parmi les garçons qui passaient ici, il forma une petite bande triée sur le volet. Ces garçons, que leurs dispositions naturelles poussaient au mal, aimaient les sensations fortes et beaucoup d'entre eux étaient très intelligents.

L'évêque se tut un instant et reprit :

– Nous sommes encore loin d'avoir tout éclairci, mais il paraît certain que les membres de cette organisation recevaient une formation spéciale, après quoi ils étaient placés dans des positions clefs, où, se conformant aux instructions de Lewis, ils falsifiaient les livres dans des conditions qui ont permis le détournement de sommes considérables, sans jamais éveiller de soupçons. D'après ce qu'on m'a dit, ces opérations et leurs ramifications sont si compliquées qu'il faudra des mois aux experts pour tout débrouiller. Je sais déjà que, sous des noms différents, Lewis Serrocold avait des comptes dans plusieurs banques et des intérêts dans plusieurs sociétés. Il aurait bientôt pu disposer d'une somme colossale, avec laquelle il avait l'intention de fonder une colonie dans un pays lointain. Là, il aurait procédé à une expérience d'ordre coopératif grâce à laquelle de jeunes délinquants seraient devenus, en fin de compte, propriétaires et administrateurs de ce territoire. C'était sans doute un rêve fantastique...

– C'était un rêve qui aurait pu se réaliser, dit Carrie-Louise.

– Oui. Peut-être. Mais les moyens adoptés par Lewis Serrocold étaient malhonnêtes et Christian Gulbrandsen s'en est aperçu. Il était d'autant plus troublé qu'il comprenait ce que cette découverte et les poursuites qu'on engagerait sans doute allaient être pour vous, Carrie-Louise.

– Voilà pourquoi il m'a demandé si mon cœur était solide, dit Mrs Serrocold. Il était très préoccupé de ma santé et je n'en voyais pas la raison.

– Lewis est rentré de son voyage dans le Nord, continua l'évêque. Christian l'a rencontré devant la maison et lui a dit qu'il savait ce qui se passait. Je crois que Lewis a pris cela avec calme. Ils ont décidé ensemble de faire tout ce qu'ils pourraient pour vous ménager. Christian a dit qu'il allait m'écrire pour me demander de venir, étant donné que j'étais administrateur de la Fondation, moi aussi, pour examiner la situation.

– Mais, naturellement, dit miss Marple, Lewis avait prévu cette éventualité. Il avait tout préparé d'avance. Il avait amené ici le jeune homme qui devait jouer le rôle d'Edgar Lawson. Il va de soi qu'il existe un Edgar Lawson. Il le fallait bien, pour le cas où la police aurait cherché à se renseigner sur le faux Edgar. Celui-ci savait exactement ce qu'il avait à faire... Jouer le rôle d'un grand nerveux qui se croit persécuté, et assurer à Lewis Serrocold un alibi pendant quelques minutes d'une importance vitale.

» Et ce n'est pas tout. Lewis avait imaginé d'avance cette histoire d'empoisonnement. Quelqu'un cherchait à te faire mourir lentement, Carrie-Louise... Et, tout bien examiné, cette histoire était fondée uniquement sur ce que Christian avait soi-disant raconté à Lewis... et sur quelques mots ajoutés par celui-ci, pendant qu'il attendait la police, à la lettre qui était sur la machine à écrire ! Il était facile de mettre de l'arsenic dans le fortifiant, et cela ne présentait aucun danger pour toi... Lewis était là pour t'empêcher de le prendre. Les chocolats ont complété le tableau. Naturellement, ceux qui se trouvaient dans la boîte quand tu l'as reçue n'étaient pas empoisonnés, mais avant de la remettre à l'inspecteur Curry, Lewis les a remplacés par d'autres qui l'étaient.

– Et Alex l'avait deviné, dit Carrie-Louise.

– Oui. C'est pour ça qu'il t'avait donné ces petits ciseaux. On aurait trouvé de l'arsenic dans tes ongles, si tu en avais absorbé pendant longtemps.

– Lewis courait certainement un risque énorme en prenant Edgar pour complice, même s'il avait un grand ascendant sur lui, dit l'évêque.

– Non, répondit Carrie-Louise. Ce n'était pas tout à fait cela. Edgar aimait vraiment Lewis.

– Oui, murmura miss Marple, comme Léonard Wylie aimait son père. Je me demande...

La délicatesse l'empêcha d'en dire davantage.

– La ressemblance ne t'a pas échappé ? murmura Carrie-Louise.

– Tu l'as donc toujours su ?

– Je l'ai deviné. Je savais que jadis, avant de me connaître, Lewis avait eu un sentiment passager pour une actrice. Il m'en avait parlé. Je suis convaincue qu'Edgar était son fils.

– Ça explique tout, dit miss Marple.

– Et, pour finir, Lewis a donné sa vie pour lui.

Carrie-Louise jeta un regard suppliant à l'évêque et ajouta :

– C'est vrai, vous savez.

Il y eut un long silence, puis Mrs Serrocold reprit :

– Je suis heureuse que tout ait fini ainsi, qu'il ait donné sa vie dans l'espoir de sauver cet enfant. Un homme qui peut être très bon peut également être très mauvais. Je n'ai jamais ignoré que c'était le cas pour Lewis. (Et elle ajouta très simplement :) Mais il m'aimait beaucoup et je l'aimais aussi.

– Je crois que grand-maman fera très bon ménage avec tante Mildred, dit Gina. Tante Mildred est devenue beaucoup plus gentille, moins bizarre. Vous voyez ce que je veux dire ?

– Je vois très bien, dit miss Marple.

– Alors, nous allons partir pour les États-Unis dans une quinzaine de jours, Wally et moi.

Gina regarda son mari du coin de l'œil.

– J'oublierai Stonygates, l'Italie, tout mon passé de jeune fille, et je deviendrai une Américaine cent pour cent. Nous appellerons toujours notre fils Junior. Il me semble que je ne peux pas mieux dire. Qu'en penses-tu, Wally ?

Miss Marple les regardait l'un après l'autre, en se disant qu'il est bon de voir deux jeunes êtres si tendrement amoureux. Walter Hudd était transformé. Le garçon maussade qu'il était naguère avait fait place à un jeune géant souriant et toujours de bonne humeur.

– Vous deux, vous me rappelez..., commença-t-elle.

Gina bondit et posa la main sur les lèvres de la vieille demoiselle, en s'écriant :

– Non, taisez-vous ! Je me méfie de ces comparaisons. Avec les campagnardes, le mot de la fin est toujours venimeux ! Au fond, vous n'êtes qu'une vieille coquine, vous savez !

Le regard de Gina se voila et elle reprit tout doucement :

– Quand je pense à vous, à tante Ruth, à grand-maman, comme à trois jeunes filles ensemble, j'ai beau chercher comment vous étiez, je n'arrive pas à l'imaginer...

– Vous ne pouvez pas l'imaginer, dit miss Marple. C'est si loin dans le passé...

Table des matières

Aubin Imprimeur
LIGUGÉ, POITIERS

*Cet ouvrage est imprimé
sur du papier sans bois et sans acide*

Achevé d'imprimer en janvier 1999
pour le compte de France Loisirs
123, bd de Grenelle, 75015 Paris

N° d'édition 30881 / N° d'impression L 57547
Dépôt légal, janvier 1999
Imprimé en France